Vanzelfsprekend

NEDERLANDS VOOR ANDERSTALIGEN

DUTCH FOR FOREIGNERS

Rita Devos, Han Fraeters, Peter Schoenaerts en Helga Van Loo

INSTITUUT VOOR LEVENDE TALEN K.U.LEUVEN

Vanzelfsprekend

NEDERLANDS VOOR ANDERSTALIGEN

DUTCH FOR FOREIGNERS

Tekstboek

ACCO LEUVEN / DEN HAAG

3

Initiatief
Coördinator Studentenbeleid, K.U.Leuven

Supervisie
Raphaël Masschelein, Annie Van Avermaet

Didactische ondersteuning
Ludo Beheydt, Luce Broeckx, Fons Fraeters, Samine Irigoien, Gert Troch, Annie Van Avermaet

Didactische ondersteuning bij de herwerkte uitgave
Ines Blomme, Annemarie Leuridan, Annelies Nordin, Johanna Potargent, Kitty Sterkendries, Els Verlinden, Leen Verrote, Evelien Versyck

Grafische assistentie
Jeroen Van Hees, Quirijn Thijs

Engelse vertaling
Jan Aspeslagh, Caroline Greenman

Het dvd-programma werd geproduceerd door AVNet K.U.Leuven.

Acteurs en stemmen
Erik Arfeuille, Luce Broeckx, Elly Colin, Marcelle Colin, Rita Devos, Griet De Wolf, Kris Dom, Fons Fraeters, Han Fraeters, Lie Hellemans, Johan Hennes, Peter Jacobs, Rudi Knoops, Gert Loosen, Herman Minten, Ellen Nys, Tim Pauwels, Peter Schoenaerts, Gert Troch, Annie Van Avermaet, Mathias Vanbuel, Joop van der Horst, Johannes Van Heddegem, Bert Van Hirtum, Helga Van Loo, Brecht Vanmeirhaeghe, Ward Verrijcken

De cd's werden geproduceerd door het Instituut voor Levende Talen, K.U.Leuven.

Opnameleiding
Lut Sengier en Raymond Vandenbosch

Eerste druk: 1996
Tiende herziene druk: 2009
Twaalfde druk: 2012

Gepubliceerd door
Uitgeverij Acco, Blijde Inkomststraat 22, 3000 Leuven, België
E-mail: uitgeverij@acco.be – Website: www.uitgeverijacco.be

Voor Nederland:
Acco Nederland, Westvlietweg 67 F, 2495 AA Den Haag, Nederland
E-mail: info@uitgeverijacco.nl – Website: www.uitgeverijacco.nl

Omslagontwerp: www.frisco-ontwerpbureau.be

D/2009/0543/12   NUR 623   ISBN 978-90-334-7370-8

INTRODUCTION

Vanzelfsprekend is a complete Dutch language study pack. This is the revised edition of the 1996 course. The books, CDs and DVDs have been revised and modernized. *Vanzelfsprekend* can be used either as a self-tuition course or in the classroom.

FOR THE SELF-TUITION LEARNER

In the case of self-tuition no supplementary material is required. Should you need a dictionary, make sure to use one that specifies the gender of nouns: Dutch *de*-words are male (m = *mannelijk*) or female (v = *vrouwelijk*), *het*-words are neutral (o = *onzijdig*).

The obvious advantage of *Vanzelfsprekend* is that you can study at your own pace. The study pack consists of small units that can be covered in one session. After you have started with the first episode of the DVD programme, the built-in reference system will automatically lead you through the whole course.

The course is divided into 10 parts. Parts 1 to 5 contain about a thousand words, parts 6 to 10 add about another thousand. This study pack also presents all basic Dutch speech acts and structures for the 'basic user' as defined in the Common European Framework of Reference for Languages. This course incorporates all skills – listening, reading, writing and speaking – and you also get an interesting introduction to the Flemish-Belgian society.

I   DVD

Each part of the course starts with an episode of the video series on DVD. Every episode is conceived as a TV show. It contains three sections smoothly integrated by a presenter:

1. a **soap** introducing the new speech acts and vocabulary in natural contexts;

2. a **grammar section** with a visual representation of some of the new speech acts and the most important structural aspects;

3. a **short documentary** focusing on some interesting aspects of the Flemish and/or Belgian society.

Watching an episode for the first time, it is not yet necessary to understand each and every word. The comprehension exercise in the **Workbook**, to which you are referred, will indicate whether you have understood the general context.

At the end of each part, watching the episode again, you should be able to understand every word. In this way you can test whether you are ready to tackle the next part of the course.

Do not hesitate to use the pause button during the DVD session whenever needed.

II   TEXTBOOK

Having watched the DVD session for the first time and having completed the comprehension exercise you will be referred to the **Textbook**. Each part of this textbook is divided into lessons, and each lesson contains smaller units. You should try to cover a unit in one session. Each unit contains one or more dialogues, recorded on CD or a reading text as well as one or more summary boxes.

These summary boxes should be studied thoroughly. There are four kinds of summary boxes offering different kinds of information.

Speech acts.

These are highly frequent formulaic expressions e.g. to say hello 'Goedemiddag. Hoe gaat het ermee ?' or to apologise 'Het spijt me.' etc.

Grammar.

The use of tenses, word order etc.

Words

wich may present problems to the non-native user: e.g. the use of 'of' and 'als' in Dutch, the use of verbs like 'staan', 'liggen', 'zitten' and 'hangen' etc.

Language functions.

These are different ways to get or give information about *occupation, address, origin, opinion* etc.

At the end of each lesson a **word list** is offered containing the target vocabulary of that lesson.

III   WORKBOOK

For every unit in the **Textbook**, there is a corresponding unit in the **Workbook**. The units in the Workbook review and practise the topics in the Textbook and provide new items which are dealt with at a further stage.

Each part is followed by a highly diversified revision section which mainly focuses on the current part but also covers words, speech acts and grammar from the preceding parts. You will notice immediately whether you master the part you have just completed.

Some exercises contain words you do not know yet, in which case a translation or picture is added to help you understand.

Some exercises are optional 🏃; others are games 🎲. As they are not strictly necessary steps in the procedure, it is up to you to decide whether you have the time or find it necessary to do them. All solutions to the exercises can be found in the **key** or on the **CDs**.

IV   CDs

By means of the icon 🎧, the Workbook refers you to the (listening) exercises promoting your communicative skills. This is usually to exercise the speech acts of the Textbook dialogues. Listen to the CDs as frequently as possible - even without looking at the text – and try to repeat the dialogues. For instance, you can choose one character and speak along or repeat the words. Use the pause button whenever necessary.

V   APPENDICES

In the textbook you will find 4 practical appendices and 2 useful lists.

Appendix 1 contains all irregular verbs, arranged alphabetically according to their infinitive form.

Appendix 2 contains all irregular verbs, arranged alphabetically according to their past participle.

Appendix 3 contains all irregular verbs, arranged alphabetically according to their past tense.

Appendix 4 contains the grammatical terminology used in the course, illustrated by some typical examples.

There are also two **lists**: one with all the grammatical items and another one with speech acts.

FOR THE TEACHER

If you work with *Vanzelfsprekend* in your class, the elaborated Teacher's manual 'Nederlands voor anderstaligen: van theorie naar praktijk' will be of great help. This manual offers didactic advice on working with the language material and diverse interactive speech and writing assignments.

INTRODUCTIE

Vanzelfsprekend is een totaalprogramma om Nederlands te leren. Dit pakket is een volledig vernieuwde uitgave van de leergang uit 1996. De boeken, cd's en dvd's werden helemaal herwerkt en gemoderniseerd. U kunt *Vanzelfsprekend* gebruiken als **zelfstudiepakket** of **in de klas**.

VOOR DE ZELFSTUDIEGEBRUIKER

Als zelfstudieleerder hebt u geen aanvullend lesmateriaal nodig. Als u evenwel bij het studeren een vertaalwoordenboek wilt gebruiken, let u er dan op dat u een woordenboek koopt dat bij de substantieven het genus geeft (de-woorden zijn mannelijk (m) of vrouwelijk (v), het-woorden zijn onzijdig (o)).

Het grote voordeel van *Vanzelfsprekend* is dat u kunt studeren in uw eigen tempo. De leergang bestaat immers uit kleine leseenheden, die u in één keer kunt afwerken. U begint met de eerste aflevering van het videoprogramma en vanaf dan wijst het ingebouwde verwijssysteem u de weg.

De cursus bestaat uit 10 delen. De eerste 5 delen bevatten ongeveer duizend woorden en in de delen 6 tot 10 komen daar nog eens zo'n duizend nieuwe woorden bij. Het pakket biedt ook alle basistaalhandelingen en -structuren van het Nederlands die de in het Gemeenschappelijk Europees Referentiekader genoemde 'basisgebruiker' nodig heeft. Alle vaardigheden – luisteren, lezen, schrijven en spreken – komen in deze leergang aan bod en u krijgt tegelijk een interessante inleiding in de Vlaams-Belgische samenleving.

I   DVD

U begint een deel met het bekijken van een aflevering uit de **videoserie** op **dvd**. Elke aflevering is opgevat als een televisieprogramma en bestaat uit 3 onderdelen die door een presentator aan elkaar worden gepraat:

1. een onderhoudende **soap**, waarin de nieuwe taalhandelingen en woordenschat in een natuurlijke context worden aangeboden;

2. een **taalonderdeel**, waarin enkele van die nieuwe taalhandelingen en de belangrijkste grammaticale punten visueel worden voorgesteld;

3. een **korte reportage**, waarin een interessant aspect van de Vlaamse en / of Belgische samenleving wordt belicht.

De eerste keer dat u een aflevering bekijkt, probeert u gewoon de grote lijnen van wat u ziet en hoort te volgen. De comprehensie-oefening in het **Werkboek**, waarnaar u wordt verwezen, stelt u in staat te controleren of dat is gelukt.

Aan het einde van elk deel bekijkt u de aflevering opnieuw en nu moet u er elk woord van begrijpen. Zo kunt u testen of u klaar bent om het volgende deel aan te pakken.

Aarzel bij het bekijken van de programma's niet om de pauzetoets te gebruiken wanneer u dat nodig vindt.

II   TEKSTBOEK

Nadat u de eerste keer het videoprogramma hebt bekeken en de comprehensie-oefening hebt gemaakt, komt u terecht in het **Tekstboek**. U zult merken dat elk deel is onderverdeeld in lessen en elke les in kleine eenheden. Zo'n eenheid zou u in één keer moeten proberen af te werken. Elke eenheid bevat een of meer dialogen, die u kunt beluisteren op de cd, of een leestekst. Daarnaast bevat een eenheid ook een of meer overzichtskaders.

Het is van belang dat u die overzichtskaders goed studeert. U zult 4 verschillende types aantreffen. Elk type geeft een ander soort informatie.

Taalhandelingen.

Dat zijn heel frequente vaste uitdrukkingen, zoals 'Goedemiddag. Hoe gaat het ermee ?' of 'Het spijt me'.

Grammatica.

Woordvolgorde, het gebruik van de tijden, enz.

Woorden

waarvan het gebruik moeilijkheden kan opleveren. Bij voorbeeld het gebruik van 'als' en 'of', het gebruik van 'staan', 'liggen', 'zitten' en 'hangen'.

Taalfuncties.

Die geven antwoorden op vragen als 'Hoe vraag ik iemands adres ?' of 'Hoe geef ik mijn opinie over iets ?'

De belangrijkste woorden van elke les zijn opgenomen in kleine **woordenlijstjes**.

III   WERKBOEK

Als u een eenheid in het **Tekstboek** hebt afgewerkt, gaat u naar de corresponderende eenheid in het **Werkboek**. Daarin wordt het taalaanbod uit het tekstboek op een gevarieerde manier ingeoefend en herhaald, en wordt er geanticipeerd op thema's en structuren die later zullen volgen.

Op elk deel volgt een herhalingsles met gevarieerde oefeningen. Daarin gaat de aandacht vooral naar wat u net geleerd hebt, maar ook woorden, taalhandelingen en grammatica uit voorafgaande delen komen aan bod. U merkt meteen of u het deel dat u net hebt afgewerkt goed onder de knie hebt.

In de oefeningen worden soms woorden gebruikt die u nog niet kent. U krijgt dan een vertaling of illustratie om u te helpen die woorden te begrijpen.

Sommige oefeningen zijn optioneel 🏃 of opgevat als een taalspelletje 🎱. U merkt zelf wel of u de tijd hebt of het nodig vindt om die te maken.

De oplossingen van de oefeningen vindt u in de **sleutel** of op de **cd's**.

IV   CD'S

Wanneer het Werkboek u naar de cd's stuurt, is het om een (luister)oefening te maken die uw communicatieve vaardigheden moet verhogen.
Een pictogram 🎧 verwijst er u naar waar nodig. Meestal is dat bij de dialogen van het Tekstboek. Probeert u die vooral zo vaak mogelijk te beluisteren – ook zonder naar de tekst te kijken – en, wanneer u ze goed begrijpt, ook na te zeggen. U kunt bijvoorbeeld, als u dat wenst, één van de personages uitkiezen en telkens zijn of haar tekst mee- en nazeggen. Het spreekt vanzelf dat ook hier de pauzetoets u vaak van pas zal komen.

V   BIJLAGEN

Het tekstboek heeft 4 praktische appendices en 2 handige registers.

Appendix 1 bevat een lijst van alle onregelmatige werkwoorden, alfabetisch gerangschikt volgens hun infinitief.

Appendix 2 bevat een lijst van alle onregelmatige werkwoorden, alfabetisch gerangschikt volgens hun participium perfectum.

Appendix 3 bevat een lijst van alle onregelmatige werkwoorden, alfabetisch gerangschikt volgens hun imperfectum.

Appendix 4 bevat de in deze leergang gebruikte grammaticale terminologie, geïllustreerd met enkele typische voorbeelden.

De **registers** bevatten een alfabetische lijst van alle grammaticale items en van alle taalhandelingen.

VOOR DE DOCENT

Als u als docent in de klas met *Vanzelfsprekend* werkt, hebt u heel veel steun aan het uitgebreide Docentenboek 'Nederlands voor anderstaligen: van theorie naar praktijk', boordevol didactische tips voor de aanpak van het aangeboden taalmateriaal en gevarieerde interactieve spreek- en schrijfopdrachten.

DEEL 1

Welkom aan boord.

Dag. Ik ben Paolo.

1A

IN HET VLIEGTUIG *[on the plane]*

CD 1(1)

1. – Dag, ik ben Bert Sels.
   – Mijn naam is Paolo Sanseverino.
   – Paolo ... ?
   – Sanseverino. Mijn achternaam is Sanseverino.

2. – Hallo !
   – Goedemiddag, mevrouw.
   – Dag Bert. Ik ben Els, Els Baart.
   – Oh ! Ja, natuurlijk. Dag Els.

3. – Hallo, ik heet Els. Ik ben de vriendin van Peter.
   – Dag, Paolo Sanseverino.
   – Paolo San-se-ve-ri-no ?
   – Mijn voornaam is Paolo.
   – Ah, dag Paolo.

4. – Dag, Bert Sels.
   – Karel Beerten.

5. – Dag meneer. Ik ben Karel Beerten.
   – Mark Segers. Goedemiddag.

ZICH VOORSTELLEN *[introducing yourself]*

1. **voornaam + achternaam**
   - Paolo Sanseverino.
   - **Mijn naam is** Paolo Sanseverino.
   - **Ik ben** Paolo Sanseverino.

2. **voornaam**
   - **Ik heet** Paolo.
   - **Ik ben** Paolo.

3. **achternaam**
   - Sanseverino.
   - **Mijn naam is** Sanseverino.

formeel *[formal]*

informeel *[informal]*

WERKBOEK 1A
P. 6

DE LETTERS VAN HET ALFABET `1B`

A	B	C	D	E	F	G	H	I	J	K	L	M
a	*b*	*c*	*d*	*e*	*f*	*g*	*h*	*i*	*j*	*k*	*l*	*m*

N	O	P	Q	R	S	T	U	V	W	X	Y	Z
n	*o*	*p*	*q*	*r*	*s*	*t*	*u*	*v*	*w*	*x*	*y*	*z*

CD 1(2)

DVD
EXTRA EDITIE

woordenlijst les 1

de achternaam	het alfabet	heten (ik heet, je heet, hij heet)
de letter		zijn (ik ben, je bent, hij is)
de meneer		
de mevrouw		dag **⊘**
de naam		hallo **⊘**
de voornaam		ja **⊘**
de vriendin		natuurlijk
		oh **⊘**

⊘ = interjectie *[interjection]*

Hallo !

2

IN HET VLIEGTUIG *[on the plane]*

CD 1(3)

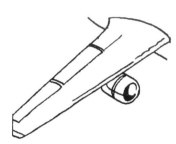

1. Paolo	Goedemorgen, mevrouw.
stewardess	Goedemorgen.
	Welkom aan boord.

OP STRAAT *[in the street]*

2. Els	Hallo ! Goedemorgen.
een collega	Dag Els. Goedemorgen.
3. An	Goedemiddag, Lisa !
Lisa	Ah ! An, goedemiddag.
An	Lisa, dit is Frank, een ex-collega.
	Frank, dit is Lisa, een vriendin.
Lisa	Dag Frank.
Frank	Dag Lisa.

4. Els	Goedemorgen, professor Deman.
prof. Deman	Dag Els en ...
Peter	Ik ben Peter, de vriend van Els.
prof. Deman	Dag Peter.
Peter	Goedemorgen.
(...)	
prof. Deman	Tot ziens.
Peter en Els	Dag professor. Tot ziens.

5. Tine	Ha, dag Liu. Goedenavond.
Liu	Dag Tine.
Tine	Liu, dit zijn Anja en Barbara.
Anja, Barbara	Goedenavond, Liu.
Liu	Dag Barbara, dag Anja.
Tine	Liu komt uit China. Hij komt hier in Leuven studeren.
Anja	Interessant.
	En spreek je Nederlands, Liu ?
Liu	Een beetje.
Tine	Dat is goed, hè ? Liu, tot ziens.
Liu	Ja, dag Tine en ... Anja en Barbara.
Anja, Barbara	Dag !

GROETEN *[greeting someone]*

Goedendag. Goedemorgen.	**07:00** –	**12:00**
Goedendag. Goedemiddag.	**12:00** –	**19:00**
Goedenavond.	**19:00** –	**22:00**

BIJ ONTMOETEN *[when meeting]*	**BIJ WEGGAAN** *[when leaving]*

Hallo !
Hoi !
Dag Els.
Dag mevrouw.
Dag meneer Maas.

Dag !
Tot ziens !
Dag mevrouw. Tot ziens.
Dag meneer Maas.
Tot ziens.

WERKBOEK 2
P. 7

▌ woordenlijst les 2

de collega	het beetje	goed	hier	Ah, ... ha, ...	en
de ex-collega	het Nederlands	interessant		goedemiddag	
de professor				goedemorgen	
de straat				goedenavond	
de vriend		komen (ik kom, je komt, hij komt)		goedendag	
		spreken (ik spreek, je spreekt,		hè	
		hij spreekt)		hoi	
		studeren (ik studeer, je studeert,		tot ziens	
		hij studeert)		welkom	

Dit is ...

3A

Dit is Els

en

dat is Peter.

Dit zijn Els en Peter   en   dat zijn Paolo en Bert.

IDENTIFICEREN *[identifying]*

Dit is ...		Dat is ...	
Dit zijn ...		Dat zijn ...	

WERKBOEK 3A
P. 9

3B

Dit is **een** vriend van Els.   Dat is **een** vriendin van Peter.

Dit is **de** vriend van Els.   Dat is **de** vriendin van Peter.

Dit is water.

Dat is koffie.

Dit is **het** water van Els.

Dat is **de** koffie van Peter.

Dit is **een** krant.

Dat is **een** tijdschrift.

Dit is **de** krant
van Els.

Dat is **het** tijdschrift
van Peter.

Dit is **een** ticket.

Dat is **een** identiteitskaart.

Dit is **het** ticket
van Els.

Dat is **de** identiteitskaart
van Peter.

Dit zijn vrienden
van Els.

Dat zijn vrienden
van Peter.

Dit zijn **de** vrienden
van Els.

Dat zijn **de** vrienden
van Peter.

Dit zijn kranten.

Dat zijn tijdschriften.

Dit zijn **de** kranten
van Els.

Dat zijn **de** tijdschriften
van Peter.

HET ARTIKEL [the article]

	ONBEPAALD [indefinite]	BEPAALD [definite]
ENKELVOUD [singular]	een, Ø *	de of het **
MEERVOUD [plural]	Ø *	de

* Je gebruikt geen onbepaald artikel voor ontelbare substantieven in het enkelvoud en voor substantieven in het meervoud.
[Don't use an indefinite article with uncountable nouns in the singular or with plurals.]

** Er bestaan alleen 'richtlijnen' om aan te geven of een woord een de-woord of een het-woord is. Studeer dus bij elk substantief ook meteen het bepaald artikel.
[There are no real rules - only 'guidelines' - to indicate whether a word takes "de" or "het". So study the definite article along with every new noun.]

 WOORDEN DIE AAN MENSEN REFEREREN ZIJN DE-WOORDEN.
MAAR: HET 'KIND'; HET 'MEISJE'.
[Words referring to people take the definite article "de".
But: 'het kind'; 'het meisje'.]

 DE MEESTE VLOEISTOFFEN ZIJN DE-WOORDEN. MAAR: 'HET BIER', 'HET WATER' EN 'HET FRUITSAP'.
[Most liquids take "de".
But: 'het bier', 'het water' and 'het fruitsap'.]

 DE MEESTE VOERTUIGEN ZIJN DE-WOORDEN. MAAR: 'HET VLIEGTUIG'.
[Most vehicles take "de".
But: 'het vliegtuig'.]

WERKBOEK 3B
P. 9

woordenlijst les 3

de auto	de melk	het bier	dat
de baby	de taxi	het fruitsap	dit
de bus	de thee	het kind	
de identiteitskaart	de trein	het meisje	
de jongen	de vrouw	het ticket	
de koffie	de whisky	het tijdschrift	
de krant	de wijn	het vliegtuig	
de man		het water	

Ik kom uit Italië.

CD 1(5)

1. Paolo   Mijn naam is Paolo Sanseverino.
            Ik kom uit Italië.
            Ik ben geboren in Palermo.
            Ik ben student economie.

2. Leen   **Ik** ben Leen Maas.
            Ik ben in Gent geboren.
            Ik woon in Gent.
            Ik ben studente.

3. Bert   Mijn naam is Bert Sels.
            Ik kom uit Oostende.
            Ik ben in Oostende geboren.
            Ik woon in Leuven.
            Ik ben marketingmanager bij een firma in Brussel.

4. Kristien Mijn naam is Kristien Verlinden.
            Ik ben in Antwerpen geboren en ik woon in Antwerpen.
            Ik ben huisvrouw.
            Ik ben de moeder van Els en Bram.

5. Peter   **Ik** ben Peter Maas.
            Ik ben in Gent geboren.
            Ik ben ingenieur.
            Ik werk in Brussel.
            Ik ben de vriend van Els.

6. Johan   **Ik** ben Johan Maas.
            Ik woon in Gent.
            Ik ben winkelier.
            Ik ben getrouwd met Roos Lippens.

7. Fred   **Ik** ben Fred Sels.
            Ik ben in Oostende geboren.
            Ik woon in Oostende.
            Ik ben gescheiden.
            Ik ben de vader van Bert.

ZICHZELF VOORSTELLEN *[introducing yourself]*

Ik ben Peter Maas. / **Mijn naam is** Maas.
Ik kom uit Gent.
Ik ben in Gent **geboren**.
Ik woon in Leuven.
Ik ben ingenieur / student / winkelier / getrouwd / gescheiden /
   de moeder van / de vriend van ...
Ik werk in Brussel / **bij** een firma ...
Ik studeer economie / **in** Leuven ...

WERKBOEK 4A
P. 12

4 B

CD 1(6)

1. Mijn naam is Els Baart.
   Ik ben geboren in Antwerpen.
   Ik woon in Leuven.
   Ik ben filosofe.
   Ik werk aan de K.U.Leuven.

2. Dit is mijn vriend.
   Hij heet Peter.
   Hij is geboren in Gent.
   Hij is ingenieur.
   Hij werkt in Brussel,
   maar **hij** woont ook in Leuven.
   We wonen samen.

3. Dit is mijn moeder.
   Ze heet Kristien en
   ze woont in Antwerpen.
   Mijn vader is dood.

4. Dit is mijn broer.
   Hij heet Bram.
   Hij woont in Leuven.
   Hij is student.

5. Dit zijn mijn vrienden, Jan en Lisa.
   Ze komen uit Hasselt.
   Jan is accountant.
   Lisa is assistente economie.
   Ze werkt aan de universiteit.

 SOMMIGE BEROEPEN HEBBEN EEN MANNELIJKE EN EEN VROUWELIJKE
VORM.
[For some occupations we distinguish a male and female form.]

Paolo is **student**. Leen is **studente**.
Karel is **filosoof**. Els is **filosofe**.
Bert was **assistent**. Els is **assistente**.

WERKBOEK 4B
P. 13

Op de luchthaven *[at the airport]*

CD 1(7)

1. stewardess   Dag meneer en mevrouw.
                     Dank u wel en tot ziens.
   passagier   Tot ziens.

2. – Dag meneer. Bent **u** professor Deman ?
   – Nee, mijn naam is Demeester.
   – Oh, excuseer.

3. – Excuseer, bent **u** meneer en mevrouw Maas ?
   – Nee, Deschepper is de naam.
   – Oh, excuseer.

4. Tine   Frank, daar is Barbara.
   Frank   Is **zij** hier ook ?
   Tine   Hallo Barbara.
   Barbara   Dag Tine, dag Frank. **Jullie** zijn hier ook !
   Tine   Ja, **wij** komen uit Engeland. En **jij** ?
   Barbara   Ik ga naar Berlijn.
   Tine en Frank   Ho, prettige reis !
   Barbara   Dank je. Dag !

WERKBOEK 4C
P. 15

HET WERKWOORD "ZIJN": PRESENS
[present tense of "zijn" (= to be)]

ENKELVOUD *[singular]*		MEERVOUD *[plural]*	
1. ik	ben	1. we / wij*	zijn
2. je / jij*	bent	2. jullie	zijn
u	bent	u	bent
3. hij	is	3. ze / zij*	zijn
ze / zij*	is		

* Deze vormen dienen om een contrast te maken of om te accentueren.
   [These forms are used for contrast or emphasis.]

GEBRUIK 'U' OM VREEMDEN, OUDEREN EN MENSEN IN FUNCTIE AAN TE SPREKEN.
[Use 'u' to address people you don't know, older people and people in a formal position e.g. a secretary or an official.]

HET WERKWOORD: PRESENS *[present tense of the verb]*

	WERKEN	WONEN	KOMEN	GAAN
ENKELVOUD *[singular]*				
1. ik	werk	woon	kom	ga
2. je / jij	werkt	woont	komt	gaat
u	werkt	woont	komt	gaat
3. hij	werkt	woont	komt	gaat
ze / zij	werkt	woont	komt	gaat
MEERVOUD *[plural]*				
1. we / wij	werken	wonen	komen	gaan
2. jullie	werken	wonen	komen	gaan
u	werkt	woont	komt	gaat
3. ze / zij	werken	wonen	komen	gaan

WERKBOEK 4D
P. 15

woordenlijst les 4

de accountant	de ingenieur	dood	gaan (ik ga, je gaat, hij gaat)
de assistent	de marketingmanager	geboren	werken (ik werk, je werkt, hij werkt)
de assistente	de moeder	gescheiden	wonen (ik woon, je woont, hij woont)
de broer	de reis	getrouwd	
de economie	de student	prettig	Ho !
de filosofe	de studente		
de filosoof	de universiteit	samen	
de firma	de vader	ook	
de huisvrouw	de winkelier		
		dank u wel	
		excuseer	

Uw naam alstublieft.

5A

SPREKEN MET EEN STADSAMBTENAAR *[talking to a town official]*

CD 1(9)

1. ambtenaar	Meneer, uw naam, alstublieft ?
meneer Desmet	Desmet. Raf Desmet. Raf is de voornaam.
	Desmet is mijn achternaam.
ambtenaar	Geboorteplaats ?
meneer Desmet	Lier.
ambtenaar	Woonplaats ?
meneer Desmet	Antwerpen. Ik woon in Antwerpen.
ambtenaar	Beroep ?
meneer Desmet	Ik ben bediende.
ambtenaar	Getrouwd ?
meneer Desmet	Ja.
ambtenaar	Naam ?
meneer Desmet	Van mijn vrouw ?
ambtenaar	Natuurlijk.
meneer Desmet	Haar naam is Jansen.
ambtenaar	En haar voornaam ?
meneer Desmet	Lies.
ambtenaar	Kinderen ?
meneer Desmet	Twee, een jongen en een meisje.
ambtenaar	Naam van de zoon ?
meneer Desmet	Zijn naam is Roel.
ambtenaar	En van de dochter ?
meneer Desmet	Zij heet Hilde.

Raf Desmet X Lies Jansen

Roel Desmet   Hilde Desmet

Op een feestje *[at a party]*

2. Bram   Goedenavond, ik ben Bram.
   Fang   Dag Bram. Ik ben Fang.
   Bram   Fang ? Is dat je achternaam ?
   Fang   Nee, Fang is mijn voornaam. Mijn achternaam is Li. En jouw
          achternaam ?
   Bram   Mijn achternaam is Baart.

HET PRONOMEN

SUBJECT	POSSESSIEF
Ik ben Bram Baart.	**Mijn** naam is Bram Baart.
Je (Jij*) heet Fang Li.	**Je (Jouw*)** naam is Fang Li.
U heet Raf Desmet. ☞	**Uw** naam is Raf Desmet. ☞
Hij heet Roel Desmet.	**Zijn** naam is Roel Desmet.
Ze (zij*) heet Hilde Desmet.	**Haar** naam is Hilde Desmet.

*   Deze vormen dienen om een contrast te maken of om te accentueren.
     [These forms are used for contrast or emphasis.]

WERKBOEK 5A
P. 19

5B

Het gezin Maas

Meneer Maas   Mevrouw Maas
Johan Maas   Roos Lippens
Johan is getrouwd met Roos.   Roos is getrouwd met Johan.
Johan is de man van Roos.   Roos is de vrouw van Johan.
Johan is de vader van   Roos is de moeder van
Peter, Leen en An.   Peter, Leen en An.

Peter Maas   Leen Maas   An Maas
Peter is een jongen.   Leen is een meisje.   An is een meisje.
Peter is de zoon   Leen is een dochter   An is een dochter
van Johan en Roos.   van Johan en Roos.   van Johan en Roos.

Peter, Leen en An zijn de kinderen van Johan en Roos.
Johan en Roos zijn de ouders van Peter, Leen en An.

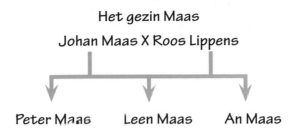

Het gezin Maas

Johan Maas X Roos Lippens

Peter Maas   **Leen Maas**   **An Maas**

Peter Maas is de vriend van Els. Hij komt uit Gent, maar hij woont nu samen met Els
in Leuven. Hij is ingenieur bij een computerfirma in Brussel. Zijn vader heet Johan
Maas; zijn moeder is Roos Lippens. Zijn ouders komen uit Oostende, maar ze
wonen al lang in Gent. Ze hebben daar een winkel in het hart van de stad. Ze
hebben drie kinderen: één jongen en twee meisjes. Leen is een zus van Peter. Ze is
studente aan de universiteit van Gent. An is de andere dochter. Ze is dokter van
beroep. Haar vriend heet Pieter Lens. Hij is verpleegkundige. An en haar vriend
werken in het Academisch Ziekenhuis in Gent.

*WERKBOEK 5B
P. 21*

| **woordenlijst les 5**

de ambtenaar	het beroep	academisch
de bediende	het gezin	ander(e)
de dochter	het hart	
de dokter	het ziekenhuis	al lang
de geboorteplaats		
de ouders		maar
de stad		
de verpleegkundige		alstublieft **4**
de winkel		
de woonplaats		
de zoon		
de zus		

Wie is dat ?

6A

CD 1(11)

In het vliegtuig *[on the plane]*

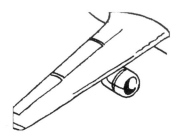

1. Peter   Wie is dat ?
   Els   Dat is een ex-collega. Hij was assistent van professor Demeester.
   Peter   Hoe heet hij ?
   Els   Hij heet Bert.
   Peter   En wat is zijn achternaam ?
   Els   Sels. Hij heet Bert Sels.
   Peter   Waar is hij vandaan ?
   Els   Hij is van Oostende.
   Peter   Wat doet hij ?
   Els   Hij is marketingmanager.
   Peter   Waar woont hij ?
   Els   Hij woont in Leuven. En ? Nog iets ?
   Peter   Eh, nee ...

2. Bert   Jij bent dus Els, de assistente van professor Deman.
   Els   Ja. Ik werk op het departement filosofie.
   Bert   En wie is dat ?
   Els   Dat is Peter Maas, mijn vriend.
   Bert   Hoe heet hij ?
   Els   Peter. Zijn naam is Peter.
   Bert   Aha, Peter. En hij is je vriend.
        Waar woont hij ?
   Els   Hij woont in Leuven. We wonen samen.
   Bert   Zo zo, jullie wonen samen.
        En ... wat doet hij ? Werkt hij ook aan de K.U.Leuven ?
   Els   Nee, nee, hij werkt bij een computerfirma in Brussel. Hij is ingenieur.
   Bert   Komt hij uit Brussel ?
   Els   Nee, hij komt uit Gent. Zijn ouders wonen in Gent.
        Ze hebben daar een winkel in het hart van de stad.
        Eh, nog vragen, Bert ?
   Bert   Nee, nee ...
   Els   En eh ... Bert, heb jij een vriendin ?
   Bert   Nee, eh, ja, in Italië.
   Els   Is ze een Italiaanse ?
   Bert   Eh, nee.
   Els   Uit welk land komt ze dan ?
   Bert   Ze komt uit Engeland, maar ze werkt in Italië.

WERKBOEK 6A
P. 24

NAAM ??? [name]

- Hoe heet jij ?
- Peter.

- Wat is je achternaam ?
- Maas.

- Wat is de voornaam
  van je moeder ?
- Roos.

- Hoe heet je vriendin ?
- Els.

- Hoe heet dit in het
  Nederlands ?
- Tijdschrift.
  Dat is een tijdschrift.

IDENTIFICATIE ??? [identification]

- Wie ben jij ?
- Ik ben de vriend van Els.

- Wie is dat ?
- Bert, een ex-collega van Els.

- Wie zijn dit ?
- Dat zijn vrienden van Els.

- Wat is dit ?
- Dat is de *kaart* van België. *[map]*

- Is dit de vriend van Els ?
- Ja, dat is Peter.

PLAATS ??? [place]

- Werk je in Leuven, Peter ?
- Nee, ik werk in Brussel.

- Waar ben je geboren, Peter ?
- In Gent.

- En waar woon je ?
- In Leuven.

- Waar ligt Leuven ?
- Leuven ligt in Vlaanderen.

HERKOMST ??? [origin, place of origin]

- Uit welk land kom je, Paolo ?
- Uit Italië.

- Komt Bert uit Brussel ?
- Nee.

- Waar komt Ahmet vandaan ?
- Hij komt uit Turkije.

- Dag Peter en Els.
  Waar komen jullie vandaan ?
- Van Italië.

- Is Peter van Leuven ?
- Nee, hij is van Gent.

BESTEMMING ??? [destination]

- Dag Lisa, waar ga je naartoe ?
- Naar Parijs.

- Waar gaat Paolo naartoe ?
- Naar Leuven.

- Gaat Bert naar Leuven ?
- Nee, hij gaat naar zijn vader in Oostende.

BEROEP, ACTIVITEIT ??? [occupation]

- Wat doet Bert ?
- Hij is marketingmanager.

- Wat is Peter ?
- Hij is ingenieur.

- Wat is het beroep van je vader, Peter ?
- Hij is winkelier.

- Wat is Jan van beroep ?
- Hij is accountant.

- Is Bert student ?
- Nee, hij werkt.
  Hij is marketingmanager.

- Wat doe je, Paolo ?
- Ik studeer economie.

VRAAGWOORDEN [question words]

WIE
[who]

Wie is dat ? Dat is Bert, een ex-collega van Els.
Wie ben jij ? Ik ben Peter, de vriend van Els.

WAT
[what]

Wat doe jij ? Ik ben marketingmanager.
Wat is je voornaam ? Mijn voornaam is Bert.

WAAR
[where]

Waar woont hij ? Hij woont in Leuven.
Waar ligt Antwerpen ? In Vlaanderen.

⚠ *[note]*

1. **Hoe heet je ?**   Ik heet Paolo.

2. *[country of origin]*
   Uit welk land kom je ?   Ik kom uit Italië.
   Waar kom je vandaan ?
   [place of origin]
   Waar ben je vandaan ?   Ik ben van Gent.
   Waar kom je vandaan ?   Ik kom uit Gent.
   [place of departure]
   Waar kom je vandaan ?   Ik kom van Italië.
   [place of destination]
   Waar ga je naartoe ?   Ik ga naar Leuven.

VERGELIJK [COMPARE]

– **Werk je** in Antwerpen ?
– Nee, in Gent.
– Zo, **je werkt** in Gent.

– **Ben je** ingenieur ?
– Nee, ik ben journalist.
– Ach zo, **jij bent** journalist.

– Waar **ga je** naartoe ?
– Naar Parijs.
– **Je gaat** dus met het vliegtuig naar Parijs.

– Waar **kom jij** vandaan ?
– Uit Italië.
– Ah, **je komt** uit Italië.

– Waar **woon je** nu ?
– In Leuven.
– Ah, **je woont** dus in Leuven.

MAAR [BUT]

Werkt u in Antwerpen ?
Waar **komt u** vandaan ?
Bent u ingenieur ?
Waar **woont u** nu ?
Waar **gaat u** naartoe ?

HET PRESENS: JE / JIJ-VORM

subject + pv.		pv. + subject	
Je / jij	gaat.	**Ga**	je / jij ?
Je / jij	komt.	**Kom**	je / jij ?
Je / jij	bent.	**Ben**	je / jij ?
Je / jij	woont.	**Woon**	je / jij ?
Je / jij	werkt.	**Werk**	je / jij ?

Als het subject je / jij na de persoonsvorm (pv.) staat, krijgt de je / jij-vorm geen "t".
[When the subject follows the finite verb (pv.) the je / jij-form doesn't end in "-t".]

WERKBOEK 6B
P. 25

woordenlijst les 6

de computerfirma	het departement	daar	doen (ik doe, je doet, hij doet)
de journalist		dus	
de kaart		iets	aha, eh, zo, ach zo, zo zo 🔊
de vraag		nog	

Dit is België.

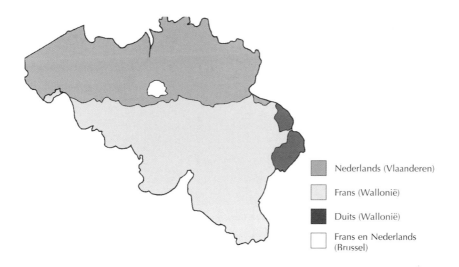

Nederlands (Vlaanderen)

Frans (Wallonië)

Duits (Wallonië)

Frans en Nederlands (Brussel)

België ligt in het centrum van West-Europa. Het is een relatief jong land en het is heel complex.

België heeft een koning. Hij heet Albert II. Zijn functie is ceremonieel en symbolisch.

Albert II is de koning van de Belgen. Maar wie zijn de Belgen ?

In het noorden van België - Vlaanderen - wonen de Vlamingen. Zij spreken Nederlands. De Vlamingen zijn met 6,1 miljoen mensen.

In het zuiden van België ligt Wallonië. In Wallonië wonen de Walen. Zij spreken Frans en ze zijn met 3,4 miljoen. Maar in Oost-Wallonië is ook het Duits een officiële taal. 70.000 mensen spreken daar Duits.

In het centrum van België ligt Brussel. Brussel is niet Vlaanderen, maar Brussel is ook niet Wallonië. Brussel is Brussel. Het heeft 1 miljoen inwoners. In Brussel spreekt 70% van de mensen Frans. De rest spreekt Nederlands (10%) of een andere taal (20%).

Brussel, Vlaanderen en Wallonië zijn autonome regio's. Ze hebben een regering en een parlement.

Maar ook de linguïstische groepen hebben autonomie. Ze hebben ook een regering en een parlement.

En natuurlijk heeft ook België een nationale regering en een nationaal parlement.

België is dus een federale staat.

	BELGIE	VLAANDEREN	WALLONIE	BRUSSEL
de inwoners	10,5 miljoen	6,1 miljoen	3,4 miljoen	1 miljoen
de hoofdstad	Brussel	Brussel	Namen	
de officiële talen	Nederlands Frans Duits	Nederlands	Frans Duits	Nederlands Frans

 JE ZEGT 'DE TAAL', MAAR ALLE TALEN ZIJN HET-WOORDEN:
HET NEDERLANDS, HET FRANS, HET DUITS.
*[You say 'de taal', but all the languages take "het": het Nederlands, het Frans,
het Duits.]*

DE PROVINCIES

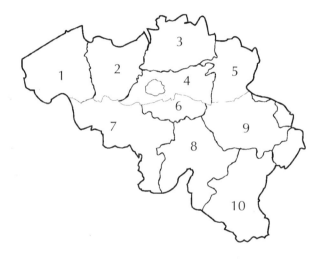

Vlaanderen heeft 5 provincies en Wallonië heeft ook 5 provincies.
Samen zijn dat 10 provincies.

één	is West-Vlaanderen
twee	is Oost-Vlaanderen
drie	is Antwerpen
vier	is Vlaams-Brabant
vijf	is Limburg
zes	is Waals-Brabant
zeven	is Henegouwen
acht	is Namen
negen	is Luik
tien	is Luxemburg

WERKBOEK 7A
P. 28

Er zijn twee types enkelvoudige zinnen: *[There are two types of simple sentences:*
1. Het subject komt voor de persoonsvorm.   *1. The subject precedes the finite verb.*
2. Het subject komt na de persoonsvorm.   *2. The subject follows the finite verb.]*

DE HOOFDZIN: ZINSSTRUCTUUR
[the main clause: sentence structure]

1. subject	persoonsvorm		rest	eindgroep
[subject]	*[finite verb]*		*[rest]*	*[ending]*
De Walen	wonen		in Wallonië.	
Paolo	komt		hier economie	studeren.

2. (......)	persoonsvorm	subject	rest	eindgroep
	Wonen	de Walen	in Vlaanderen ?	
	Komt	Paolo	hier economie	studeren ?
Waar	wonen	de Walen ?		
Wat	komt	Paolo	hier	studeren ?
In Wallonië *	wonen	de Walen.		
Economie *	komt	hij	hier	studeren.

* Je kunt een deel van de rest op de eerste zinsplaats zetten om het te accentueren. Het
subject komt dan na de persoonsvorm.
*[You can put a part of the rest at the beginning of a sentence to stress it. The subject
is then placed after the finite verb.]*

 DE PERSOONSVORM STAAT OP DE TWEEDE PLAATS IN DE ZIN, BEHALVE
BIJ EEN JA / NEE-VRAAG.
*[The finite verb is put in the second position of the sentence, except in
questions that can be answered with yes or no.]*

WERKBOEK 7B
P. 30

de autonomie	het centrum	autonoom	hebben (ik heb, je hebt, hij heeft)
de Belg	het Duits	ceremonieel	liggen (ik lig, je ligt, hij ligt)
de functie	het Frans	complex	
de groep	het land	federaal	
de hoofdstad	het miljoen	jong	heel
de inwoner	het noorden	linguïstisch	
de koning	het parlement	nationaal	
de mens	het zuiden	officieel	of
de provincie		relatief	
de regering		symbolisch	
de regio			
de rest			
de staat			
de taal			
de Vlaming			
de Waal			

DEEL 2

Hoe gaat het ermee ?

Mag ik voorstellen... ?

1A

CD 1(14)

OP DE LUCHTHAVEN *[at the airport]*

1. Els   Dit is Paolo.
   Lisa   Dag Paolo. Ik ben Lisa.
   Paolo   Dag Lisa.

2. Els   Lisa, dit is Bert, een ex-collega.
   Lisa   Dag Bert.
   Bert   Aangenaam.

OP EEN FEESTJE *[at a party]*

3. meneer Devries   Mag ik mij voorstellen ? Ronald Devries.
   meneer Verpoortere   Raf Verpoortere.
   meneer Devries   Aangenaam.
   meneer Verpoortere   Aangenaam.

4. mevrouw Jansens   Professor, mag ik voorstellen, Maria Gonzalez, een studente uit Spanje.

   professor Deman   Dag Maria.
   Maria   Aangenaam.

5. mevrouw Jansens   Professor, mag ik u voorstellen: meneer Devries.

   professor Deman   Wim Deman. Aangenaam.
   meneer Devries   Aangenaam.

ZICHZELF VOORSTELLEN *[introducing yourself]*

(ZIE OOK: DEEL 1,1A)

	REACTIE *[response]*
❶ Dag. **Ik ben** Paolo.	**Dag** Paolo. **Ik ben** Lisa.
❷ Mag ik mij voorstellen ? Ronald Devries.	**Aangenaam.**

IEMAND VOORSTELLEN *[introducing someone]*

	REACTIE *[response]*
❶ Dit is Paolo.	**Dag** Paolo. Ik ben Lisa. Hallo. Hoi.
❷ Dit is meneer Devries.	**Aangenaam.**
❷ Mag ik (u) voorstellen ? Meneer Devries.	**Aangenaam.**

❷ formeel *[formal]*
❶ informeel *[informal]*

WERKBOEK 1A
P. 38

1B

DE KORTE VOCALEN

[a]	[o]	[e]	[u]	[i]
d **a** g	b **o** m	b **e** n	b **u** s	br **i** l
d **a** n k en	c **o** l l ega	k **e** n n en	Br **u** s s el	l **i** g g en
a s s istent	k **o** r t	w **e** l k om	j **u** l l ie	k **i** n d
+C (C)	+C (C)	+C (C)	+C (C)	+C (C)

CD 1(15)

C = consonant

> . . . **a**
> . . . **i**
> . . . **o** + Consonant (+ Consonant + . . .)
> . . . **u**
> . . . **e**

De korte vocalen [a], [o], [e], [u], [i] worden altijd met één letter geschreven. Ze worden altijd door één of meer consonanten gevolgd. Ze staan nooit op het einde van een woord. *[The short vowels [a], [o], [e], [u], [i] are always written with one letter only. They are always followed by one or more consonants. They never appear at the end of a word.]*

DE LANGE VOCALEN

[aa]	[oo]	[ee]	[uu]
1. str **aa** t	b **oo** m	stud **ee** r t	nat **uu** r l ijk
k **aa** r t en	pasp **oo** r t	d **ee** l	b **uu** r t
afspr **aa** k	**oo** k	excus **ee** r	**uu** r
+C (C)	+C (C)	+C (C)	+C (C)

> . . . **aa**
> . . . **oo** + **Consonant** (+ **Consonant** + . . .)
> . . . **ee**
> . . . **uu**

2. d **a** g en	k **o** m en	stud **e** r en	b **u** r en
l **a** t en	contr **o** l e	coll **e** ga	st **u** d e ren
colleg **a**	aut **o**	excus **e** r en	exc **u** s e ren
(+C V)	(+C V)	(+C V)	(+C V)

V = vocaal *[V = vowel]*

> . . . **a**
> . . . **o** (+ **Consonant** + **Vocaal** + . . .)
> . . . **e**
> . . . **u**

De lange vocalen [aa], [oo], [ee] en [uu] worden geschreven
1. met twee identieke letters als ze gevolgd worden door één of meer consonanten.
2. met één letter als ze gevolgd worden door één consonant + een vocaal of als ze op het einde van een woord staan. Maar: mee, twee, zee, thee.

[The long vowels [aa], [oo], [ee] and [uu] are written
1. with two identical letters when followed by one or more consonants.
2. with one letter when followed by one consonant + one vowel or at the end of a word. But: mee, twee, zee, thee.]

WERKBOEK 1B
P. 38

woordenlijst les 1

de luchthaven	het feestje	mogen (ik mag)
		voorstellen
aangenaam		

Hoe gaat het ermee ?

Op de luchthaven

CD 1(18)

1. Peter   Dag, Lisa. Hoe gaat het ermee ?
   Lisa   Goed, dank je. En met jou ?
   Peter   Ook goed.

2. Els   Dag Lisa. Hoe is het ermee ?
   Lisa   Heel goed. En met jou ?
   Els   Uitstekend. We komen van Italië. Van vakantie.
   Lisa   Van vakantie ! En hoe was het ?
   Els   Prima !

Op straat

3. mevrouw Jansens   Dag professor Deman. Hoe gaat het met u ?
   professor Deman   Goed, dank u. En met u, mevrouw Jansens ?
   mevrouw Jansens   Ook goed. Dank u.

4. meneer Maas   Goedenavond, mevrouw Demeester.
   mevrouw Demeester   Goedenavond, meneer Maas.
        Hoe is het met u ?
   meneer Maas   Goed, dank u. En met u ?
   mevrouw Demeester   Mmm... Het gaat wel. Alleen, het is slecht weer, hè !
   meneer Maas   Ja, het is veel te koud voor september. En die regen ...

5. Frank   Dag An, hoe gaat het met je ?
   An   Prima, dank je.
   Frank   En hoe is het met je moeder ?
   An   Met haar is het niet zo best. Ze ligt in het ziekenhuis.

VRAGEN HOE HET GAAT *[asking how things are]*

REACTIE *[response]*

Hoe gaat het (ermee) ?
Hoe is het (ermee) ?
Hoe gaat het met je / jou / u **?**
Hoe is het met je / jou / u **?**

Goed. Dank je / u. **En met** jou / u **?**

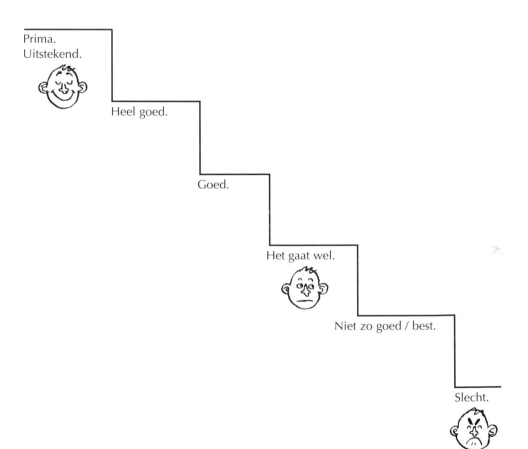

Prima.
Uitstekend.

Heel goed.

Goed.

Het gaat wel.

Niet zo goed / best.

Slecht.

WERKBOEK 2A
P. 40

Op straat

1. Meneer en mevrouw Verpoortere ontmoeten meneer en mevrouw Devries.

mevrouw Verpoortere	Meneer en mevrouw Devries.
	Goedemorgen. Hoe gaat het met u ?
meneer Devries	Met ons gaat het uitstekend. En met u ?
mevrouw Verpoortere	Goed. Dank u. En hoe is het met de kinderen ?
mevrouw Devries	Met hen gaat het prima.

CD 1(22)

2. Meneer Devries ontmoet Frank Verstappen.

meneer Devries	Dag Frank. Hoe is het ermee ?
Frank	Met mij gaat het prima. Dank u.
meneer Devries	En met je broer ?
Frank	Met hem gaat het ook heel goed.
	Hij studeert nu aan de universiteit.

HET PRONOMEN: PERSONEN *[the pronoun: persons]*

ENKELVOUD		MEERVOUD	
SUBJECT	OBJECT	SUBJECT	OBJECT
1. ik	**me / mij** *	1. we / wij *	**ons**
2. je / jij *	**je / jou** *	2. jullie	**jullie**
🄵 u	**u**	u	**u**
3. hij	**hem**	3. ze / zij *	**ze / hen** *
ze / zij *	**ze / haar** *		

GEBRUIK DE VORMEN MET * OM EEN CONTRAST TE MAKEN EN OM TE ACCENTUEREN.
*[Use the forms with * for contrast or emphasis.]*

WERKBOEK 2B
P. 42

---

woordenlijst les 2

de regen	het weer	ontmoeten (ik ontmoet, je ontmoet, hij ontmoet)
september	het ziekenhuis	
de vakantie		koud alleen
		prima te
		slecht veel te
Mmm ... 🕪		uitstekend

Wat is je adres ?

3A

CD 1(23)

Oᴘ ᴅᴇ ʟᴜᴄʜᴛʜᴀᴠᴇɴ

1. Paolo   Waar woon je ?
   Bert   In het centrum van Leuven.
   Paolo   In welke straat ?
   Bert   In de Bergstraat.
   Paolo   Op welk nummer ?
   Bert   Op nummer 20.
   Paolo   En waar woont Els ?
   Bert   Ik weet het niet. Ik heb haar adres niet.

2. Paolo   Wat is je adres ?
   Els   Muntstraat 15, 3000 Leuven.

Oᴘ ʜᴇᴛ sᴛᴀᴅʜᴜɪs *[at the town hall]*

3. ambtenaar   Uw woonplaats, meneer ?
   meneer Desmet   Antwerpen.
   ambtenaar   Adres ?
   meneer Desmet   Keizerlei 45.

Oᴘ sᴛʀᴀᴀᴛ

4. meneer Verpoortere   Waar woont u nu ?
   meneer Devries   Oh, hebt u ons adres niet ? Ons nieuwe appartement ligt op het Martelarenplein. Dat is een rustig plein met enkele bomen in het hart van de stad. Het juiste adres is: Martelarenplein 65, 1000 Brussel. Ik geef u ons adreskaartje.
   meneer Verpoortere   Martelarenplein 65 ? Maar daar wonen meneer en mevrouw Verbiest ook.
   meneer Devries   Ja, dat zijn onze buren.

5. Bart   Bram, waar wonen je zus en haar vriend ?
   Bram   Ze wonen in de Muntstraat. Hun adres is Muntstraat 15, 3000 Leuven.

6. Lisa   Els en Peter, mag ik jullie adres ?
   Els   Ons adres is Muntstraat 15, Leuven.

ADRES ???

– Waar woon je / woont u ?
– In Brussel, op het Martelarenplein.

– Waar woont Els ?
– Dat weet ik niet.

– Mag ik je / uw adres ?
– Mijn adres is Bergstraat 20, 3000 Leuven.

– Wat is je / uw adres ?
– Bergstraat 20, 3000 Leuven.

– **In** welke straat woon je / woont u ?
– **In** de Bergstraat.

– **Op** welk nummer woon je / woont u ?
– **Op** nummer 20.

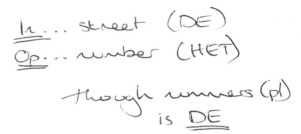

In ... street (DE)
Op ... number (HET)

though numbers (pl)
is DE

ZEGGEN DAT JE IETS NIET WEET *[saying you don't know]*

Waar woont Els ?

Ik weet <u>het</u> niet.
<u>Dat</u> weet ik niet.

HET POSSESSIEF PRONOMEN *[the possessive pronoun]*

ENKELVOUD		MEERVOUD	
<u>de</u> straat	<u>het</u> nummer	<u>de</u> straat	<u>het</u> nummer
1. **mijn** straat	1. **mijn** nummer	1. **onze** straat	1. **ons** nummer
2. **je** straat **jouw*** straat **uw** straat	2. **je** nummer **jouw*** nummer **uw** nummer	2. **jullie** straat **uw** straat	2. **jullie** nummer **uw** nummer
3. **zijn** straat **haar** straat	3. **zijn** nummer **haar** nummer	3. **hun** straat	3. **hun** nummer

 GEBRUIK 'JOUW' OM EEN CONTRAST TE MAKEN EN OM TE
ACCENTUEREN.
[Use 'jouw' for contrast or emphasis.]

HAAR / HUN
Their

WELK, WELKE [which]

ENKELVOUD		MEERVOUD	
de straat	**het** nummer	**de** straten	**de** nummers
welke straat ?	**welk** nummer ?	**welke** straten ?	**welke** nummers ?

HET WERKWOORD "HEBBEN": PRESENS
[the present tense of "hebben"(to have)]

1. ik	**heb**		1. we	**hebben**
2. je	**hebt (heb** je **?)**		2. jullie	**hebben**
u	**hebt* (hebt*** u **?)**		u	**hebt***
3. hij	**heeft**		3. ze	**hebben**
ze	**heeft**			

* Hier gebruikt men ook de vorm 'heeft': 'u heeft', 'heeft u'.
[Here the form 'heeft' is used too: 'u heeft', 'heeft u'.]

WERKBOEK 3A
P. 44

3B HOOFDTELWOORDEN [cardinal numbers]

CD 1(24)

0	nul	11	elf	41	eenenveertig
10	tien	12	twaalf	42	tweeënveertig
20	twintig	13	**der**tien	43	drieënveertig
30	**der**tig	14	**veer**tien	44	vierenveertig
40	**veer**tig	15	vijftien	45	vijfenveertig
50	vijftig	16	zestien	46	zesenveertig
60	zestig	17	zeventien	47	zevenenveertig
70	zeventig	18	achttien	48	achtenveertig
80	**t**achtig	19	negentien	49	negenenveertig
90	negentig				

100	honderd
400	vierhonderd
1000	duizend
1100	elfhonderd / duizend honderd
2000	tweeduizend
2300	drieëntwintighonderd / tweeduizend driehonderd

101	honderd(en)één	1001	duizend (en) één
110	honderd(en)tien	1002	duizend (en) twee
111	honderd(en)elf	1011	duizend (en) elf
112	honderd(en)twaalf	1012	duizend (en) twaalf
113	honderddertien	1013	duizend dertien
114	honderdveertien	1014	duizend veertien
129	honderdnegenentwintig	1029	duizend negenentwintig

1.000.000	één miljoen
10.000.000	tien miljoen
1.000.000.000	één miljard

 Het telefoonnumer van Els.

(016) 28 45 67

nul zestien achtentwintig vijfenveertig zevenenzestig

Het telefoonnummer van dhr. en mevr. Devries.

(02) 736 58 21

nul twee zevenhonderdzesendertig achtenvijftig eenentwintig

Het adreskaartje van Bert Sels.

Bert SELS
marketingmanager

Bergstraat 20   (0472) 43 56 78
3000 Leuven   bert@selsmail.com

WERKBOEK 3B
P. 46

woordenlijst les 3

de boom	het adres	juist
de buur	het adreskaartje	rustig
de telefoon	het appartement	
	het nummer	weten (ik weet, je weet, hij weet)
	het plein	geven (ik geef, je geeft, hij geeft)
	het stadhuis	
	het telefoonnummer	ik weet het (niet)
		enkele
		welk, welke

Tot volgende week.

4

CD 1(26)

AAN DE TELEFOON *[on the phone]*

Bert	Bert Sels. Goedemiddag.
mevrouw Armstrong	Dag jongen. Met je moeder. Hoe gaat het ermee ?
Bert	Prima.
mevrouw Armstrong	Ik kom volgende week naar België.
Bert	Echt ? Geweldig. Wanneer precies ?
mevrouw Armstrong	De zesentwintigste september 's morgens.
Bert	Welke dag is dat ?
mevrouw Armstrong	Een zaterdag. Ik vertrek hier op vrijdag na de middag.
Bert	Zal ik je aan de luchthaven komen halen ?
mevrouw Armstrong	Ja, graag.
Bert	Kan je me dan vanuit Zaventem telefoneren of is dat moeilijk ?
mevrouw Armstrong	Nee, nee. Dat zal ik doen.
Bert	Oké. Dan kom ik meteen.
mevrouw Armstrong	Dag Bert. Tot in het weekend.
Bert	Dag mam. Tot zaterdag.

AAN DE TELEFOON *[on the telephone]*

	REACTIE *[response]*
(Met) Bert Sels. **Goedendag.** **(Met)** Karel. **Goedemorgen.**	**Met** je moeder.

AFSCHEID NEMEN *[saying goodbye]*

Tot zaterdag.
Tot in het weekend ...

TIJD ???

– Wanneer kom je ?
– Volgende week. De 26ste september 's morgens.

– Welke dag is het vandaag ?
– Zaterdag.

– Welke dag is dat ?
– Een zaterdag.

– **Op** welke dag kom je ?
– **Op** zaterdag.

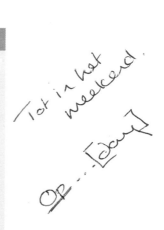

WANNEER *[when]*

Wanneer kom je ?	Volgende week. De 26ste september 's morgens. Op zaterdag.

RANGTELWOORDEN *[ordinal numbers]*

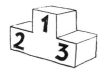

1ste	eerste	6de	zesde	11de	elfde
2de	tweede	7de	zevende	12de	twaalfde
3de	derde	8ste	achtste	13de	dertiende
4de	vierde	9de	negende	14de	veertiende
5de	vijfde	10de	tiende	15de	vijftiende

16de	zestiende	21ste	eenentwintigste	30ste	dertigste
17de	zeventiende	22ste	tweeëntwintigste	31ste	eenendertigste
18de	achttiende	23ste	drieëntwintigste		
19de	negentiende	24ste	vierentwintigste		
20ste	twintigste				

Hoofdtelwoord 1 - 19	+ -de	= Rangtelwoord
Hoofdtelwoord 20>	+ -ste	= Rangtelwoord

 uitzonderingen *[exceptions]*: eerste, derde, achtste

CD 1(27)

de maanden		de dagen	
januari		maandag	
februari		dinsdag	
maart		woensdag	
april		donderdag	
mei		vrijdag	
juni		zaterdag	
juli		zondag	
augustus			
september			
oktober			
november			
december			

– Wat doe je **overdag** ?
– Werken, natuurlijk. Ik werk van 's morgens tot 's avonds.

– En wat doe je **'s nachts** ?
– 's Nachts slaap ik. En wat doe jij 's nachts ?
– Ik slaap ook.

	de dag	overdag [by day]	vandaag [today]
07:00	de morgen, de ochtend	's morgens, 's ochtends [in the morning]	vanmorgen, vanochtend [this morning]
10:00	de voormiddag	in de voormiddag, voor de middag	
12:00	de middag	's middags	vanmiddag
15:15	de namiddag	in de namiddag, na de middag	
20:07	de avond	's avonds	vanavond
23:20	de nacht	's nachts	vannacht

Vergelijk: **'s Middags** werk ik.   **Vanmiddag** werk ik.
's Avonds studeer ik Nederlands.   **Vanavond** studeer ik Nederlands.

	+ 1 dag	**+ 2 dagen**	**+ 3 dagen**
vandaag	morgen	overmorgen	over drie dagen

	+ 1 week	**+ 2 weken**
van de week,	volgende week	over twee weken
deze week		over veertien dagen
[this week]		

| vrijdag | volgende vrijdag | vrijdag over twee weken |

WERKBOEK 4
P. 48

woordenlijst les 4

de avond	het weekend	echt	dan
de maand		geweldig	graag
de middag		moeilijk	meteen
de morgen		precies	morgen
de nacht		volgend	overdag
de namiddag			overmorgen
de ochtend			's avonds
de voormiddag			's middags
de week		vanuit	's morgens
			's nachts
			vanavond
			vandaag

halen (ik haal, je haalt, hij haalt)   vanmiddag
kunnen (ik kan, je kan / kunt, hij kan)   vanmorgen
slapen (ik slaap, je slaapt, hij slaapt)   vannacht
telefoneren (ik telefoneer, je telefoneert, hij telefoneert)   vanochtend
vertrekken (ik vertrek, je vertrekt, hij vertrekt)
zullen (ik zal, je zal / zult, hij zal)   wanneer

oké ❹

Zullen we samen eten ?

5A

CD 1(28)

OP DE LUCHTHAVEN

1. Els   Tot wanneer blijf je in Parijs ?
   Lisa   Tot na het weekend. Ik vertrek daar maandag na de middag.
   Els   Zullen we dan maandagavond samen eten ?
   Lisa   Nee, maandagavond kan ik niet.
   Els   Dinsdagmiddag dan ?
   Lisa   Nee, dat is ook moeilijk.
   Els   Dinsdagavond ?
   Lisa   Oké. Dinsdagavond. Maar waar ?
   Els   Bij mij thuis.
   Lisa   Prima. Sorry, ik moet nu naar de paspoortcontrole. Ik moet mijn
           vliegtuig halen. Tot dinsdag.
   Els   Dag Lisa. Prettig weekend en de groeten aan Jan.
   Lisa   Ja, dag !

VOOR HET LUCHTHAVENGEBOUW *[outside the airport building]*

2. Peter   Zullen we een taxi naar Leuven nemen ?
   Els   Nee Peter, dat is te duur. Ik wil de trein nemen.
   Peter   Oké. Dan kunnen we nog iets drinken.
           We hebben nog tijd.
   Els   Graag.

IN EEN CAFÉ OP DE LUCHTHAVEN *[at an airport café]*

3. Peter   Ik wil een pintje bier. En wat ga jij drinken ?
   Els   Voor mij geen bier. Mag ik een koffie ?
   Peter   Oké, voor mij een pintje en voor jou koffie.
   (...)
   Peter   Die Italiaan komt jou dus bezoeken.
   Els   Die Italiaan heet Paolo en hij komt ons bezoeken. Hij is alleen in Leuven.
   Peter   Pff ... alleen ... Deze Italiaan alleen ?
   Els   Ja, alleen en dat is niet zo leuk.
   Peter   Wanneer komt hij ?
   Els   Volgende week woensdag.
   Peter   Wanneer ? 's Middags of 's avonds ?
   Els   Woensdagavond.
   Peter   En die Bert ?
   Els   Bert is een ex-collega. Dat weet je.
   Peter   Ja, ja, ik weet het. Maar die Bert kan ons niet bezoeken. Hij heeft ons adres niet.

IETS VOORSTELLEN *[making a suggestion]*

	REACTIE *[response]*
Zullen we een taxi naar Brussel nemen ?	**Nee**, dat is te duur.
Zullen we maandag samen eten ?	**Nee**, dat is moeilijk. **Nee, ik kan** maandag **niet**.
Zal ik u aan de luchthaven komen halen ?	**Ja, graag.** **Nee, dank u.** Ik neem een taxi.

WERKBOEK 5A
P. 50

DE HULPWERKWOORDEN: VORM *[the auxiliaries: form]*

		WILLEN	MOGEN	MOETEN	KUNNEN	ZULLEN
ENKELVOUD						
1.	ik	**wil**	**mag**	**moet**	**kan**	**zal**
2.	je / jij	**wil* / wilt**	**mag**	**moet**	**kan* / kunt**	**zal* / zult**
	u 🇫	**wil* / wilt**	**mag**	**moet**	**kan* / kunt**	**zal* / zult**
3.	hij	**wil**	**mag**	**moet**	**kan**	**zal**
	ze / zij	**wil**	**mag**	**moet**	**kan**	**zal**
MEERVOUD						
1.	we / wij	**willen**	**mogen**	**moeten**	**kunnen**	**zullen**
2.	jullie	**willen**	**mogen**	**moeten**	**kunnen**	**zullen**
	u 🇫	**wil* / wilt**	**mag**	**moet**	**kan* / kunt**	**zal* / zult**
3.	ze / zij	**willen**	**mogen**	**moeten**	**kunnen**	**zullen**

* De vormen 'je zal / wil / kan' en 'u zal / wil / kan' komen meestal in de spreektaal voor.
[The forms 'je zal / wil / kan' and 'u zal / wil / kan' are mostly used in spoken language.]

DE HULPWERKWOORDEN: BETEKENIS *[the auxiliaries: meaning]*

WILLEN	= *[wish]*	Els wil een koffie drinken.
MOGEN	= *[permission]*	Mag ik hem jouw telefoonnummer geven?
MOETEN	= *[obligation]*	Lisa moet naar de pascontrole (gaan).
KUNNEN	= *[ability, possibility]*	Paolo kan Nederlands spreken. Het kan morgen regenen.
ZULLEN	= *[suggestion, future]*	Zullen we een taxi nemen? Jennifer zal naar België komen.

JE / JIJ - VORM

(ZIE OOK: DEEL 1, 6B)

subject	**pv.**		**pv.**	subject
je	zal		zal	je
je	zult		**zul**	je
je	kan		kan	je
je	kunt		**kun**	je
je	wil		wil	je
je	wilt		**wil**	je

Als het subject na de persoonsvorm staat, is er geen '-t' in de je-vorm.
[If the subject follows the finite verb, there is no '-t' in the je-form.]

DE HOOFDZIN: STRUCTUUR

(ZIE OOK: DEEL 1, 7B)

1. subject	persoonsvorm		rest	eindgroep
We	kunnen		nog iets	drinken.
Ik	wil		een pintje.	

2. (. . .)	persoonsvorm	subject	rest	eindgroep
	Zullen	we	een taxi	nemen ?
	Mag	ik	een koffie ?	
	Mag	ik	u	voorstellen ?
Maandagavond	kan	ik	niet.	

 OOK 'KOMEN' EN 'GAAN' [GOING TO] KUNNEN ALS HULPWERKWOORD WORDEN GEBRUIKT.
['Komen' and 'gaan' [going to] may also be used as auxiliaries.]

Die Italiaan **komt** ons **bezoeken**.
Wat **ga** je **drinken** ?

WERKBOEK 5B
P. 51

woordenlijst les 5

de groet	het café	duur	alleen
de paspoortcontrole	het gebouw	leuk	thuis
de tijd	het paspoort		
	het pintje	bezoeken (ik bezoek, je bezoekt, hij bezoekt)	
		blijven (ik blijf, je blijft, hij blijft)	
		drinken (ik drink, je drinkt, hij drinkt)	
		eten (ik eet, je eet, hij eet)	
		moeten	
		nemen (ik neem, je neemt, hij neemt)	
		willen	
sorry **⊘**			

Mag ik voorstellen: Paolo Sanseverino.

6A

Paolo Sanseverino is geen Belg. Hij komt uit Italië. Hij is een Italiaan. Zijn ouders wonen in Noord-Italië, in Milaan, maar ze zijn daar niet geboren. De familie Sanseverino is van het zuiden, van Sicilië. Milaan is een grote stad met veel industrie. Milaan telt bijna 1.500.000 inwoners.

Paolo woont niet in Milaan. Hij komt nu in Leuven wonen. Leuven is geen grote stad. Leuven telt geen 1,5 miljoen inwoners, zoals Milaan. Het is klein, oud en niet druk. Maar de universiteit is groot. Aan die universiteit zal Paolo 2 jaar studeren.

Dit is de eerste dag van Paolo in Leuven. Hij komt 's avonds laat met de trein aan. Het is koud buiten en het regent. Hij is moe en zoekt een hotel. Hij wil slapen. De rest is niet belangrijk.

DE NEGATIE *[negation]*

In het Nederlands maken we de **negatie** met **'geen'** of met **'niet'**.
*[In Dutch **negation** is made either with the word **'geen'** or with the word **'niet'**.]*

'geen': voor een onbepaald substantief *[before an indefinite noun]*

een (. . .) substantief	**geen (. . .) substantief**
Paolo is **een** Italiaan.	Hij is **geen** Belg.
Milaan is **een** grote stad.	Leuven is **geen** grote stad.

Ø (. . .) substantief	**geen (. . .) substantief**
Paolo spreekt Italiaans.	Paolo spreekt **geen** Nederlands.
Hij is student economie.	Hij is **geen** student filosofie.
Hij drinkt bier.	Hij drinkt **geen** koffie.
Hij heeft 2 koffers.	Hij heeft **geen** 3 koffers.

'niet': in alle andere gevallen *[in all other cases]*
(ZIE OOK: DEEL 3, 6C)

Buiten regent het.	Buiten regent het **niet**.
De douane controleert de bagage van Paolo.	De douane controleert de bagage van Els **niet**.
Paolo komt uit Italië.	Hij komt **niet** uit België.
Nederlands is gemakkelijk.	Nederlands is **niet** moeilijk.

HET ANTONIEM VAN 'NIET' IS 'WEL'. HET ANTONIEM VAN 'GEEN' IS 'WEL (EEN)'
[The opposite of 'niet' is 'wel'. The opposite of 'geen' is 'wel (een)'.]

Paolo is **geen** Belg, maar Bert is **wel** een Belg.
Els drinkt **geen** bier, maar Peter drinkt **wel** bier.
Leuven is **niet** groot, maar Milaan is **wel** groot.

WERKBOEK 6A
P. 54

6 B

IN HET HOTEL *[at the hotel]*

In **welk hotel** zal ik logeren ?
In **dit hotel** hier   of in **dat hotel** daar ?

Ik neem dat hotel. **Dit hier** is oud en lelijk. **Dat daar** is modern en mooi.

hotelbediende   **Welke kamer** wilt u, meneer ? Deze of die ?
Paolo   Ik neem **deze kamer hier**. **Die daar** is te duur.

HET DEMONSTRATIEF PRONOMEN *[the demonstrative pronoun]*

ENKELVOUD		MEERVOUD	
de straat	**het** raam	**de** straten	**de** ramen
deze straat	**dit** raam	**deze** straten	**deze** ramen
die straat	**dat** raam	**die** straten	**die** ramen

Deze straat is lang.

Die straat is kort.

Deze buurt is druk.

Die buurt is rustig.

Dit raam is groot.

Dat raam is klein.

Deze kamer is licht.

Die kamer is donker.

Deze kast is oud.

Die kast is nieuw.

Deze badkamer is schoon.

Die badkamer is vuil.

Dit bed is smal.

Dat bed is breed.

Nu heeft Paolo een hotel voor de nacht. De buurt van dit hotel is rustig. Het verkeer in deze buurt is niet druk. Paolo heeft een kamer op de derde verdieping. Zijn kamer is mooi en goedkoop.

De gangen van dit hotel zijn lang, smal en donker, maar de kamer van Paolo is groot en licht. De kast, de stoel en het bureau zijn nieuw en zijn bed is breed en comfortabel. De badkamer op de gang met bad, douche, wastafel en toilet is schoon.

Paolo is heel moe. Hij gaat slapen.

Goedenacht, Paolo en welterusten ! Slaapwel.

IEMAND GOEDENACHT WENSEN *[wishing someone good-night]*

> **Goedenacht !**
> **Welterusten !**
> **Slaapwel !**

WERKBOEK 6B
P. 56

woordenlijst les 6

de badkamer	de industrie	het bad	belangrijk	groot	moe
de bagage	de kamer	het bed	breed	klein	mooi
de buurt	de kast	het bureau	comfortabel	kort	nieuw
de douane	de koffer	het hotel	donker	laat	oud
de douche	de stoel	het raam	druk	lang	schoon
de familie	de verdieping	het toilet	gemakkelijk	licht	smal
de gang	de wastafel	het verkeer	goedkoop	modern	vuil

controleren (ik controleer, je controleert, hij controleert)
logeren (ik logeer, je logeert, hij logeert)
regenen (het regent)
slapen (ik slaap, je slaapt, hij slaapt)
tellen (ik tel, je telt, hij telt)
zoeken (ik zoek, je zoekt, hij zoekt)

bijna	veel
buiten	
niet	of
wel	zoals

goedenacht *❹*
slaapwel *❹*
welterusten *❹*

Bevolking, geografie, klimaat.

7A

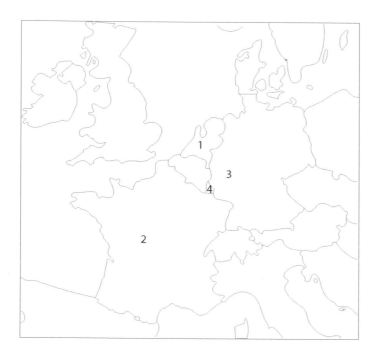

1. Nederland
2. Frankrijk
3. Duitsland
4. Luxemburg

BELGIË: DE BEVOLKING, DE GEOGRAFIE EN HET KLIMAAT

België is een klein land met veel inwoners: ongeveer tien en een half miljoen.

Bijna één miljoen inwoners zijn vreemdelingen. Veel vreemdelingen komen uit Italië en uit de buurlanden Nederland en Frankrijk. Andere belangrijke groepen komen uit Marokko, Turkije, Kongo en Oost-Europa. De inwoners uit Italië, Marokko en Turkije zijn hier al lang. Het zijn migranten uit de jaren vijftig en zestig van de twintigste eeuw. Maar er wonen hier nu ook veel ambtenaren uit de landen van de Europese Unie. Zij werken vaak in de Europese administratie, want Brussel is de hoofdstad van de Europese Unie.

België ligt in het centrum van West-Europa en heeft vier buren. Die buurlanden zijn Nederland in het noorden, Duitsland in het oosten, Luxemburg in het zuidoosten en Frankrijk in het westen. In het noordwesten vormt de Noordzee een natuurlijke grens.

De meeste mensen in België wonen in en rond de grote steden. Brussel heeft de hoogste concentratie van inwoners: één miljoen. Ook in de driehoek Antwerpen-Brussel-Gent en aan de kust wonen heel veel mensen. Wallonië heeft niet zoveel inwoners. Daar vind je meer natuur. In de Ardennen kun je nog rustig in de bossen wandelen en daar vind je ook bergen. In Vlaanderen niet.

Vlaanderen is een vlak en laag land bij de zee.

België heeft een gematigd klimaat. De gemiddelde temperatuur is bijna tien graden Celsius. In de zomer is het nooit te warm en in de winter is het zelden te koud. Maar de zon zie je in België niet vaak. Het is dikwijls bewolkt en het regent ook vaak. "Te vaak", zeggen de Belgen. En de mensen uit het zuiden van Europa vinden het weer in België verschrikkelijk.

WERKBOEK 7A
P. 58

7 B

het noorden

het noordwesten het noordoosten

het westen het oosten

het zuidwesten het zuidoosten

het zuiden

De seizoenen

de lente de zomer

de herfst de winter

Weerbericht [weather report]

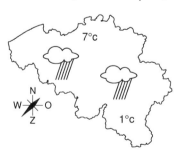

CD 1(29)

Het weer.

Vandaag zonnig maar fris weer.
Temperaturen van 7°C in het noorden tot 1°C in het zuiden.
De wind waait uit het zuidwesten. 's Avonds bewolkt met kans op regen.

FREQUENTIE *[frequency]*

100% = altijd
　　　　[always]

　　　　　　　　meestal
　　　　　　　　[mostly]

　　　　　　　　　　　　dikwijls
　　　　　　　　　　　　vaak
　　　　　　　　　　　　[often]

　　　　　　　　　　　　　　　　soms
　　　　　　　　　　　　　　　　[sometimes]

　　　　　　　　　　　　　　　　　　　　zelden
　　　　　　　　　　　　　　　　　　　　[seldom]

　　　　　　　　　　　　　　　　　　　　　　　　nooit = 0%
　　　　　　　　　　　　　　　　　　　　　　　　[never]

WERKBOEK 7B
P. 60

woordenlijst les 7

de administratie	de grens	de natuur	het bos
de berg	de groep	de temperatuur	het buurland
de buur	de herfst	de vreemdeling	het jaar
de concentratie	de kans	de winter	het klimaat
de driehoek	de kust	de zee	het noordoosten
de eeuw	de lente	de zomer	het noordwesten
de graad	de migrant	de zon	het oosten
			het seizoen
			het weerbericht
			het westen
			het zuidoosten
			het zuidwesten

bewolkt	altijd	zoveel
fris	dikwijls	
gematigd	meestal	
gemiddeld	nooit	vinden (ik vind, je vindt, hij vindt)
hoog (hoogste)	nu	vormen (ik vorm, je vormt, hij vormt)
laag	ongeveer	waaien (het waait)
meer	soms	wandelen (ik wandel, je wandelt, hij
meeste	vaak	wandelt)
verschrikkelijk	zelden	zeggen (ik zeg, je zegt, hij zegt)
vlak		zien (ik zie, je ziet, hij ziet)
warm		
zonnig		

DEEL 3

Kunt u mij helpen ?

Hoe laat is het ?

1A

CD 1(30)

1. Paolo — Excuseer meneer, hoe laat is het, alstublieft ?
   meneer Verstappen — Het is nu precies elf uur.
   Paolo — Dank u.

2. Els — Hoe laat vertrekt je vliegtuig ?
   Lisa — Over tien minuten. Om vijf over vijf.

3. Els — Hoe laat hebben we een trein naar Leuven ?
   Peter — Om tien voor zeven. Over een halfuur.

4. presentator — Tot hoe laat slaapt Paolo ?
   commentator — Tot halfnegen.
   presentator — Tot hoe laat blijft hij in bed ?
   commentator — Tot kwart voor negen.
   presentator — Hoe laat ontbijt Paolo ?
   commentator — Om kwart voor tien.
   presentator — Hoe laat vertrekt hij naar het Van Dalecollege ?
   commentator — Om vijf voor halféén.

5. Bram — Tot hoe laat werkt Peter ?
   Els — Tot halfvijf.
   Bram — Hoe laat is hij dan in Leuven ?
   Els — Om kwart over vijf.

DE KLOK

Het is negen uur.

Het is vijf over negen.

Het is tien over negen.

Het is kwart over negen.

Het is twintig over negen.
Het is tien voor halftien.

Het is vijf voor halftien.

Het is halftien.

Het is vijf over halftien.

Het is tien over halftien.
Het is twintig voor tien.

Het is kwart voor tien.   Het is tien voor tien.   Het is vijf voor tien.

VRAGEN NAAR HET UUR *[asking the time]*

	REACTIE *[response]*
Hoe laat is het?	(Het is) tien voor vijf.
Hoe laat hebben we een trein?	**Over** een halfuur.*
Hoe laat vertrekt je vliegtuig?	**Om** vijf over vijf.
Tot hoe laat slaapt Paolo?	**Tot** halfnegen.

* Over een halfuur = *[in half an hour]*

WERKBOEK 1A
P. 70

1B

DE TIJD

30 seconden is **een halve minuut.**
60 seconden is **een minuut.**
90 seconden is **anderhalve minuut.**

60 minuten is **een uur.**
90 minuten is **anderhalf uur.**
24 uur is **een dag.**

15 minuten is **een kwartier.**
30 minuten is **een halfuur.**
45 minuten is **drie kwartier.**

7 dagen is **een week.**
4 weken is **een maand.**
12 maanden is **een jaar.**

Van maandagmorgen tot dinsdagmiddag is **anderhalve dag.**
Van midden september tot eind oktober is **anderhalve maand.**
Van begin juli tot volgend jaar december is **anderhalf jaar.**

HALF/HALVE		
	HALF + HET-WOORD	HALVE + DE-WOORD
0,5	een **half**uur	een **halve** dag
1,5	**anderhalf** uur	**anderhalve** dag
0,5	een **half** jaar	een **halve** maand
1,5	**anderhalf** jaar	**anderhalve** maand

 'UUR', 'KWARTIER' EN 'JAAR' KRIJGEN GEEN MEERVOUD NA EEN EXACT GETAL.
['Uur', 'kwartier' and 'jaar' don't get a plural after an exact number.]

VERGELIJK: Hij woont al **twee jaar** in Vlaanderen.
[Compare]:   Hij woont al **jaren** in Vlaanderen.

WERKBOEK 1B
P. 72

woordenlijst les 1

de dag

de minuut

het kwartier

het uur

anderhalf, anderhalve

half, halve

ontbijten (ik ontbijt, je ontbijt, hij ontbijt)

Hoelang blijf je ?

2A

OP ZONDAG BIJ BERT THUIS *[on Sunday at Bert's place]*

CD 1(31)

1. Karel   Hoe gaat het met Alison ?
   Bert   Goed, maar ze blijft in Italië wonen. We zien elkaar zelden.
   Karel   Hoelang ben je al terug uit Italië ?
   Bert   Twee dagen. Sinds eergisteren.

2. Karel   Hoe is het met je moeder ?
   Bert   Prima.
   Karel   Hoe oud is ze nu ?
   Bert   Tweeënvijftig.
   Karel   En komt ze dit jaar naar België ?
   Bert   Natuurlijk. Ze komt volgend weekend.
   Karel   En hoelang blijft ze ?
   Bert   Dat weet ik niet precies. Drie weken of misschien wel een maand.

KAREL WIL VERTREKKEN

3. Bert   Wil je nu al vertrekken ? Zo vroeg ?
   Karel   Hoe laat is het nu ?
   Bert   Halfvijf.
   Karel   Ik wil niet te laat thuis zijn.
   Bert   Hoe laat gaat je trein ?
   Karel   Dat weet ik niet precies.
   Bert   Dan bel ik even naar het station.

INLICHTINGEN **BELLEN** *[calling for information]*

4. station   Inlichtingen. Goedemiddag.
    Bert   Dag meneer. Ik wil graag de vertrekuren van de trein naar Hasselt.
    station   Excuseer. Waarnaartoe ?
    Bert   Naar Hasselt.
    station   Naar Hasselt. Een ogenblik alstublieft. (...)
              Er is elk uur een trein om tien minuten voor het uur. De eerste is
              over twintig minuten, om tien voor vijf.
    Bert   Dank u vriendelijk.
    station   Graag gedaan.

5. Bert   Zo. De eerste trein gaat over twintig minuten.
    Karel   Die haal ik niet. Ik neem de volgende.
              Hoe laat is die ?
    Bert   Om tien voor zes.
    Karel   Hoe ver is het station ?
    Bert   Een halfuur stappen.
    Karel   Dan moet ik hier over drie kwartier vertrekken.

⚠️ De moeder van Bert komt **in** september.
De moeder van Bert komt **op** zaterdag, 26 september.
De eerste trein naar Hasselt is **om** tien voor vijf.

TIJDSPREPOSITIES *[prepositions of time]*		
IN +	**week**	in de tweede week van oktober
	maand	in december
	seizoen	in de winter
	jaar	in 2012
OP +	**dag**	op maandag
		op 26 september
OM +	**uur**	om vijf uur
		om halfvijf
		om kwart voor vijf

WERKBOEK 2A
P. 73

HOEVEELHEID ??? [quantity]

– Hoeveel dagen telt een week ?
– Zeven.

– Hoeveel minuten duurt de film ?
– 150.

TIJD ??? [time]

– Hoe laat is het nu ?
– Halfvijf.

– Hoe laat gaat jouw trein ?
– Om tien voor zeven.

LEEFTIJD ??? [age]

– Hoe oud is de moeder van Bert ?
– Tweeënvijftig (jaar).

– Hoe oud is Paolo ?
– Vierentwintig (jaar).

AFSTAND ??? [distance]

– Hoe ver is het station ?
– Ongeveer een halfuur stappen.

– Hoe ver is Leuven van Oostende ?
– 120 kilometer.

DUUR ??? [duration]

– Hoelang blijft je moeder, Bert ?
– Drie weken.

– Hoelang ben je al terug ?
– Twee dagen. Sinds eergisteren.

– Hoelang duurt de film ?
– 150 minuten.

FREQUENTIE ??? [frequency]

– Hoe vaak ziet Bert Alison ?
– Zelden.

– Hoe vaak is er een trein naar Hasselt ?
– Elk uur.

– Hoe vaak ga je naar de bioscoop ?
– Elke week. En jij ?
– Twee keer per week.

 ZOALS [just like]   WELK + HET-WOORD, OOK ELK + HET-WOORD
WELKE + DE-WOORD, OOK ELKE + DE-WOORD

elk uur, elk jaar, elke dag, elke week

TIJDSLIMIET ??? [time limit]

– Tot hoe laat / Hoelang slaapt Paolo ?
– Tot halfnegen.

– Tot wanneer / Hoelang blijft Lisa in Parijs ?
– Tot na het weekend.

HOE [how]

Hoe laat is het ?
Hoe ver is het ?
Hoe oud is de moeder van Bert ?
Hoeveel maanden heeft een jaar ?
Hoelang duurt de film ?
Hoe vaak ziet Bert Alison ?
Tot hoe laat slaapt Paolo ?

Hoeveel / Hoelang = 1 woord

WERKBOEK 2B
P. 75

woordenlijst les 2

de bioscoop	het ogenblik	bellen (ik bel, je belt, hij belt)	al
de film	het station	duren (de film duurt)	eergisteren
de kilometer	het vertrekuur	stappen (ik stap, je stapt, hij stapt)	even
			misschien
			sinds
		ver	terug
		vroeg	zo
elk, elke			
elkaar		graag gedaan	

68   LES 2B   DEEL 3

Nog een prettige dag !

Het is vandaag maandag, de eenentwintigste september. Paolo slaapt in zijn kamer in hotel Marina. Om halfnegen wordt hij wakker, maar hij is nog moe. Hij blijft nog een beetje in bed liggen. Alles in de kamer is vreemd. Is dit nu België ? Hij kijkt even door het raam naar buiten. Het regent. Ja, dit is vast en zeker Italië niet. Om negen uur gaat hij naar de badkamer en neemt hij een douche. Hij heeft honger. Hij wil graag eten.

Nog een prettige dag, Paolo.

INFINITIEF EN STAM

De infinitief *eindigt op [ends in]*:

meestal	**-en**	(kijken, liggen, nemen, ...)
soms	**-n**	(gaan, staan, doen, zien)

STAM = INFINITIEF - EN (soms - N)

---

kijken	-	en	= kijk
werken	-	en	= werk
zien	-	n	= zie
doen	-	n	= doe

⚠ 1. INFINITIEF MET LANGE VOCAAL   STAM

```
n  e  m  e  n          n  ee  m
h  a  l  e  n          h  aa  l
k  o  p  e  n          k  oo  p
d  u  r  e  n          d  uu  r
     +C  V                      +C
```

C = consonant; V = vocaal

INFINITIEF	▶	STAM
lange vocaal = één letter	▶	**lange vocaal = twee letters**
e		ee
a + Consonant + Vocaal		aa + Consonant
o		oo
u		uu

2. INFINITIEF MET DUBBELE CONSONANT   STAM

```
l  i  gg  e  n          l  i  g
b  e  ll  e  n          b  e  l
st o  pp  e  n          st o  p
p  a  kk  e  n          p  a  k
```

INFINITIEF	▶	STAM
korte vocaal + dubbele consonant	▶	**korte vocaal + één consonant**

HET WERKWOORD: PRESENS *[the verb: present tense]*

	KIJKEN	LIGGEN	NEMEN	infinitief
ENKELVOUD				
1. ik	kijk	lig	neem	**stam**
2. je / jij	kijk**t**	lig**t**	neem**t**	**stam + t**
u	kijk**t**	lig**t**	neem**t**	**stam + t**
3. hij	kijk**t**	lig**t**	neem**t**	**stam + t**
ze / zij	kijk**t**	lig**t**	neem**t**	**stam + t**
MEERVOUD				
1. we / wij	kijk**en**	ligg**en**	nem**en**	**infinitief**
2. jullie	kijk**en**	ligg**en**	nem**en**	**infinitief**
u	kijk**t**	lig**t**	neem**t**	**stam + t**
3. ze / zij	kijk**en**	ligg**en**	nem**en**	**infinitief**

1. INFINITIEF

INFINITIEF	STAM	STAM + T
z i tt en	z i t	hij z i t~~t~~
e t en	ee t	hij ee t~~t~~

 EEN DUBBELE CONSONANT KOMT ALLEEN VOOR TUSSEN TWEE VOCALEN, HIJ STAAT NOOIT OP HET EINDE VAN EEN WOORD OF VOOR EEN ANDERE CONSONANT.
[A double consonant only appears between two vowels, it never appears at the end of a word or in front of another consonant.]

2. JE / JIJ-VORM

(ZIE OOK: DEEL 1, 6B)

subject	pv.	pv.	subject
Jij	kijkt.	Kij**k**	jij ?
Je	ligt.	Li**g**	je ?
Je	neemt.	Nee**m**	je ?

Als het subject je / jij na de persoonsvorm (pv.) staat, krijgt de je / jij-vorm geen 't'.
[When the subject follows the finite verb (pv.) the je / jij-form does not end in 't'.]

WERKBOEK 3A
P. 77

3B

Paolo kijkt op zijn horloge. Het is nu kwart over negen en hij heeft honger. Hij zit aan tafel in hotel Marina. Op tafel staat het ontbijt klaar. Dit is een echt Belgisch ontbijt: vers sinaasappelsap, boterhammen, boter, kaas, ham, een ei, confituur, koffie, melk en suiker. Paolo drinkt eerst een glas sinaasappelsap en neemt dan een kopje koffie met melk en twee klontjes suiker. Heerlijk ! Nu neemt hij een boterham op zijn bord. Wat zal hij op de boterham eten ? Hij weet het niet meteen. Kaas ? Nee, normaal eet hij 's morgens geen kaas. Ham ? Een ei ? Nee, geen ei vandaag. Ham dan maar. En een boterham met confituur. En boter natuurlijk. Brood zonder boter vindt hij niet lekker.

WERKBOEK 3B
P. 79

woordenlijst les 3

de boter	het bord	heerlijk	
de boterham	het brood	lekker	
de confituur	het ei	vers	
de ham	het glas	vreemd	alles
de honger	het horloge	wakker	
de kaas	het klontje	zeker	zonder
de lepel	het kopje		
de suiker	het mes		
de tafel	het ontbijt		
de vork	het sinaasappelsap		

graag

kijken

normaal

klaarstaan (ik sta klaar, je staat klaar, hij staat klaar)

vast en zeker

worden

zitten

Mag ik u enkele vragen stellen ?

4A

EEN ENQUÊTE *[a survey]*

interviewer	Excuseer meneer, mag ik u enkele vragen stellen ?
Bert	Vraagt u maar.
interviewer	Bent u getrouwd ?
Bert	Nee.
interviewer	Hoe oud bent u ?
Bert	Zesentwintig.
interviewer	Werkt u ?
Bert	Ja, natuurlijk. Ik ben marketingmanager bij een firma in Brussel.

CD 1(32)

interviewer	Hoe laat staat u 's morgens op ?
Bert	Om halfzeven.
interviewer	Eet u 's morgens ?
Bert	Niet dikwijls. Ik neem eerst een douche, daarna trek ik mijn kleren aan, poets mijn tanden en meestal is het dan te laat voor een ontbijt.
interviewer	Gaat u met de auto of met de trein ?
Bert	Met de auto. Meestal neem ik mijn eigen auto, maar soms rijd ik met een collega mee.
interviewer	Hoe laat vertrekt u ?
Bert	Ik moet rond zeven uur vertrekken, want het is 's morgens druk op de weg.
interviewer	Hoe laat komt u in Brussel aan ?
Bert	Gewoonlijk rond acht uur. Maar soms is er file. Dan is het halfnegen.
interviewer	Bent u vaak te laat op uw werk ?
Bert	Niet zo vaak.
interviewer	Hoeveel uur per dag werkt u ?
Bert	Ongeveer zeven uur. Van acht tot vier.
interviewer	Hoelang hebt u lunchpauze ?
Bert	Eén uur. Dan eet ik een broodje in de stad.
interviewer	Hoe laat komt u 's avonds thuis ?
Bert	Om kwart over vijf.
interviewer	Wat doet u 's avonds ?
Bert	Wel, gewoonlijk blijf ik thuis. Ik eet en kijk naar de televisie. Maar soms ga ik een pintje drinken in de stad.
interviewer	Hoe laat gaat u slapen ?
Bert	Nooit voor elf uur en meestal lees ik nog een beetje in bed, maar om twaalf uur doe ik het licht uit.

WERKBOEK 4A
P. 80

SCHEIDBARE WERKWOORDEN *[separable verbs]*

INFINITIEF	PRESENS
opstaan	Hij **staat** . . . **op.**
meerijden	Hij **rijdt** . . . **mee.**
aantrekken	Hij **trekt** . . . **aan.**
aandoen	Hij **doet** . . . **aan.**
uitdoen	Hij **doet** . . . **uit.**
uittrekken	Hij **trekt** . . . **uit.**
aankomen	Hij **komt** . . . **aan.**
thuiskomen	Hij **komt** . . . **thuis.**
thuisblijven	Hij **blijft** . . . **thuis.**

DE HOOFDZIN: STRUCTUUR *[the main clause: structure]*

OPSTAAN
MEERIJDEN
AANTREKKEN

1. subject	persoonsvorm	rest	eindgroep
Bert	**staat**	om halfzeven	**op.**
Hij	**rijdt**	soms met een collega	**mee.**
Hij	**trekt**	zijn kleren	**aan.**
Hij	zal P.V	om kwart over vijf	thuiskomen.
Hij	kan P.V.	met een collega	meerijden.

2. (. . .)	persoonsvorm	subject	rest	eindgroep
Dan	**trekt**	hij	zijn kleren	aan.
Hoe laat	**kom**	je	in Brussel	aan ?
Om twaalf uur	zal P.V	hij	het licht	uitdoen.
Om halfzeven	moet P.V.	hij		opstaan.

 'HIJ' NA DE PERSOONSVORM WORDT 'IE' UITGESPROKEN. *INFINITIEF*
['Hij' after the finite verb is pronounced 'ie'.]

"Z/S ; V/F"

INFINITIEF			STAM		PRESENS		
le	**z**	en	lee	**s**	hij	lee	**st**
rei	**z**	en	rei	**s**	ze	rei	**st**
blij	**v**	en	blij	**f**	je	blij	**ft**
le	**v**	en	lee	**f**	hij	lee	**ft**
gelo	**v**	en	geloo	**f**	ze	geloo	**ft**

 'Z' EN 'V' STAAN NOOIT OP HET EINDE VAN EEN NEDERLANDS WOORD EN NOOIT VÓÓR EEN CONSONANT.

['z' and 'v' never appear at the end of a Dutch word and never before a consonant.]

WERKBOEK 4B
P. 81

woordenlijst les 4

de file	het broodje	aankomen°	eigen	daarna
de kleren	het werk	aantrekken°		gewoonlijk
de lunchpauze		lezen		
de tand		meerijden°		
de weg		opstaan°		wel **❹**
		poetsen		
		rijden		
		stellen		
		thuisblijven°		
		thuiskomen°		
		uitdoen°		
		vragen		

 SCHEIDBARE WERKWOORDEN VAN HET TYPE 'AANKOMEN, AANTREKKEN' ... WORDEN VOORTAAN IN DE WOORDENLIJST GEMARKEERD MET HET TEKEN°. DE WERKWOORDEN 'VOORSTELLEN°' (DEEL 2, 1A) EN 'KLAARSTAAN°' (DEEL 3, 3B) ZIJN OOK WERKWOORDEN VAN DAT TYPE.

[Separable verbs of the type 'aankomen, aantrekken, ...' will from now on be marked in the vocabulary list with the sign °. Also the verbs 'voorstellen°' (deel 2, 1A) and 'klaarstaan°' (deel 3, 3B) are verbs of the same type.]

Waar is de Naamsestraat, alstublieft ?

5A

RECHTDOOR

LINKS

RECHTS

OVERSTEKEN

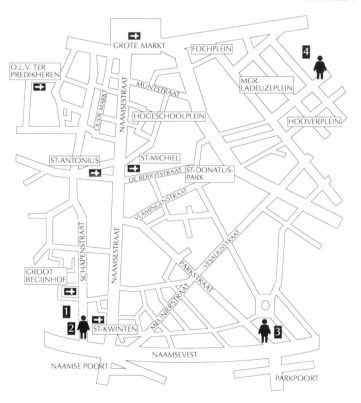

CD 1(33)

1. Paolo   Excuseer, mag ik iets vragen, alstublieft ?
   mevrouw Ting   Ja, natuurlijk. Vraagt u maar.
   Paolo   Waar is het Van Dalecollege ?
   mevrouw Ting   Dat weet ik niet. Ik ben hier ook vreemd.
   Paolo   Jammer. Toch bedankt.

2. Paolo   Pardon, waar is het Van Dalecollege, alsjeblieft ?
   studente   Het Van Dalecollege ? Dat ligt in de Naamsestraat, geloof ik.
   Paolo   En waar is de Naamsestraat ?

studente	Even kijken. Dit is de Schapenstraat. Je gaat hier rechtdoor en je neemt de eerste straat rechts. Op het einde van de straat ga je links. En dan ben je in de Naamsestraat.
Paolo	Bedankt.
studente	Geen dank.

3.
Bart	Excuseer meneer. Kunt u mij helpen ?
meneer Deridder	Vraagt u maar.
Bart	Ik zoek de Vesaliusstraat.
meneer Deridder	Die is hier in de buurt. U gaat rechtdoor tot aan het tweede kruispunt en dan moet u rechts.
Bart	Dus rechtdoor, tweede kruispunt rechts.
meneer Deridder	Zo is het.
Bart	Dank u wel.
meneer Deridder	Graag gedaan.

4.
Paolo	Pardon, waar is het Ladeuzeplein, alsjeblieft ?
student	Dat is niet ver. Je moet hier het kruispunt oversteken en je gaat dan rechtdoor.
Paolo	Dank je wel.
student	Geen dank.

HULP VRAGEN [asking for help]

	REACTIE [response]
Excuseer, mag ik iets vragen, alstublieft ?	**Ja natuurlijk. Vraagt u maar.**
Kunt u mij helpen, alstublieft ?	**Vraagt u maar.**

DE WEG VRAGEN EN WIJZEN [asking and showing the way]

VRAGEN	WIJZEN
Waar is . . . , alstublieft ?	**Je gaat rechtdoor / links / rechts.**
Ik zoek	**Je neemt de eerste / tweede . . . straat links / rechts.**
	Je gaat tot aan . . . .
	Je steekt . . . **over.**

BEDANKEN [thanking]

	REACTIE [response]
Dank je / u (wel).	**Geen dank.**
Bedankt.	**Graag gedaan.**

WERKBOEK 5A
P. 83

Waar is **de bibliotheek** ?   **Die** ligt op het Ladeuzeplein.

Waar is **het Hooverplein** ?   **Dat** is hier in de buurt.

Waar is **het Van Dalecollege** ?   **Dat** ligt in de Naamsestraat.

Waar is **de Naamsestraat** ?   **Die** ligt in de buurt van de Schapenstraat.

DE VERWIJSWOORDEN 'DIE' EN 'DAT'
[the reference words 'die' and 'dat']

de-woord	▶	die
De bibliotheek ?		Die ligt op het Ladeuzeplein.

het-woord	▶	dat
Het Hooverplein ?		Dat is hier in de buurt.

Hier **kunt** u telefoneren.

 Hier **kunt** u inlichtingen krijgen.

 Deze straat **mag** u **niet** inrijden.

 Hier **mag** / **kunt** u parkeren.

 Hier **mag** u **niet** parkeren.

 Hier **moet** u stoppen.

 Hier **kunt** u eten.

 De straat rechts **mag** u **niet** inrijden.

 De straat links **mag** u **niet** inrijden.

WERKBOEK 5B
P. 87

| **woordenlijst les 5** |

de bibliotheek	het einde	bedanken	jammer	alsjeblief(t) ❹
de dank	het kruispunt	geloven		bedankt ❹
de inlichting		helpen	links	jammer ❹
		inrijden°	rechtdoor	pardon ❹
		krijgen	rechts	
		oversteken°	vreemd	
		parkeren		
		stoppen		

Kamer te huur.

6A

CD 1(36)

MENEER EN MEVROUW PEREIRA GAAN EEN APPARTEMENT KOPEN.
[Mr and Mrs Pereira are going to buy an apartment.]

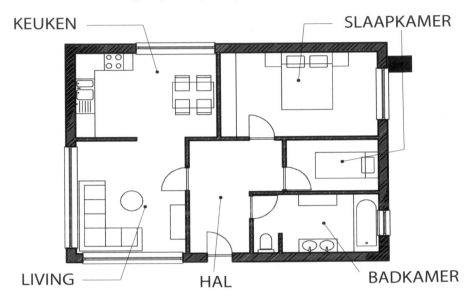

KEUKEN

SLAAPKAMER

LIVING

HAL

BADKAMER

meneer Ravier	Goedendag, mevrouw, meneer. Kan ik u helpen ?
meneer Pereira	Ja, hier is een appartement te koop. Mogen we **het** eens bekijken ?
meneer Ravier	Ja, natuurlijk. **Het** ligt op de derde verdieping.
mevrouw Pereira	Waar is de lift ?
meneer Ravier	Naast de trap. Een ogenblik. Ik ga even met u mee. Zo, gaat u maar binnen. Dat is **het**. U ziet **het**: een gezellige living met veel licht en uitzicht op het park. En hier hebt u de keuken.
meneer Pereira	Hoeveel slaapkamers zijn er ?
meneer Ravier	Twee.
mevrouw Pereira	Kunt u **ze** ook even tonen ?
meneer Ravier	Jazeker, **ze** liggen aan de andere kant van de hal. Een slaapkamer is zeer ruim. De tweede is niet zo groot. Daar is alleen plaats voor een bed.
mevrouw Pereira	Waar is de badkamer ?
meneer Ravier	De badkamer is hier. De eerste deur rechts in de hal.
meneer Pereira	Mmm ... Heel mooi. Wat vraagt u voor dit appartement ?
meneer Ravier	300.000 euro.
mevrouw Pereira	Oei! Dat is niet weinig.
meneer Pereira	Kunnen we u morgen bellen ?

meneer Ravier	Ja, natuurlijk. Mijn telefoonnummer is (0477) 23 66 84.
meneer Pereira	Dank u wel en tot ziens.
mevrouw Pereira	Tot ziens.
meneer Ravier	Tot ziens.
(...)	
meneer Pereira	Wat denk je ?
mevrouw Pereira	Het appartement is prachtig. **Het** is nieuw, comfortabel en **het** ligt in het centrum. Maar de prijs ... zo hoog! Wat vind jij ?
meneer Pereira	Ik vind **hem** ook te hoog. Kom, we zoeken morgen verder. We zullen wel iets vinden.

Het appartement is prachtig.	**Het** is prachtig.
Mogen we **het appartement** bekijken ?	Mogen we **het** bekijken ?
De prijs is te hoog.	**Hij** is te hoog.
Ik vind **de prijs** te hoog.	Ik vind **hem** te hoog.
De slaapkamers liggen aan de andere kant.	**Ze** liggen aan de andere kant.
Kunt u **de slaapkamers** even tonen ?	Kunt u **ze** even tonen ?

HET PRONOMEN: NIET-PERSONEN *[the pronoun: non-persons]*

	SUBJECT	OBJECT
ENKELVOUD		
de lift, **de** prijs	**hij**	**hem**
het appartement	**het**	**het**
MEERVOUD		
de slaapkamers	**ze**	**ze**

 'DE-WOORDEN' KUNNEN 'MANNELIJK' OF 'VROUWELIJK' ZIJN. VOOR 'VROUWELIJKE' DE-WOORDEN GEBRUIKT MEN IN VLAANDEREN OOK VAAK HET PRONOMEN SUBJECT EN HET PRONOMEN OBJECT 'ZE'. IN HET WOORDENBOEK STAAT BIJ DEZE WOORDEN (V): STRAAT (V), OEFENING (V). BIJ DE NIET-VROUWELIJKE DE-WOORDEN STAAT (M).

["De"-words may be 'masculine' or 'feminine'. To refer to 'feminine' "de"-words very often the pronoun subject and object 'ze' is used in Flanders. In the dictionary these words are followed by (v): straat (v), oefening (v). The masculine "de-"words are followed by (m).]

fa·mi·lie (de ~(v.); -s) **1** alle bloedverwanten zoals vader, moeder, oma, opa, broers, zusters, neven, nichten, ooms en tantes ◆ *zij heeft dezelfde achternaam maar ze is geen familie van me; di*

raam (het ~) **1** (ramen) glasplaat in een muur of wand, waardoor daglicht naar binnen kan komen ⇒ *venster* ◆ *de regen slaat tegen de ramen* **2** (ramen) lijst van hout om iets op te spannen ⇒ *spanraam* ◆ *bor*

stoel (de ~(m.); -en) meubelstuk met een zitting, een rugleuning en poten, waarop één persoon kan zitten ◆ *om de tafel staan zes stoelen; een leunstoel:* eer

vriend (de ~(m.); -en), vrouw: **vrien·din** (de ~(v.); -nen) **1** persoon met wie je veel optrekt, die je vertrouwt, en die je erg aardig vindt ◆ *zij zijn al dikke vrienden vanaf hun jeugd; even goede vrienden:* (uitdr.) (dit zeg je om te laten merken dat je een ander toch aardig vindt, ook al wil hij iets niet); *ier*

HULP AANBIEDEN *[offering assistance]*

Kan ik u / je helpen ?

TOEKOMST *[future]*

1. **gaan + infinitief**
   Ze **gaan** een appartement **kopen.**

2. **zullen + infinitief**
   We **zullen** wel iets **vinden.**

3. **presens + tijdwoord**
   We **zoeken morgen** verder.

  IN 'GAAN' ZIT DE IDEE 'INTENTIE' OF 'ONMIDDELLIJKE TOEKOMST'.
['Gaan' expresses an intention or an immediate future.]

WERKBOEK 6A
P. 88

Paolo en Els op de huisvestingsdienst van de universiteit
[Paolo and Els at the university's housing department]

Vanmiddag gaat Paolo op zoek naar een appartement of een kamer in de binnen-stad. Op de huisvestingsdienst in de Naamsestraat kan hij informatie krijgen.

Hij heeft geen kaart en hij vindt de weg niet. Dan ontmoet hij Els. Ze heeft tijd, want ze werkt vanmiddag niet. Ze gaat met Paolo mee naar de huisvestingsdienst. Daar kijken ze in een map met foto's en prijzen van appartementen en kamers. Paolo kan geen groot appartement huren, want dat is voor hem veel te duur. 550 euro huur per maand kan hij niet betalen. Hij moet dus een kamer huren. Die kamer moet groot zijn en hij mag niet duur zijn en niet te ver van het centrum liggen. Paolo wil een gezellige kamer. Hij wil niet in een lelijke of donkere kamer wonen. Hij wil ook een douche en hij wil zelf kunnen koken. Els vindt een goedkope en mooie kamer voor Paolo. Ze belt naar de eigenaar, maar de kamer is niet vrij. Paolo kan deze mooie kamer dus niet huren. Jammer.

Bert ziet Els en Paolo op straat. Dat vindt hij zeer interessant. Ook Peter ziet Els en Paolo, en die vindt het ook interessant, heel interessant. Wat doet die Italiaan daar bij Els ? Peter is een beetje boos op Els. Els en Paolo zien Peter niet en ze zien ook Bert niet.

Paolo gaat niet naar zijn hotel. Hij loopt eerst nog een beetje in de stad rond. Pas om vijf over elf komt hij in hotel Marina aan. Hij is vanavond triest. Hij heeft geen kamer. Morgen moet hij opnieuw een kamer gaan zoeken.

WERKBOEK 6B
P. 90

DE NEGATIE: DE PLAATS VAN 'GEEN' EN 'NIET'
: the position of 'geen' and 'niet']

2, 6A)

1. **'geen' ontkent een onbepaald substantief en staat ervoor**
   ['geen' negates an indefinite noun and is put before it]

subject	pv.	rest	eindgroep
Paolo	kan	**geen** *groot appartement*	huren
Hij	heeft	**geen** *kaart.*	
Hij	kan	**geen** *350 euro*	betalen.

(......)	pv.	subject	rest	eindgroep
Vandaag	kan	Paolo	**geen** *kamer*	vinden.

2. **'niet' ontkent de persoonsvorm en staat achteraan in de rest voor de eindgroep**
   ['niet' negates the finite verb and is put at the end of the rest just before the ending]

subject	pv.	rest	eindgroep
Paolo	*vindt*	de weg **niet**.	
Els en Paolo	*zien*	Peter **niet**.	
Paolo	*kan*	deze mooie kamer **niet**	huren.
Els	*werkt*	vanmiddag **niet**.	

(......)	pv.	subject	rest	eindgroep
Vandaag	*werkt*	Els	**niet.**	
Deze mooie kamer	*kan*	Paolo	**niet**	huren.

3. **'niet' ontkent iets anders en staat ervoor**
   ['niet' negates something else and is put before it]

subject	pv.	rest	eindgroep	
De kamer	is	**niet** *vrij.*		
Hij	mag	**niet** *duur*	zijn.	
Paolo	wil	**niet** *in een lelijke kamer*	wonen.	
Hij	gaat	**niet** *naar zijn hotel.*		
Els	werkt	**niet** *vandaag,*		maar morgen.
De kamer	mag	**niet** *ver van het centrum*	liggen.	

(......)	pv.	subject	rest	eindgroep	
Vandaag	gaat	Peter	**niet** *met Els* naar huis,		maar alleen.
Vanavond	gaat	Paolo	**niet** *vroeg*	slapen.	

Ik werk vooravond niet
Ik werk niet (in) het weekend.
preps trump time.

 'NIET' STAAT MEESTAL
- ACHTER EEN BEPAALD SUBSTANTIEF OF ACHTER EEN TIJDSINDICATIE ZOALS 'VANDAAG' OF 'MORGEN'
- VOOR EEN ADJECTIEF OF EEN PREPOSITIE

['niet' is usually put
- *after a definite substantive or after a time indication like 'vandaag' or 'morgen'*
- *before an adjective or a preposition]*

⚠ VERGELIJK:

1. Hij heeft **een** appartement | Hij heeft **geen** appartement.
   Hij woont **in een** appartement. | Hij woont **niet in** een appartement.

   Hij huurt **het** huis van meneer Ravier. | Hij huurt **het** huis van meneer Ravier **niet.**
   Hij woont **in het** huis van meneer Ravier. | Hij woont **niet in het** huis van meneer Ravier.

2. Hij heeft een appartement. | Hij heeft **geen** appartement.
   | Een appartement heeft hij **niet.**

   Bert spreekt Italiaans. | Bert spreekt **geen** Italiaans.
   | Italiaans spreekt Bert **niet.**

   Hij kan 550 euro betalen. | Hij kan **geen** 550 euro betalen.
   | 550 euro kan hij **niet** betalen.

   Hij woont in een appartement. | Hij woont **niet in** een appartement.
   | In een appartement woont hij **niet.**

   Paolo gaat vroeg slapen. | Paolo gaat **niet** vroeg slapen.
   | Vroeg gaat Paolo **niet** slapen.

   Hij komt vroeg in het hotel aan. | Hij komt **niet** vroeg in het hotel aan.
   | In het hotel komt hij **niet** vroeg aan.

WERKBOEK 6C
P. 91

woordenlijst les 6

de foto	het licht	boos	bekijken	op zoek naar
de hal	het park	gezellig	betalen	te huur
de huur	het uitzicht	lelijk	binnengaan°	te koop
de informatie		prachtig	denken	
de kant		ruim	huren	
de lift		triest	koken	
de living		vrij	kopen	opnieuw
de map			meegaan°	pas
de plaats			meekomen°	zeer
de prijs		weinig	rondlopen°	zelf
de slaapkamer			tonen	
de trap		want		

oei ❹

Vlaanderen: de wooncultuur

7

HOE WONEN DE VLAMINGEN ?

Wonen in Vlaanderen is comfortabel maar duur. Een groot deel van het inkomen[1] van de Vlaming gaat naar wonen.

Meer dan 30% van de Vlamingen woont in een villa, bijna 50% woont in een huis en ongeveer 20% woont in een appartement, studio[2] of kamer. De meeste Vlamingen hebben dus grote woningen. In die grote woningen hebben ze veel plaats, want in één woning wonen gemiddeld 2,3 mensen. Dat is niet veel. Je vindt in Vlaanderen veel kleine gezinnen. En ongeveer 28% van de Vlamingen woont alleen.

Ook studenten hebben relatief[3] veel ruimte. Ze huren een kamer in een studentenhuis, in een universitaire residentie[4] of in een particuliere woning[5]. Die kamer delen ze niet met een andere student.

De Vlamingen wonen dus graag ruim. Maar dat vinden ze niet genoeg. Veel Vlamingen willen een eigen huis hebben. In een eigen huis kan je alles zelf inrichten[6]. 76% van de Vlamingen woont in een eigen woning, 24% huurt een woning.

Veel Vlamingen kopen dus een huis. Of ze bouwen het zelf, want dat vinden de Vlamingen heel interessant: dan kunnen ze een heel groot huis maken. En ze hebben graag een groot huis.

Maar er is een probleem. Natuurlijk wil elke Vlaming ruim en comfortabel wonen. Natuurlijk wil bijna elke Vlaming een huis kopen of bouwen. Maar Vlaanderen is zo klein. Te klein voor zoveel huizen. Daarom kan je bijna geen natuur vinden in Vlaanderen. Overal zie je villa's, huizen en appartementsgebouwen[7]. Tussen twee dorpen of steden zie je vaak geen natuur, maar huizen. Vlaanderen lijkt wel één grote stad.

Er is een tweede probleem. Veel Vlamingen willen in de buurt van hun geboortestad of geboortedorp wonen. Daar kennen ze veel mensen en daar willen ze blijven. Ze kopen of bouwen dus hun huis in hun geboortedorp of daar in de buurt. Maar veel Vlamingen werken natuurlijk niet in hun geboortedorp. Ze werken in een stad: Brussel, Antwerpen, Gent, … Heel veel mensen

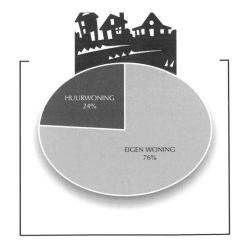

HUURWONING 24%

EIGEN WONING 76%

---

1   income
2   studio
3   relatively
4   residence
5   private house
6   te equip, to furnish

7   apartment buildings

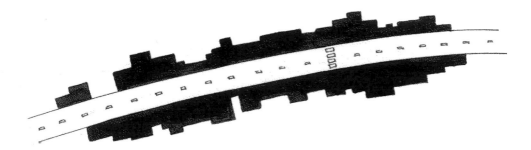

moeten dus elke morgen naar de plaats van hun werk reizen. En elke avond moeten ze weer terug naar hun dorp of stad reizen. "Pendelen"[8] heet dat. Veel mensen pendelen met de trein, maar veel mensen willen ook met de auto pendelen. Elke morgen en avond zijn er te veel auto's op de autosnelwegen[9]. En dat is een groot ecologisch[10] en economisch[11] probleem.

En er is nog een derde probleem. De prijzen van woningen en gronden[12] zijn nu erg hoog. Daarom wordt het heel moeilijk voor jonge mensen om nog een eigen woning te kopen of te bouwen. Soms krijgen ze financiële steun[13] van hun ouders, maar zonder die steun zullen ze misschien voor altijd een woning moeten huren.

GRAAG / NIET GRAAG

Wat doen ze graag ?
[What do they like to do ?]

De Vlamingen wonen **graag** in een groot huis.
Ze werken **graag** in hun tuin.
Ze kijken 's avonds **graag** naar de *televisie*.

Wat doen ze niet graag ?
[What don't they like to do ?]

De Vlamingen wonen **niet graag** klein.
Ze wonen **niet graag** buiten hun geboortedorp.
Studenten delen hun kamer **niet graag**.

Wat hebben ze graag ?
[What do they like to have ?]

De Vlamingen hebben **graag** een groot huis.
Ze hebben **graag** een tuin.
Ze hebben **graag** een auto.

Wat hebben ze niet graag ?
[What don't they like to have ?]

Ze hebben **niet graag** een klein huis.

Ze hebben **niet graag** weinig ruimte.

HET WOORD 'GRAAG' STAAT OP DEZELFDE PLAATS IN DE ZIN ALS DE WOORDEN 'GEEN' EN 'NIET'.
[The word 'graag' occupies the same place in the sentence as the words 'geen' and 'niet'.]

WERKBOEK 7
P. 93

---

8   to commute
9   highways
10   ecological
11   economic

12   pieces of land, building lots
13   financial support

woordenlijst les 7

de ruimte	het dorp	bouwen	genoeg
de televisie	het gezin	delen	
de tuin	het huis	kennen	
de woning	het werk	lijken	
		maken	weer
		reizen	

Wat zeg je ?

1A

CD 2(1)

Dinsdag 22 september, elf uur 's avonds
Mevrouw Armstrong in het vliegtuig naar België

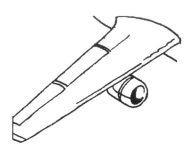

stewardess	Meneer, mevrouw wil u nog iets drinken ?
buur	Voor mij nog een koffie, graag.
mevrouw Armstrong	Ik wil graag een thee. Of nee, ik heb zin in iets lekkers. Ik drink nog een glas rode wijn. Of misschien een whisky. Ja, ik wil iets sterks. Een whisky, alstublieft.
stewardess	Alstublieft meneer. Alstublieft mevrouw.
buur	Dank u.
mevrouw Armstrong	Mevrouw, neemt u me niet kwalijk. Mag ik toch een glas wijn ?
stewardess	Geen probleem, mevrouw. Alstublieft.
(...)	
mevrouw Armstrong	Meneer, u drinkt koffie zonder melk en suiker ? Zwarte koffie is niet gezond, meneer.
buur	Mmm ...

IETS BESTELLEN *[ordering something]*

Voor mij een koffie, **graag.**
Ik **wil graag** een thee.
Een whisky, **alstublieft / alsjeblieft.**
Mag ik een glas wijn ?

'IETS' / 'WAT' EN 'NIETS'	
iets / wat + adjectief + s	Ik wil **iets / wat** lekker**s**.
niets + adjectief + s	Ik drink **niets** sterk**s**.

WERKBOEK 1A
P. 102

IN HET VLIEGTUIG

1. mevrouw Armstrong — 's Nachts vliegen vind ik niet plezierig.
   buur — Neem me niet kwalijk ? Wat zegt u ?
   mevrouw Armstrong — Ik vind 's nachts vliegen niet leuk. Overdag kan je nog door het raam naar buiten kijken. Naar de wolken. Maar 's nachts zie je niets. Alles is zwart. En ik kan hier ook niet slapen.
   buur — Mmm ...
   mevrouw Armstrong — Reist u vaak 's nachts ?
   buur — Ja, ik vind dat prettig.
   mevrouw Armstrong — Nee toch. Echt ?
   buur — Excuseer mevrouw. Ik ben heel moe. Ik wil nu een beetje slapen.
   mevrouw Armstrong — Sorry.

CD 2(3)

WOENSDAG 23 SEPTEMBER, EVEN VOOR HALFZEVEN 'S MORGENS, BIJ BERT THUIS

2. Bert — Met Bert Sels, goedemorgen.
   Jennifer Armstrong — Bertje, je moeder hier. Bel ik je wakker, jongen ?
   Bert — Ja ... , nee. Dat geeft niet.
   Jennifer Armstrong — Ik sta hier op de luchthaven in Zaventem. Kom je me halen ?
   Bert — Wat zeg je ? Meen je dat nu ? Hoe kan dat nu ?
   Jennifer Armstrong — Ik ben gewoon vroeger gekomen.
   Bert — Ja, maar ...
   Jennifer Armstrong — Bertje, kom je me halen of moet ik een taxi nemen ?
   Bert — Eh, ik moet vandaag werken.
   Jennifer Armstrong — Natuurlijk. Dat weet ik. Je komt me eerst halen en dan ga je werken.
   Bert — Dan ben ik te laat. En mijn baas ...
   Jennifer Armstrong — Het spijt me, maar voor één keer is dat niet zo erg. Tot straks dan ?
   Bert — Ja ... , mama, tot zo.

ZICH EXCUSEREN *[apologizing]*

	REACTIE *[response]*
Neemt u me niet kwalijk.	**(Het) geeft niet.**
Neem me niet kwalijk.	**(Dat) geeft niet.**
Excuseer.	**Dat is niet erg.**
Het spijt me.	**Geen probleem.**
Sorry.	
Pardon.	

VERWONDERING UITDRUKKEN *[expressing surprise]*

Nee toch.
Echt (waar) ?
Hoe kan dat nu ?
Meent u / meen je dat (nu) ?

AFSCHEID NEMEN *[saying goodbye]*

(ZIE OOK: DEEL 2, 4A)

Tot straks.
Tot zo (dadelijk).

WERKBOEK 1B
P. 103

1C

PETER OP DE EMOTIONELE TOER ! *[Peter going all emotional !]*

Het is een mooie dag vandaag. Het is een beetje koud, maar de zon schijnt. De lucht is helder blauw. Peter wandelt door het park en kijkt naar de prachtige kleuren. Hij houdt van herfstkleuren. Op het gras ligt er al een dun tapijt van gele, rode en bruine bladeren en er staan nog enkele late, witte rozen.

Peter gaat op een bank zitten en denkt na. Hij is een beetje triest. Hij denkt na over Els en over de maanden samen met haar. Het was een heerlijke tijd. Hij houdt van Els. Maar, houdt zij nog van hem ? Waarom heeft ze zoveel interesse voor die Italiaan ?

Er komt een knappe vrouw met een blond meisje op de bank zitten. Het kind gooit stukken brood naar de grijze duiven op het pad.

Nu weet hij het. Vanavond koopt hij bloemen voor Els, een boeket paarse bloemen, zoals die eerste keer. Dat vindt Els romantisch.

WELKE KLEUR HEEFT ... ? WAT IS DE KLEUR VAN ... ?

De zee in Italië is *blauw*.

Een citroen is *geel*.

Voor het regent, is de lucht *grijs*.

Gras is *groen*.

Sinaasappels zijn *oranje*.

Een aubergine is *paars*.

Bloed is *rood*.

Melk is *wit*.

Zwart is de kleur van de nacht.

HOUDEN VAN *[to like, to love]*

(ZIE OOK: DEEL 3, 7)

Hij **houdt van** herfstkleuren.
Els **houdt van** paarse bloemen.
Ik **hou(d) van** rood.
Hou(d) jij ook **van** een pintje 's avonds ?

Hij **houdt van** Els.
Houdt zij nog **van** hem ?

WERKBOEK 1C
P. 105

▌ woordenlijst les 1

de aubergine	de Italiaan	het blad (bladeren)	blauw	gezond	rood
de baas	de keer	het bloed	blond	helder	sterk
de bank	de kleur	het boeket	bruin	knap	wit
de bloem	de lucht	het gras	dun	oranje	zwart
de citroen	de roos	het pad	geel	paars	
de duif	de sinaasappel	het probleem	grijs	plezierig	
de interesse	de wolk	het stuk	groen	romantisch	
		het tapijt			

bestellen	nadenken°	dadelijk	enkele
gooien	schijnen	erg	niets
houden (van)	vliegen	gewoon	waarom
menen	zin hebben in	straks	
		toch	echt waar
		vroeger	

Hebt u iets aan te geven ?

2A

CD 2(5)

MEVROUW ARMSTRONG BIJ DE DOUANE

douane	Iets aan te geven, mevrouw ?
mevrouw Armstrong	Nee.
douane	Zijn dat uw koffers, mevrouw ?
mevrouw Armstrong	Deze twee koffers zijn van mij. Die niet.
douane	Wilt u deze koffer hier openmaken ?
mevrouw Armstrong	Moet dat nu ? Er zitten alleen kleren in deze koffer: dikke truien, een regenjas en een paar schoenen.
douane	Kunt u hem toch even openmaken, mevrouw ?
mevrouw Armstrong	Goed dan. Zo.
douane	In orde. En wat zit er in die plastic zak ?
mevrouw Armstrong	Twee flessen whisky en sigaretten. Mijn zoon rookt, weet u. En mijn paraplu en een tijdschrift.
douane	Wat zijn deze dozen ?
mevrouw Armstrong	Dat zijn cadeaus voor mijn zoon, meneer ! Ik ben Amerikaanse. Ik kom mijn zoon bezoeken. Hij is manager. Mijn ex-man is een Belg. Wilt u misschien ook weten wat er in mijn handtas zit ? Wilt u dat ook nog zien ? Een kleine wekker, persoonlijke brieven, een paar foto's, twee schone zakdoeken, twee flesjes parfum, de sleutels van mijn appartement in Washington, mijn bril - voor mijn slechte ogen -, mijn portemonnee, mijn portefeuille met mijn dollars en mijn creditcards, mijn agenda en mijn ticket. Zo ! ! Dat is alles. Er zitten geen bommen in en ik heb ook geen drugs. Tevreden nu ?
douane	Oké mevrouw, nog een prettig verblijf.
mevrouw Armstrong	Dag ! ! !

IEMAND VRAGEN IETS TE DOEN *[asking someone to do something]*

Wilt u (wil je) deze koffer openmaken ?
Kunt / kan u (kun / kan je) deze koffer even openmaken ?

WERKBOEK 2A
P. 107

2 B

HET SUBSTANTIEF: MEERVOUD *[the noun: plural]*

In het meervoud krijgen substantieven	**-en**	(70 %)
	-s	(30 %)

1. enkelvoud + s = meervoud *[singular + s = plural]*

1. ...C + e **+ s**	student **e**	**+ s =**	studentes
...C + je **+ s**	fles **je**	**+ s =**	flesjes
...C + er **+ s**	koff **er**	**+ s =**	koffers
...C + el **+ s**	sleut **el**	**+ s =**	sleutels
...C + en **+ s**	jong **en**	**+ s =**	jongens

(C = consonant)

Woorden eindigend op een consonant + -e, -je, -er, -el, -en krijgen in het
meervoud een - s.
*[The plural of words ending in a consonant + -e, -je, -er, -el, -en is formed by
adding an - s.]*

2. ...C + a **+ 's**	agend **a**	**+ 's =**	agenda 's
...C + i **+ 's**	tax **i**	**+ 's =**	taxi 's
...C + o **+ 's**	fot **o**	**+ 's =**	foto 's
...C + u **+ 's**	parapl **u**	**+ 's =**	paraplu 's
...C + y **+ 's**	whisk **y**	**+ 's =**	whisky 's

(C = consonant)

Woorden eindigend op een consonant + -a, -i, -o, -u, -y krijgen in het
meervoud een - 's.
*[The plural of words ending in a consonant + -a, -i, -o, -u, -y is formed by
adding an - 's.]*

3. andere woorden: + s

drug	**+ s** = drugs	portemonnee	**+ s =**	portemonnees
cadeau	**+ s** = cadeaus	café	**+ s =**	cafés
ticket	**+ s** = tickets	broer	**+ s =**	broers
dollar	**+ s** = dollars	winkelier	**+ s =**	winkeliers

2. ANDERS: enkelvoud + en = meervoud *[if not: singular + en = plural]*

schoen	**+ en** = schoenen	kleur	**+ en** =	kleuren
zakdoek	**+ en** = zakdoeken	bloem	**+ en** =	bloemen

 BIJ TWIJFEL KIJK IN EEN WOORDENBOEK.
[In case of doubt check a dictionary.]

(ZIE OOK: DEEL 2, 1B, DEEL 3, 3A en DEEL 3, 4B)

1. ENKELVOUD   MEERVOUD

str	**aa**	t		str	**a**	t	e n
d	**ee**	l		d	**e**	l	e n
	oo	g			**o**	g	e n
b	**uu**	r		b	**u**	r	e n
	+ C				+ C+ V		

C = consonant; V = vocaal

2. ENKELVOUD   MEERVOUD

z	**a**	k		z	**a**	**kk**	e n
fl	**e**	s		fl	**e**	**ss**	e n
v	**i**	s		v	**i**	**ss**	e n
b	**o**	m		b	**o**	**mm**	e n
b	**u**	s		b	**u**	**ss**	e n
	+ C				CC	+ V	

3. ENKELVOUD   MEERVOUD

d	**ui**	f		d	**ui**	v en
d	**oo**	s		d	**o**	z en
br	**ie**	f		br	**ie**	v en
n	**eu**	s		n	**eu**	z en
r	**ei**	s		r	**ei**	z en
v	**aa**	s		v	**a**	z en
						+V

WERKBOEK 2B
P. 108

2C

Japanners bezoeken Vlaamse steden

In veel Vlaamse steden zijn er goede musea. In die musea kan je het verleden terugvinden, het recente en het verre verleden. Maar, een paar Vlaamse steden hebben niet alleen musea. Ze zijn ook zelf musea. De historische centra van Brugge, Gent, Antwerpen of Tongeren kan je gemakkelijk musea in de open lucht noemen.

Op de wegen naar die steden is het in de vakanties erg druk. Niet alleen Belgen, maar ook toeristen van over de grenzen komen die steden bezoeken. Ze komen uit Duitsland, Frankrijk of Amerika. Al jaren komen er ook veel Japanners naar Europa op vakantie. Ze bezoeken dan ook België. Dat doen ze in twee of drie dagen. Meestal gaan ze een halve dag naar Antwerpen, een halve dag naar Brugge en een dag naar Brussel.

HET MEERVOUD: ONREGELMATIGE VORMEN
[the plural: irregular forms]

blad	bl**aderen** (van een boom)	glas	gl**az**en
	bl**aden** (van een boek)	grens	gren**z**en
centrum	centr**a**, centrums	kind	kind**eren**
dag	d**ag**en	museum	muse**a**, museums
ei	ei**eren**	stad	st**eden**
filosoof	filos**of**en	weg	w**eg**en

WERKBOEK 2C
P. 111

---

woordenlijst les 2

de agenda	de drug	de portefeuille	de toerist	het cadeau
de bom	de fles (het flesje)	de portemonnee	de trui	het deel
de brief	de hand	de regenjas	de vaas	het museum
de bril	de handtas	de schoen	de verkoopster	het oog
de creditcard	de jas	de sigaret	de vis	het paar
de dollar	de neus	de sleutel	de wekker	het parfum
de doos	de paraplu	de tas	de zak	het verblijf
			de zakdoek	het verleden

dik	plastic	aangeven°		
historisch	recent	noemen		even veel
open	roken	openmaken°		in orde
persoonlijk	terugvinden°			
	tevreden			

> SUBSTANTIEVEN OP -JE ZIJN DIMINUTIEVEN. '-JE' BETEKENT 'KLEIN'.
> DIMINUTIEVEN ZIJN HET-WOORDEN: 'HET FLESJE, HET BRIEFJE'.
> *[Nouns ending in -je are diminutives. '-je' means 'small'. Diminutives are "het"-words: 'het flesje, het briefje'.]*

Wat zeg je ? Ik versta je niet.

3A

CD 2(7)

PROBLEMEN OP KANTOOR *[problems at the office]*

directeur	Aha, meneer Sels. U zit aan uw bureau, zie ik.
Bert	Dag meneer Rogiers. Goedemorgen. Gaat u zitten.
directeur	Nee, ik blijf staan, meneer Sels. De hoeveelste is het vandaag ?
Bert	Eh, ik weet het niet, meneer.
directeur	De kalender hangt tegen de muur, Sels.
Bert	De ... drieëntwintigste, meneer. Het is de drieëntwintigste.
directeur	Juist, woensdag drieëntwintig september en dit is een werkdag. Hoelang werkt u al bij deze firma ?
Bert	Bijna zeven maanden, meneer.
directeur	Juist. U werkt hier zeven maanden, maar u weet duidelijk niet goed hoe laat een werkdag bij deze firma begint.
Bert	Ja, excuseer meneer, maar ...
directeur	Geen excuses. U bent te laat, Sels. Waar is dat rapport van de firma Van Gucht ?
Bert	Een ogenblik, meneer de directeur. Ik pak het. Het moet hier ergens op mijn bureau liggen, of nee, het zit in mijn lade. Alstublieft meneer.

RANGORDE ??? [ranking ???]

- Bert is weer te laat.
  De hoeveelste keer is dit al ?
- De tweede keer.

- De hoeveelste is het vandaag ?
- De drieëntwintigste.

- Het hoeveelste deel is dit ?
- Het vierde.

- En de hoeveelste les is dit ?
- De derde.

DE / HET HOEVEELSTE

de-woorden

De hoeveelste les is dit ?
De hoeveelste is het vandaag ?

het-woorden

Het hoeveelste deel is dit ?

POSITIE [position]*

STAAN

Het kopje en de asbak **staan** op het bureau.
De directeur **staat** in het kantoor voor het bureau van Bert.
Het bureau van Bert **staat** onder het raam.
De kast **staat** tegen de muur naast de deur.
Het bureau **staat** tegenover de deur.

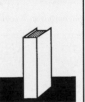

LIGGEN

De krant **ligt** op het bureau, naast de pen van Bert.
De krant **ligt** tussen de pen en de asbak.

HANGEN

De kalender **hangt** tegen de muur achter het bureau van Bert.
De lamp **hangt** boven het bureau van Bert.
De jas van Bert **hangt** aan de kapstok.
Er **hangen** gordijnen voor het raam.

ZITTEN

ZITTEN IN

Bert **zit** op een stoel aan zijn bureau.
Hij **zit** bij het raam.

De brief **zit** in de lade.
De koffie **zit** in het kopje.

* Kijk naar de tekening op de vorige pagina. [Look at the picture on the preceding page.]

Het bord ~~ligt~~ op de tafel.
staat
De lepel **ligt** naast het bord.

WERKBOEK 3A
P. 112

3 B

CD 2(8)

BIJ MIET EN LISA THUIS

1. Miet   Lisa, er is post voor jou.
   Lisa   Wat zeg je ?
   Miet   Er is post voor jou.
   Lisa   Van Jan ?
   Miet   Dat weet ik niet, zijn naam staat niet op de envelop. Maar hij komt uit Frankrijk. Dat is duidelijk: de postzegel is Frans.
   Lisa   Dan is het een brief van Jan.

2. Lisa   Miet, is er iets lekkers in huis ? Ik heb honger.
   Miet   Er liggen nog twee appels op de tafel in de keuken.
   Lisa   Waar, zeg je ? Ik versta je niet.
   Miet   Op de keukentafel ! !

BIJ MEVROUW EN MENEER PEREIRA THUIS

3. Ana Pereira   Antonio, er is iemand aan de deur voor jou.
   Antonio Pereira   Wablief ?
   Ana Pereira   Er staat iemand aan de deur voor jou !
   Antonio Pereira   Ah, nu versta ik je. Een ogenblik. Ik kom.

OP HET KANTOOR VAN KAMP

4. Van Kamp   Met Van Kamp.
   Versluis   Kan ik Wim De Moor even spreken, alstublieft ?
   Van Kamp   Die werkt hier niet, meneer. Dat moet een vergissing zijn. Er werkt niemand met die naam bij deze firma.
   Versluis   Dat begrijp ik niet. Spreek ik niet met de softwarefirma Van Kamp ?
   Van Kamp   Nee, meneer, dit is het reisbureau Van Kamp.
   Versluis   Oh, excuseer, dan ben ik verkeerd verbonden.

 'STAAN': OOK VOOR GESCHREVEN, GETEKENDE, GEFOTOGRAFEERDE, GESCHILDERDE INFORMATIE
['staan': also for written, drawn, photographed or painted information]

Het adres **staat** op de brief.   De foto **staat** in de krant.
De informatie **staat** in de brief.   Jan **staat** op de foto.

'LIGGEN': OOK VOOR BOLLE VOORWERPEN
['liggen': also for round things]

De appel **ligt** op de tafel.   De *bal* **ligt** op de grond.

ZEGGEN DAT JE IETS OF IEMAND NIET VERSTAAT OF BEGRIJPT
[saying you can't hear or understand something or someone]

Wat ?
Wablief ?
Wat zeg je / zegt u ?
Ik versta je / u niet.
Dat begrijp ik niet.

'ER': VOORLOPIG SUBJECT *['er': provisional subject]*

(ZIE OOK: DEEL 1, 3B)

⚠️ ~~Appels liggen op de tafel.~~   →   **Er** liggen **appels** op de tafel.
~~Iemand is aan de deur.~~   →   **Er** is **iemand** aan de deur.

1. **subject is een onbepaald substantief** *[the real subject is an indefinite noun]*
    Er staat **melk** op tafel.
    Er liggen **appels** op de tafel.
    Er staat **geen naam** op de brief.
    Is **er geen post** voor mij ?
    Waar is **er een telefooncel**, alstublieft ?
    Hoeveel **boeken** staan **er** in de boekenkast ?

2. **subject is 'iets', 'niets', 'iemand', 'niemand'** *[the real subject is 'iets', 'niets', 'iemand', 'niemand']*
    Er is **iemand** aan de deur.
    Er werkt **niemand** met die naam bij deze firma.
    Er ligt **niets** op de tafel.
    Is **er iets** lekkers in huis ?

3. **subject is 'wie', 'wat'**
    Wie staat **er** aan de deur ?
    Wat staat **er** in de brief ?

'ER': PLAATS IN DE HOOFDZIN *['er': position in the main clause]*

(ZIE OOK: DEEL 2, 5B)

ZINSSTRUCTUUR

1. er	persoonsvorm	subject	rest	eindgroep
Er	liggen	nog twee appels	op de tafel.	
Er	is	iemand	aan de deur.	
Er	moet	een telefooncel	in de buurt	zijn.

2. (...)	persoonsvorm	er subject	rest	eindgroep
In de lade	moeten	er nog postzegels		liggen.
	Is	er iets lekkers	in huis ?	

wie, wat	persoonsvorm	er	rest	eindgroep
Wat	staat	er	in de brief ?	
Wie	staat	er	aan de deur ?	

VERGELIJK:

- **Wie** is dat (daar) ?
- Dat is Jan.

- **Wie** staat **er** aan de deur ?
- Het is Paolo !

- **Wat** is dat (hier) ?
- Dat is een brief van Jan.

- **Wat** staat **er** in de brief ?
- Dat weet ik niet.

- Paolo staat aan de deur.
- **Wie** staat **(er)** aan de deur ?
- Paolo !

- **Wie** staat **er** aan de deur ?
- Paolo.

- Kan **(er) iemand** (van u) mij helpen ?
- Ja, vraagt u maar.

- Wil **er iemand** Paolo helpen ?
- Ja, Els wil Paolo helpen.

- Kan **(er) niemand** (van u) mij helpen ?
- Nee, niemand. Wij zijn hier ook vreemd.

⚠ **Als je weet naar wie of waarnaar het pronomen verwijst, dan wordt 'er' meestal weggelaten.**

[When you know who or what the pronoum refers to, 'er' is usually omitted.]

WERKBOEK 3B
P. 115

▍ woordenlijst les 3

de appel	de lade	het excuus	beginnen	duidelijk
de asbak	de lamp	het gordijn	begrijpen	ergens
de deur	de muur	het kantoor	hangen	
de directeur	de pen	het rapport	pakken	
de envelop	de post	het reisbureau	staan	iemand
de grond	de postzegel		verstaan	niemand
de kalender	de vergissing			
de kapstok	de werkdag			
de keuken				

aan	boven	onder	tegenover	verkeerd verbonden
achter	in	op	tussen	
bij	naast	tegen	voor	ah 🎵
				aha 🎵

Ik blijf liever thuis.

4A

Bij Wim De Moor thuis

1. moeder   Wim, telefoon voor jou.
   Wim   Met Wim De Moor.
   Ria   Wim, Ria hier. Er is vanavond een prachtig concert in de schouwburg. Ga je niet met me mee ?
   Wim   Naar de schouwburg ? Nee, ik blijf liever thuis. Ik lig hier lekker op de sofa en er is een goede film op televisie.
   Ria   Voor een film op televisie blijf jij thuis ? Dat begrijp ik nu niet. Die film kan je later nog wel eens zien, maar dat concert is uniek.
   Wim   Oké dan.
   Ria   Dat is lief. Zal ik je komen halen of spreken we af aan de schouwburg ?
   Wim   Dat maakt niet uit.
   Ria   Om kwart voor acht aan de schouwburg dan ?
   Wim   Oké. Tot straks.

CD 2(9)

Wim en Ria in de schouwburg

2. Ria   Twee kaartjes parterre, alstublieft.
   loketbediende   Die hebben we niet meer. Er zijn alleen nog een paar goedkope balkonplaatsen.
   Ria   Dat valt tegen.
   loketbediende   Wilt u eerste of tweede balkon ?
   Ria   Wim, heb je liever eerste of tweede balkon ?

Wim   Oh, om het even.
Ria   Eerste balkon, graag.
loketbediende   Alstublieft. Eerste balkon, vierde rij.
Ria   Hoeveel is het, alstublieft ?
loketbediende   Tweemaal ... . Dat is dan 22 euro, mevrouw.
Ria   Is er geen reductie voor studenten ?
loketbediende   Ja, mag ik uw studentenkaart even zien ?
Ria   Alstublieft.
loketbediende   Dank u, dat is dan 16 euro.

VRAGEN NAAR VOORKEUR *[asking for preference]*

Zal ik je komen halen **of** ...
Wilt u / wil je eerste **of** tweede balkon ?
Hebt u / heb je liever eerste **of** tweede balkon ?
Wilt u / wil je liever de vierde **of** de tiende rij ?

VOORKEUR UITDRUKKEN *[expressing preference]*	GEEN VOORKEUR UITDRUKKEN *[expressing no preference]*
Ik blijf **liever** thuis. Ik heb **liever** ...	**Om het even.** **(Dat) maakt niet uit.**

WERKBOEK 4A
P. 117

4 B

PAOLO GAAT BLOEMEN KOPEN

CD 2(11)

1. verkoopster	Hier staan de rozen, meneer. De rode rozen kosten 75 cent per stuk, maar misschien hebt u liever witte rozen. Die kosten 1,20 euro.
Paolo	Geef me maar 12 rode rozen.
verkoopster	Zo, dit is geen duur boeket en toch heel mooi, vindt u niet ?

MANUEL SPREEKT OVER ZIJN NIEUWE APPARTEMENT

2. vriend	Dag, Manuel. Hoe is het ermee ?
Manuel	Prima. Dank je. Schitterend weer voor eind september, niet ?
vriend	Ja, heerlijk. Zeg, je hebt een nieuw appartement, hoor ik. Valt het mee ?
Manuel	Ja, geweldig.
vriend	Is het ruim ?
Manuel	Ja, heel ruim. In de woonkamer is er genoeg plaats voor onze antieke kast en de grote ronde tafel.
vriend	En waar ligt het ?
Manuel	Het ligt echt ideaal: tegenover het park, even voorbij de supermarkt. En er is een grote parkeergarage in de kelder onder het gebouw.
vriend	Dat lijkt me uitstekend.
Manuel	Ja. Er is in het gebouw nog een appartement vrij. Misschien interesseert het je ?
vriend	Nee, toch niet. Ik heb toch liever een huis met een tuin en een terras buiten de stad.

super !

normal + plus g

'LIGGEN' VOOR GEOGRAFISCHE SITUERING
['liggen' for geographical location]

Het appartement ligt ideaal: tegenover het park.
Het restaurant ligt in de Tiensestraat.
Het ziekenhuis ligt buiten de stad.

VRAGEN NAAR INSTEMMING *[asking for assent]*

Vind je / vindt u (ook) niet ?
..................., niet ?

HET ADJECTIEF VÓÓR HET SUBSTANTIEF: VORM
[the adjective before the noun: form]

1. ADJECTIEF: GEEN -e

ENKELVOUD

∅+ adjectief + het-woord	schitterend weer
(g)een + adjectief + het-woord	(g)een nieuw appartement
	(g)een prachtig concert
	(g)een duur boeket

2. ANDERS: ADJECTIEF + -e

de-woorden	**het-woorden**
ENKELVOUD	
een witte roos	het jonge kind
geen rode roos	dit prachtige concert
de oude vrouw	dat dure boeket
deze jonge vrouw	je nieuwe horloge
die smalle straat	
mijn oude vriend	
MEERVOUD	
twee witte rozen	prachtige concerten
geen rode rozen	geen dure boeketten
de oude vrouwen	de jonge kinderen
deze jonge vrouwen	deze prachtige concerten
die smalle straten	die dure boeketten
onze oude vrienden	jullie nieuwe horloges

Dus: een adjectief vóór een substantief krijgt alleen geen -e als het substantief een onbepaald het-woord is in het enkelvoud.
[So: the adjective does not get an '-e' before an indefinite 'het'-word in the singular]

 oranje: de oranje vaas
open, eigen: het open raam, het eigen huis

Adjectieven eindigend op '-e' krijgen geen extra '-e'. Adjectieven eindigend op '-en' krijgen nooit een '-e'.
[No extra '-e' is added to adjectives already ending in an '-e'. Adjectives ending in '-en' never get an '-e'.]

Weet je nog ? *[Do you remember ?]*

(ZIE OOK: DEEL 2, les 1B en DEEL 3, les 4B)

1. r **oo** d   r **o** d e
   g **ee** l   g **e** l e
      +C   +C +V

aa, ee, oo, uu + consonant	▶	a, e, o, u + consonant + vocaal

2. dr u **k**   dr u **kk** e
   w i **t**   w i **tt** e
      +C   +CC +V

korte vocaal + één consonant	▶	korte vocaal + dubbele consonant

3. b **oo** s   b **o** z e
   gr **ij** s   gr **ij** z e
   l **ie** f   l **ie** v e
                +V

oo, ie, ui, ij + s / f	▶	o, ie, ui, ij + z / v + vocaal

WERKBOEK 4B
P. 118

4C

Paolo op zoek naar het huis van Els

Paolo wil nu naar het huis van Els gaan. Muntstraat 15 is haar adres. Daar moet hij zijn. Maar, waar ligt de Muntstraat ?

Paolo komt uit een café. Hij loopt door een grote straat. Op het bordje boven zijn hoofd staat de naam van de straat: de Bondgenotenlaan. Dat is niet de Muntstraat. Paolo weet niet waar de Muntstraat is. Dus vraagt hij het aan een vrouw. De vrouw helpt hem en geeft hem een vriendelijk antwoord, maar hij verstaat haar niet, want op dat moment vliegt er net een helikopter over de Bondgenotenlaan. Hij bedankt de vrouw en loopt verder. Hij komt voorbij een postkantoor en het politiebureau. In het midden van een plein staat er een kerk. Paolo loopt rond de kerk. Dit is een plein, geen straat. Dit is niet de Muntstraat. Dus loopt Paolo verder. Hij loopt en loopt en opeens ... staat hij in de Muntstraat. De Muntstraat is een smalle, drukke straat. Er rijden geen auto's. Paolo loopt langzaam langs de vele restaurants en cafés. Nummer 15 is een boekenwinkel. Boven die boekenwinkel woont Els.

De bomen staan **rond** de kerk.

De bomen staan **langs** de weg.

Er ligt een brug **over** het water.

Hij gooit de bal **over** de muur.

De lamp hangt **boven** de tafel.

De bus rijdt **voorbij** de kerk.

WERKBOEK 4C
P. 121

woordenlijst les 4

de bal	de parterre	het antwoord	antiek	afspreken°
de brug	de reductie	het balkon	langzaam	horen
de garage	de rij	het bord(je)	later	interesseren
de helikopter	de schouwburg	het concert	lief	kosten
de kelder	de sofa	het hoofd	rond	lopen
de kerk	de studentenkaart	het kaartje	schitterend	meevallen°
(de) maal	de supermarkt	het moment	uniek	overvliegen°
de parkeergarage	de woonkamer	het politiebureau	verder	tegenvallen°
		het postkantoor	vriendelijk	uitmaken°
		het terras	zacht	

door	tweemaal, driemaal	om het even	eens
langs		het maakt niet uit	liever
over	op zoek naar	niet meer	net
per			opeens
rond			
uit			
voorbij			

Hoe vind je ... ?

5A

CD 2(12)

OP DE LUCHTHAVEN

1. mevrouw Armstrong	Wat is dat ?
Bert	Dat is mijn bril, mama. Hoe vind je hem ?
mevrouw Armstrong	Lelijk ! Ik vind hem lelijk.
Bert	Lelijk ?
mevrouw Armstrong	Ja, Bertje jongen. Sorry, maar mama vindt jouw bril lelijk. En hij staat veel te laag op je neus. Dat mag ik toch zeggen. Je bent toch niet kwaad, he ?
Bert	En mijn schoenen ? Wat vind je van mijn nieuwe schoenen ?
mevrouw Armstrong	Je schoenen ? Die vind ik mooi. Ja, ze zijn echt mooi.

IN HET CAFÉ

2. Bert	Mmm, lekkere koffie ! Wat vind jij, mama ?
mevrouw Armstrong	Verschrikkelijk. Veel te sterk. Ik hou niet van sterke koffie. Ik vind hem absoluut niet lekker. Maar ... Bertje, wat vind je nu van mijn nieuwe vriend Brian ?
Bert	Ik weet het niet. Hij is knap ...
mevrouw Armstrong	Ja, hij is groot en knap en rijk en zo lief en gezellig en heel sportief. Oh, ik hou van sportieve mannen. En hij is zeer intelligent. Ik vind hem enig.
Bert	Wat doet hij ?
mevrouw Armstrong	Hij is psychiater.
Bert	Psychiater ?

mevrouw Armstrong	Ja, hij begrijpt me zo goed. Hij is gewoon fantastisch.
Bert	Ik ben blij voor jou, mama.
mevrouw Armstrong	Oh, Bertje. Ik ben zo gelukkig.

VRAGEN NAAR EEN OORDEEL *[asking for someone's opinion]*

Lekkere koffie ! **Wat vind jij / vindt u ?**
Hoe vind je / vindt u mijn bril ?
Wat vind je / vindt u van mijn nieuwe schoenen ?

EEN OORDEEL GEVEN *[giving an opinion]*

(ZIE OOK: DEEL 3, 5B en 6A)

Hoe vind je Brian ?
Wat vind je van Brian ?

Knap !
Hij is knap.
Ik vind hem knap.
Brian ? **Die vind ik** knap.

Bril = glasses ?

Hoe vind je **deze** bril ?
Wat vind je van mijn bril ?

Lelijk !
Hij is lelijk.
Ik vind hem lelijk.
Je bril ? **Die vind ik** lelijk.

Hoe vind je mijn schoenen ?
Wat vind je van **die** schoenen ?

Mooi !
Ze zijn mooi.
Ik vind ze mooi.
Je schoenen ? **Die vind ik** mooi.

Hoe vind je **dit** boek ?
Wat vind je van **het** boek ?

Interessant !
Het is interessant.
Ik vind het interessant.
Het boek ? **Dat vind ik** interessant.

WERKBOEK 5A
P. 123

5 B

Bij Els thuis

CD 2(13)

Paolo	Alsjeblieft, Els.
Els	Dat is lief. He, dit is echt een prachtig boeket. Dank je wel, Paolo.
Paolo	Ach. Graag gedaan.
Els	En ... , hoe gaat het ermee ?
Paolo	Heel goed. Ik heb een kamer.
Els	Ja ? Dat valt mee. Waar ?
Paolo	In de Vesaliusstraat, nummer 29.

Els	En ?
Paolo	Niet heel groot, niet heel modern, een beetje duur, maar goed. Het is een kamer met hoge ramen. Er staat een tafel, een kleerkast, een boekenkast, een zacht bed, één stoel en een bureau en er ligt een tapijt op de vloer.
Els	Je bent dus tevreden ?
Paolo	Ja, ik ben heel blij. Ik vind mijn kamer leuk. Alleen de kleur van de gordijnen valt tegen. Ze zijn oranje en ik hou niet van oranje. Ik vind die kleur te ... te hard.
Els	En eh ... wie is de huisbaas ?
Paolo	Het is een beetje een vreemde man. Zijn naam is Bosmans. Hij woont niet in het huis.

TEVREDENHEID UITDRUKKEN
[expressing you are pleased]

Dat **valt mee.***
Ik **ben** (heel) **blij.**
Ik **ben blij met** die kamer.
Ik **ben tevreden.**

ONTEVREDENHEID UITDRUKKEN
[expressing you are not pleased]

De kleur van de gordijnen **valt tegen.***
Ik **ben niet blij.**
Ik **ben niet blij met** die kamer.
Ik **ben niet tevreden.**

* 'meevallen' drukt uit dat iets beter is dan verwacht, 'tegenvallen' dat iets slechter is.
  ['meevallen' usually expresses that something is better than expected, 'tegenvallen' that
  it's worse.]

WERKBOEK 5B
P. 125

 woordenlijst les 5

de boekenkast	blij	kwaad	absoluut
de huisbaas	enig	rijk	
de kleerkast	fantastisch	sportief	
de psychiater	gelukkig	zacht	
de vloer	hard		
	intelligent		

alsjeblieft **♫**
mmm **♫**

Ja, maar ...

6

MEVROUW ARMSTRONG, BERT, PAULO BIJ PETER EN ELS THUIS

CD 2(15)

1. Peter   Alsjeblief, Els.
   Els   Dank je, Peter. Ik vind ze heel mooi.
   mevrouw Armstrong   Nog bloemen ? Iedereen houdt van je, meisje.
   Peter   Hoe bedoelt u ?
   mevrouw Armstrong   Ze heeft al bloemen van haar Italiaanse vriend. Daar in de vaas naast de klok. Rode rozen, de kleur van de liefde.
   Peter   Haar Italiaanse vriend ?
   Bert   Maar mama ...

2. Peter   Zo zo, de marketingmanager is hier ook.
   mevrouw Armstrong   Inderdaad. Dat is waar. Mijn zoon Bertje is een manager.
   Bert   Maar mama ...
   mevrouw Armstrong   Bertje, niet vervelend doen !
        En wie ben jij, jongen ? Ken jij Bert ?
   Peter   Ik ben de vriend van Els, mevrouw. En u bent ?
   mevrouw Armstrong   Jennifer Armstrong uit Washington, de moeder van Bert.
   Peter   Wat bedoelt u ? De moeder van onze manager ?
   mevrouw Armstrong   Inderdaad.

3. Els	Kent u Vlaanderen, mevrouw ?
mevrouw Armstrong	Ja, natuurlijk. Ik ken Vlaanderen heel goed. Ik bedoel, mijn ex-man is een Vlaming en mijn zoon is een Vlaming.
Els	En, hoe vindt u het hier ?
mevrouw Armstrong	Best gezellig. Ik hou van de oude steden. Brugge, Antwerpen en Gent vind ik mooi, heel mooi. Net musea.
Bert	Dat zie je verkeerd, mama. Vlaanderen is geen museum. Vlaanderen leeft.
mevrouw Armstrong	Hahaha ! Vlaanderen leeft ? Dat is niet waar.
Bert	Toch wel !
mevrouw Armstrong	Toch niet, Bertje ! Amerika leeft. Ken jij Washington niet, en New York ? Die steden leven ! In Vlaanderen is alles zo rustig.
Els	Akkoord. Dat klopt. De Vlaamse steden zijn niet heel druk.
mevrouw Armstrong	Zie je wel ! Ik heb gelijk. Vlaanderen is mooi, maar vervelend.
Els	Nee nee nee. Dat is niet waar. Vervelend is het niet.
4. mevrouw Armstrong	Wel, mijn beste Italiaantje, mijn zoon zal je Vlaanderen leren kennen.
Paolo	Hoezo ?
mevrouw Armstrong	Wij nemen je mee naar alle mooie steden. We tonen je kerken en pleinen, schilderijen en musea.
Paolo	Ja maar, mevrouw ... Ik kan toch niet ...
mevrouw Armstrong	Toch wel, jij komt met ons mee.

UITLEG VRAGEN
[asking for explanation]

Wat bedoel je / bedoelt u ?
Hoe bedoel je / bedoelt u ?
Hoezo ?

what do you mean?

UITLEG GEVEN
[giving explanation]

Ik bedoel ...

AKKOORD GAAN *[agreeing]*

Dat is waar.
Dat klopt.
Je hebt / u hebt gelijk.
Akkoord.
Inderdaad.

NIET AKKOORD GAAN *[disagreeing]*

Dat is niet waar.
Dat klopt niet.
Dat zie je / ziet u verkeerd.
Niet akkoord.

TEGENSPREKEN *[objecting]*

Dat is waar. (+)
Dat is niet waar. (-)

Toch niet.
Toch wel.
Jawel.

WERKBOEK 6
P. 127

▌woordenlijst les 6

de klok	het schilderij	verkeerd	bedoelen	best
de liefde		vervelend	leven	inderdaad
		waar	meenemen°	

iedereen	akkoord **Ø**	
	hoezo **Ø**	
	hahaha **Ø**	

De cultuurschok.

7A

EEN NEDERLANDER OVER DE BELGEN EN DE VLAMINGEN

In 51 voor Christus schrijft de beroemde Romeinse generaal[1] Julius Caesar een boek over zijn oorlog met Gallië. Wat nu België heet, is ook een deel van dat Gallië. In zijn boek noemt Caesar de Belgen "de dappersten van al de Galliërs"[2].

Dat is wat anders dan[3] de woorden van die minister, Jules Destrée. In 1912 schrijft die een brief aan de koning, in het Frans. Hij begint die brief met: "Sire, il n'y a pas de Belges" (Sire, er zijn geen Belgen).

Is dat zo ? Zijn er alleen Vlamingen, Walen en Brusselaars in dit land ? Dat geloof ik niet.

DE BELGEN

Welke karakteristieken[4] maken de Belgen anders dan hun buren ?

Belgen maken niet zoveel lawaai als de Nederlanders; ze zijn niet zo nationalistisch[5] als de Fransen; ze zijn niet zo strijdlustig[6] en ze hebben niet zo veel zelfvertrouwen[7] als de Duitsers; en ze zijn niet zo gereserveerd[8] als de Engelsen.

Welke karakteristieken maken van de Belgen dan echte Belgen ?

De Belgen tonen in Europa hun diplomatiek talent[9]. Ze zoeken vooral naar praktische oplossingen[10]; hun principes[11] zijn dan niet zo belangrijk (soms willen ze die principes te gemakkelijk opgeven[12]).

De Belg heeft weinig vertrouwen[13] in de autoriteiten[14]. Dat is een gevolg[15] van veel eeuwen vreemde overheersing[16] (eerst de Spanjaarden, dan de Oostenrijkers, dan de Fransen, dan de Nederlanders en in de 20e eeuw twee keer de Duitsers).

Daarom vinden de Belgen hun eigen huis heel belangrijk. In dat huis kom je niet gemakkelijk binnen, als je niet van de familie bent.

DE VLAMINGEN

En de Vlaming dan ? Heeft de Vlaming geen eigen karakteristieken ? Zeker wel. Sinds de Tweede Wereldoorlog[17] hebben de Vlamingen veel zelfvertrouwen, meer dan vroeger. Ze hebben een sterke economie en ze werken hard. Ook de liefde voor de eigen taal, literatuur[18] en schilderkunst[19] geeft Vlaanderen een eigen identiteit[20].

Al bij al[21] blijft de Vlaming meer een man van het zuiden dan van het noorden, meer Latijns van geest[22] dan Germaans, meer gebonden aan[23] zijn dorp dan aan zijn land. Ook in de 21e eeuw.

Professor Joop van der Horst
(Nederlander)

WERKBOEK 7A
P. 129

1	general
2	the bravest of all Gauls
3	that's completely different from
4	characteristics
5	nationalistic
6	militant
7	self-confidence
8	reserved
9	diplomatic talent
10	practical solutions
11	principles

12	to give up
13	confidence
14	authorities
15	consequence
16	occupation, rule
17	the second World War
18	literature
19	painting
20	identity
21	all in all
22	spirit
23	committed to

De inwoners van de Europese Unie

land	man	vrouw	adjectief
België	een Belg	een Belgische	Belgisch
Bulgarije	een Bulgaar	een Bulgaarse	Bulgaars
Cyprus	een Cyprioot	een Cypriotische	Cyprisch/Cypriotisch
Denemarken	een Deen	een Deense	Deens
Duitsland	een Duitser	een Duitse	Duits
Estland	een Estlander/Est	een Estlandse	Estlands/Ests
Finland	een Fin	een Finse	Fins
Frankrijk	een Fransman	een Franse/Française	Frans
Griekenland	een Griek	een Griekse	Grieks
Hongarije	een Hongaar	een Hongaarse	Hongaars
Ierland	een Ier	een Ierse	Iers
Italië	een Italiaan	een Italiaanse	Italiaans
Letland	een Let/Letlander	een Letse/Letlandse	Letlands/Lets
Litouwen	een Litouwer	een Litouwse	Litouws
Luxemburg	een Luxemburger	een Luxemburgse	Luxemburgs
Malta	een Maltees	een Maltese	Maltees
Nederland	een Nederlander	een Nederlandse	Nederlands

land	man	vrouw	adjectief
Oostenrijk	een Oostenrijker	een Oostenrijkse	Oostenrijks
Polen	een Pool	een Poolse	Pools
Portugal	een Portugees	een Portugese	Portugees
Roemenië	een Roemeen	een Roemeense	Roemeens
Slovakije	een Slovaak	een Slovaakse	Slovaaks
Slovenië	een Sloveen	een Sloveense	Sloveens
Spanje	een Spanjaard	een Spaanse	Spaans
Tsjechië	een Tsjech	een Tsjechische	Tsjechisch
Verenigd Koninkrijk	een Brit	een Britse	Brits
Zweden	een Zweed	een Zweedse	Zweeds

WERKBOEK 7B
P. 131

woordenlijst les 7

de eeuw	het lawaai	beroemd	binnenkomen°	als
de minister	het woord	praktisch	schrijven	daarom
de oorlog		vreemd		vooral
de wereld				zo

DEEL 5

Zin om mee te gaan ?

Wat wil je ?

1A

CD 2(16)

ZATERDAG 26 SEPTEMBER, 10 UUR 'S MORGENS BIJ ELS THUIS

1. | Els | Peter, ben je wakker ? |
|---|---|
| Peter | Nee, ik slaap nog. Hoe laat is het ? |
| Els | Even over tien. |
| Peter | Mmm ... |
| Els | Peter ! |
| Peter | Wat is er ? |
| Els | Zin in koffie ? Hij staat klaar. |
| Peter | Mmm ... Ik heb geen zin om op te staan. |
| Els | Er zijn lekkere croissants ! |
| Peter | Oh ja ? In croissants heb ik wel zin. Wacht, ik kom. |

(...)

Peter	Waarom lach je ? Waar zijn die croissants ?
Els	Grapje ! Er zijn geen croissants. Ik wilde je alleen uit bed hebben.
Peter	Verdomme, Els. Waarom doe je dat nu ? Dat is niet aardig van je.
Els	Sorry, Peter. Het spijt me. Niet boos zijn, alsjeblief. Kom, laten we ontbijten. Koffie ?

2. | Peter | Wat doen we vandaag ? |
|---|---|
| Els | Hoe kan ik dat nu weten ? Moet jij niet voetballen ? |
| Peter | Nee. Er is geen training vandaag. Zullen we gaan wandelen ? Ik geloof dat het mooi weer wordt. |
| Els | Nee, ik heb geen zin om te gaan wandelen. |
| Peter | Laten we dan gaan fietsen. |
| Els | Nee, ik hou niet van fietsen. |
| Peter | Wil je misschien gaan zwemmen of tennissen of zo ? Of heb je zin om naar zee te rijden ? |
| Els | Nee, ik ga vandaag niet zwemmen en zeker niet tennissen en ik wil ook niet naar zee. |
| Peter | Wat wil je dan wel, verdorie ? |
| Els | Maakt mij niet uit ! Als je mij nu even rustig dit artikel laat lezen, dan is voor mij alles in orde. |
| Peter | Neem me niet kwalijk, mevrouw ! Ik laat je alleen. Graag zelfs ! |
| Els | Niet kwaad worden, Peter. |

IETS VOORSTELLEN *[making a suggestion]*

(ZIE OOK: DEEL 2, 5A)

Laten we gaan fietsen.
Laten we nu ontbijten.
Zullen we gaan wandelen ?

VRAGEN NAAR WENSEN
[asking for wishes]

1. **Wat wil je / wilt u ?**
   Wil je / wilt u voetballen ?
   Wil je naar zee ?

2. **Zin in** koffie ?
   Heb je / hebt u zin in croissants ?
   Heb je / hebt u zin om te zwemmen ?

EEN WENS UITDRUKKEN
[expressing a wish]

1. **Ik wil (graag)** koffie.
   Ik wil (niet) voetballen.
   Ik wil (niet) naar zee.

2. **Ik heb (geen) zin in** koffie.
   Ik heb (geen) zin in croissants.
   Nee, ik heb geen zin om te zwemmen.
   Ik heb zin om te wandelen.
   Ik heb geen zin om op **te** staan.

  zin in   . . . + substantief
zin om   . . . + te + infinitief

 BIJ SCHEIDBARE WERKWOORDEN STAAT 'TE' TUSSEN DE TWEE DELEN: ...
OP TE STAAN, ... MEE TE GAAN, ...THUIS TE BLIJVEN.
*['Te' is put between the two parts of the separable verbs: ... op te staan, ...
mee te gaan, ... thuis te blijven.]*

Ik heb geen zin om **op te staan** en met je **mee te gaan**.
Ik heb zin om **thuis te blijven**.

WERKBOEK 1A
P. 138

1B

BIJ BERT THUIS

1.	Bert	Wat ben je aan het doen, mama ?
	Jennifer	Ik ben naar de radio aan het luisteren.
	Bert	En ? Is het interessant ?
	Jennifer	Ja, het gaat over die Belgische politiek van jullie.
	Bert	Vreemd. Heb je nu opeens interesse voor politiek ?
	Jennifer	Ja, natuurlijk ! Vind jij dat vreemd ? Ik vind dat heel gewoon. Politiek interesseert me. Politiek is belangrijk, Bertje.

CD 2(17)

BIJ ELS THUIS

2. Els   Dag Paolo. Els hier. Alles goed ?
Paolo   Ja, prima.
Els   Ik ben Italiaans aan het leren, Italiaans voor beginners. En ik heb een paar problemen. Kun je me helpen ?
Paolo   Ja, natuurlijk. Heel graag zelfs.
Els   Dank je.
Paolo   Wanneer spreken we af ?
Els   Morgen ?
Paolo   Straks kan ook, zo rond vier uur.
Els   Om vier uur dan ? Bij jou ?
Paolo   Ja. Goed.
Els   Uitstekend. Om vier uur bij jou. Tot straks. Dag !

3. Peter   Wat ben je aan het doen, zeg je ?
Els   Ik ben Italiaans aan het leren.
Peter   Italiaans ?
Els   Ja, Italiaans voor beginners.
Peter   Jij bent Italiaans aan het leren ! Waarom ?
Els   Omdat dat voor mijn werk interessant is.
Peter   Voor je werk ? Dat kan je toch niet menen.
Els   Toch wel. Ik heb voor mijn werk Italiaans nodig. Geloof je me niet ?
Peter   Natuurlijk niet. Je doet het voor die Italiaan. Waar of niet ?
Els   ...
Peter   Ik wil een antwoord, Els, een simpel en duidelijk antwoord !
Els   Verdorie, Peter. Jij bent gewoon jaloers op Paolo. Ik wil Italiaans leren. Ik heb een paar problemen en Paolo wil mij straks even helpen. Dat is alles.
Peter   Oké, oké. Doe maar. Het interesseert me al niet meer.
Els   Niet boos zijn, Peter.

ERGERNIS UITDRUKKEN *[expressing irritation]*

Verdomme !   **Verdorie !**

AAN DE GANG ZIJNDE ACTIE *[action in progress]*

ZIJN + AAN HET + INFINITIEF *

1. subject	**pv.**	**rest**		**eindgroep**
Ik	**ben**	Italiaans		**aan het leren.**
Els en Peter	**zijn**	in de woonkamer		**aan het ontbijten.**
Bert	**is**	een artikel in de krant		**aan het lezen.**

2. (...)	**pv.**	**subject**	**rest**	**eindgroep**
Wat	**ben**	je	nu	**aan het doen ?**
Vandaag	**is**	Els	Italiaans	**aan het leren.**

* *[This construction is equivalent to the English present progressive: 'I am learning Italian.' 'What are you doing now ?']*

 'ZIJN ... AAN HET': ALLEEN VOOR ECHTE ACTIVITEITEN, NIET MET 'LIGGEN', 'STAAN', 'BLIJVEN' ...
['zijn ... aan het': only for real activities, not with non-action verbs like 'liggen', 'staan', 'blijven' ...]

~~Hij is in bed aan het liggen.~~

↓

Hij ligt in bed.

~~Hij is thuis aan het blijven.~~

↓

Hij blijft thuis.

WERKBOEK 1B
P. 141

woordenlijst les 1

de croissant	het artikel	fietsen	aardig	verdomme, verdorie
de grap	het Italiaans	gaan over	gewoon	
de politiek		lachen	jaloers	
de training		laten	nodig	
		leren	simpel	
		luisteren		
		nodig hebben	straks	
		tennissen	zelfs	
		voetballen	of zo	
		wachten		
		wilde (willen)		
		zwemmen		

Wat zeg je ?

2A

CD 2(18)

BIJ BERT THUIS

Jennifer	Waar gaan we morgen naartoe, Bertje ? Jij moet beslissen.
Bert	Moet ik beslissen ? Goed, dan gaan we naar Brussel.
Jennifer	Naar Brussel ? Nee, jongen. Dat is geen goed idee.
Bert	Wat zeg je ?
Jennifer	Dat het geen goed idee is, zeg ik. Ik haat Brussel. Brussel is lelijk. En te groot en te vuil.
Bert	Wat is dat nu ? Jij zegt dat ik moet beslissen. Ik beslis dat we naar Brussel gaan en nu zeg jij dat je niet naar Brussel wil.
Jennifer	We gaan naar Gent.
Bert	Wat ?
Jennifer	Ik zeg dat we naar Gent gaan. En we nemen die Italiaan mee, die Paul of Paolo. Ja, ik wil dat Paolo met ons meegaat.

DE SAMENGESTELDE ZIN: STRUCTUUR
[the complex sentence: structure]

(ZIE OOK: STRUCTUUR HOOFDZIN DEEL 1, 7B ; DEEL 2, 5B ; DEEL 3, 4B)

1. HOOFDZIN   BIJZIN
[main clause]   *[subclause]*

subject	pv.	link	subject	rest	eindgroep
Jennifer	zegt	**dat**	**ze**	naar Gent	**gaan.**
Jennifer	wil	**dat**	**Paolo**	met hen	**meegaat.**
Jennifer	wil	**dat**	**er iemand**	met hen	**meegaat.**
Jennifer	zegt	**dat**	**Bert**		**moet beslissen.**

2. BIJZIN   HOOFDZIN
[subclause]   *[main clause]*

link	subject	rest		eindgroep	pv.	subject	rest	eindgroep
Dat	het	een slecht idee		is,	zegt	Jennifer.		
Dat	ze	naar Gent		gaan,	zegt	Jennifer.		

Als de hoofdzin volgt op de bijzin, staat het subject van de hoofdzin achter de pv.
[When the main clause follows the subclause, the subject of the main clause follows the finite verb.]

1. Hij **gaat mee**.   Hij zegt dat hij **meegaat**.
   Hij **komt** laat **thuis**.   Hij zegt dat hij laat **thuiskomt**.

   Scheidbare werkwoorden worden niet gescheiden in de bijzin.
   [Separable verbs are not separated in the subclause.]

2. Let op de orde van de werkwoorden in de eindgroep.
   [Note the order of the verbs in the ending.]

Hij <u>moet</u> **beslissen**.	Zij zegt dat hij	<u>moet</u>	**beslissen**.
Bert <u>moet</u> Paolo **bellen**.	Zij zegt dat Bert Paolo	<u>moet</u>	**bellen**.
		pv. +	INF.

   MAAR!

Bert is aan het lezen.	Hij zegt dat hij	**aan het**	**lezen is.**
		AAN HET	+ INF. + pv.

3. Jennifer zegt dat **er iemand** met hen meegaat.

   In de bijzin staat 'er' vaak onmiddellijk voor het echte subject.
   [In the subclause 'er' is often put immediately before the real subject.]

   MAAR!

   Jennifer zegt dat **er** morgen **iemand** met hen meegaat.

WERKBOEK 2A
P. 143

Bij Bert thuis

1. Jennifer   Bertje, ga je nu die Paolo opbellen ?
   Bert   Waarom ?
   Jennifer   Je moet hem vragen of hij met ons meegaat.
   Bert   Waarom moet ik dat doen, verdorie ? Jij wil dat hij meegaat.
   Jennifer   Omdat ik het je vraag, schat. Ik haat telefoneren.

2. Jennifer   Bertje, ... Bert ! Ga je nu die Paolo opbellen, of niet ?
   Bert   Wat ?
   Jennifer   Jij bent aan het dromen, jongen. Je zit met je hoofd in de wolken.
            Ik vraag of je die Paolo gaat opbellen.
   Bert   Ik bel hem als ik hier klaar ben.
   Jennifer   Hoezo, als je daar klaar bent ? Je bent helemaal niets aan het doen !
   Bert   Oké, oké, ik bel zo dadelijk.
   Jennifer   Niet zo dadelijk, Bert. Je belt meteen.

AVERSIE UITDRUKKEN *[expressing dislike]*

(ZIE OOK: DEEL 3, 7 ; DEEL 4, 1C)

Ik hou(d) niet van telefoneren.   **Ik haat** telefoneren.*
Ik hou(d) niet van deze stad.   **Ik haat** deze stad.

* 'Haten' is veel sterker dan 'niet houden van'.
  ['Haten' is much stronger than 'niet houden van'.]

DAT [that]

Wat wil Jennifer ?
Dat Paolo met hen meegaat.

OF [if, whether]

Wat vraagt Jennifer ?
Of Bert Paolo gaat opbellen.

Wat wil Jennifer weten ?
Of Bert Paolo gaat opbellen.

OMDAT [because]

Je moet Paolo opbellen.
Waarom ?
Omdat ik het je vraag, schat.

ALS [when / if]

Bert gaat bellen.
Wanneer ?
Als [when] hij klaar is. / **Als [if]** hij zin heeft.

(ZIE OOK: DEEL 5, 4A)

WERKBOEK 2B
P. 144

2C

BIJ BERT THUIS

Bert hoort dat zijn moeder in de keuken eten aan het klaarmaken is. Ze is aan het zingen, want ze is vandaag heel vrolijk.

Bert is vandaag niet zo vrolijk. Hij heeft geen zin om iets te doen. En omdat hij de hele tijd aan Els moet denken, kan hij zelfs niet rustig op een stoel blijven zitten. Hij kijkt in een tijdschrift, maar de artikels interesseren hem niet. Misschien loopt hij beter even de tuin in. Als Jennifer hem zo ziet, zal ze hem weer vragen stellen. Hij moet iets doen, want met je moeder in de buurt kan je niet rustig niets doen. Als hij nu even pianospeelt, wordt hij misschien rustig. Ja, dat gaat hij doen, even dromen bij een romantische sonate.

VRAAGWOORDEN [question words]

Waarom leert Els Italiaans ?
Waarom moet Bert naar Paolo bellen ?

REDEN ??? [reason ???]

Waarom is Bert niet rustig ?
Omdat hij de hele tijd aan Els moet denken.

Waarom is Jennifer aan het zingen ?
Omdat ze vandaag heel vrolijk is.

Waarom moet Bert iets doen ?
Omdat zijn moeder in de buurt is.

EEN REDEN GEVEN: 'WANT' - 'OMDAT'
[giving a reason: 'want' - 'omdat']

omdat + bijzin

Bert is niet rustig **omdat** hij de hele tijd aan Els moet denken.
Omdat hij de hele tijd aan Els moet denken, is Bert niet rustig.

Bert gaat even pianospelen **omdat** hij rustig wil worden.
Omdat hij rustig wil worden, gaat Bert even pianospelen.

want + hoofdzin

Bert is niet rustig, **want** hij moet de hele tijd aan Els denken.
Hij gaat even pianospelen, **want** hij wil rustig worden.

(handwritten note in margin): Omdat + want are the same, but want = hoofdzin meaning = same structure = different

(handwritten note in margin): WANT comes in the middle of the sentence. EXCEPT

⚠ – **Waarom** is Bert niet rustig ?
– ~~Want hij moet de hele tijd aan Els denken.~~
Je kan een zin nooit beginnen met 'want'. Op een 'waarom'-vraag antwoord je met een 'omdat'-zin.
[You can never start a sentence with 'want'. A 'waarom'- question is answered with an 'omdat'-sentence.]

MAAR:

– Ga je nu die Paolo opbellen ?
– **Nee, want** ik ben hier nog niet klaar.

(handwritten note): For the exam Waarom should ALWAYS BE FOLLOWED BY OMDAT.

WERKBOEK 2C
P. 146

woordenlijst les 2

de piano	het eten	beslissen	klaar	helemaal
de schat	het idee	dromen	vrolijk	weer
de sonate		haten		
		inlopen°		
		klaarmaken°		
		opbellen°		
		pianospelen°		
		spelen		
		zingen		

Hij is er niet.

3

B<small>IJ</small> E<small>LS</small> <small>THUIS</small>

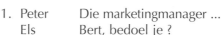

CD 2(20)

1. Peter   Die marketingmanager ...
   Els   Bert, bedoel je ?
   Peter   Ja. Die woont ook in Leuven, hè ?
   Els   Ja, in de Bergstraat. Hij woont er al enkele jaren, denk ik.
   Peter   Woont hij nog bij zijn moeder ?
   Els   Nee, hij woont alleen. Zijn moeder is alleen maar op bezoek.

2. Peter   Ik ben nu al de hele morgen op een telefoontje aan het wachten.
   Els   Van wie ?
   Peter   Van een collega. Hij moet mij bellen voor een afspraak op maandag.
   Els   Waarom bel je niet zelf ?
   Peter   Dat doe ik al de hele tijd. Maar hij is er niet, want hij neemt niet op. Ik probeer het nog eens.

3. Els   Peter, ik ga even naar de supermarkt.
   Peter   Nu ?
   Els   Ja, ik ga liever nu. Het is er nu nog niet druk. Ga je met me mee ?
   Peter   Nee, ik kan niet, want ik wacht nog op een telefoontje. En bovendien, je weet dat ik niet van winkelen houd.
   Els   Ja, omdat je overal moet wachten en omdat jij niet kan wachten.

4. Peter   Els ! Ik heb mijn collega aan de telefoon. Waar is mijn agenda ?
   Els   Die ligt toch altijd naast de telefoon ?
   Peter   Nee, hij ligt er niet.
   Els   Op de kast dan ?
   Peter   Nee, daar ligt hij ook niet.
   Els   Op de tafel misschien ?
   Peter   Oké, ik heb hem.

PLAATSREFERENTIES: 'ER' EN 'DAAR'
[place references: 'er' and 'daar']

ER	DAAR
Ligt de agenda **naast de telefoon** ? Nee, hij ligt **er** niet.	Ligt de agenda **naast de telefoon** ? Nee, hij ligt **daar** niet. Ligt hij misschien **op de kast** ? Nee, **daar** ligt hij ook niet.
Bert woont **in de Bergstraat.** Hij woont **er** al enkele jaren.	Bert woont **in de Bergstraat.** Hij woont **daar** al enkele jaren. **Daar** woont hij al enkele jaren.
Ik ga nu niet naar **de supermarkt.** Het is **er** nu te druk.	Ik ga nu niet naar **de supermarkt.** Het is **daar** nu te druk. **Daar** is het nu te druk.

Peter telefoneert naar een collega,
   maar hij is **er** niet.
   (= niet bij hem thuis)	

'Er' en 'daar' refereren aan een eerder genoemde of geïmpliceerde plaats.
['Er' and 'daar' refer to a place mentioned before or to a place which is not mentioned but implied.]

 Ligt de brief op de kast ?   ~~Nee Er ligt hij niet.~~
                                       Nee. Daar ligt hij niet.

Je kan een zin nooit beginnen met de plaatsreferentie 'er'.
[You can never start a sentence with the place reference 'er'.]

Maar ! Er ligt een brief op de kast.

Natuurlijk kan je een zin wel beginnen met 'er' als voorlopig subject. *[Of course you can start a sentence with the provisional subject 'er'.]*

(ZIE OOK: DEEL 4, 3B)

WERKBOEK 3
P. 148

woordenlijst les 3

de afspraak	het telefoontje	heel	opnemen°	alleen maar
		overal	proberen	bovendien
			winkelen	

Als je iets nodig hebt ...

4A

CD 2(21)

1. **Els**   Excuseer. Kan je mij zeggen waar de kamer van Paolo Sanseverino is ?
   student   Is dat die Italiaan ?
   Els   Ja.
   student   Tweede verdieping. Derde deur links.
   Els   Dank je wel.

Op de kamer van Paolo

2. **Els**   Is dit jouw kamer ? Mmm ... Mooie kamer !
   Paolo   Ja, niet slecht. Maar ik heb nog niet veel. En er is maar één stoel.
   Els   Dat is niet erg. Dan gaan we op het tapijt zitten.
   Paolo   Ja, leuk. Maar ik wil toch nog enkele dingen kopen: een lamp bijvoorbeeld en nog een stoel. En ook een radio of een televisie, en een computer. Als ik hier zo lang blijf, dan wil ik comfortabel zitten. Ik ben hier helemaal alleen.
   Els   Alleen ? Ben je bang om hier alleen te zijn ? Dat zal niet gebeuren, Paolo.
   Paolo   Maar, ik ken hier niemand.
   Els   Je kent mij toch. En ... Bert ken je ook al. En Peter. Ik beloof je dat je niet vaak alleen zal zijn. En als je iets nodig hebt, dan sta ik altijd voor je klaar.

3. **Els**   Ik zie dat er een boom in de boekenkast staat.
   Paolo   Ja. Mijn boekenkast is nog bijna leeg, maar mijn boom staat er al. En weet je waarom die daar staat ?
   Els   Nee.
   Paolo   Die boom brengt mij geluk. Ik neem hem overal mee. Als ik mijn boom heb, ben ik gelukkig.

als het vanavond regent blijven we thuis
we blijven thuis als het vanavond regent
+ indicator of time

CONDITIE *[condition]*

(ZIE OOK: DEEL 5, 2B)

Als ik mijn boom heb, **(dan)** ben ik gelukkig.
Ik ben gelukkig **als** ik mijn boom heb.

Als ik hier zo lang blijf, **(dan)** wil ik comfortabel zitten.
Ik wil comfortabel zitten **als** ik hier zo lang blijf.

Als je iets nodig hebt, **(dan)** sta ik altijd voor je klaar.
Ik sta altijd voor je klaar **als** je iets nodig hebt.

INDIRECTE VRAGEN *[indirect questions]*

HOOFDZIN	BIJZIN			
	vraagwoord	**subject**	**rest**	**eindgroep**
Kan je me zeggen	**waar**	de kamer van Paolo		is ?
Weet je	**hoeveel**	een computer		kost ?
Weet je	**hoelang**	hij	hier	blijft ?
Weet je	**waarom**	die boom	daar	staat ?
Kunt u me zeggen	**hoe laat**	het		is ?
	of	**subject**	**rest**	**eindgroep**
Kan je me zeggen	**of**	Paolo	hier	woont ?
Weet je	**of**	Bert	alleen	woont ?

WERKBOEK 4A
P. 150

4 B

CD 2(22)

Op de kamer van Paolo

1. Els   Dus je gaat met Bert naar Gent.
    Paolo   Met Bert en zijn moeder.
    Els   Ja, en zijn moeder. Dat mogen we vooral niet vergeten. En ... wat vind jij van de moeder van Bert ?
    Paolo   Die is niet normaal.
    Els   Ik vind ze typisch Amerikaans. Ze praat heel veel en ze is heel dominant, maar ik weet niet of ze wel heel intelligent is.
    Paolo   Ik denk dat ze een beetje dom is. Weet jij hoe ze heet ?
    Els   Ik weet het niet zeker, maar ik geloof dat ze Jennifer heet.
    Paolo   Weet je wat ? Ik ben een beetje bang voor morgen.
    Els   Bang ? Hoezo ?
    Paolo   Ik ben bang om met die Jennifer naar Gent te gaan. Ik ben bang dat die trip niet leuk zal zijn.
    Els   Ach, dat zal wel meevallen.

Bɪᴊ Bᴇʀᴛ ᴛʜᴜɪs

2. Jennifer Bertje ! Waar staat de melk ? Ik kan die nergens vinden.
   Bert   Ik weet niet of er nog melk is, mama.
   Jennifer En kan je me zeggen waar het fruit ligt ?
   Bert   Ik weet niet of er nog fruit is, mama.
   Jennifer Ik weet niet ... Ik weet niet ... Ik weet wel dat er hier niet veel eten
            in huis is. Ik ben bang dat jij niet goed eet, Bertje. Jij leeft niet
            gezond. Jij hebt een vrouw nodig. Jij gaat nu boodschappen doen.
   Bert   Moet dat nu ?
   Jennifer Zeker. Terwijl ik afwas, ga jij in de supermarkt fruit en melk halen.
            En chocolade mag je ook niet vergeten. En daarna ga je bij de
            slager vlees kopen. En bij de bakker ga je voor morgenochtend
            croissants halen.
   Bert   Moet dat nu meteen ?
   Jennifer Ja, komaan. Straks zijn al de winkels dicht.

ONZEKERHEID UITDRUKKEN *[expressing uncertainly]*

Ik weet niet of er nog melk is.
Ik weet niet of ze heel intelligent is.
Ik weet het niet zeker.

BEZORGDHEID OF ANGST UITDRUKKEN
[expressing worries or fears]

Ik ben bang !

Ik ben bang in een vliegtuig.
Ik ben bang voor morgen.
Ik ben bang van / voor mijn baas.

Ik ben bang dat die trip niet leuk zal zijn.
Ik ben bang dat je niet goed eet.

Ik ben bang om met die Jennifer naar Gent **te** gaan.

WERKBOEK 4B
P. 152

woordenlijst les 4

de bakker	het ding	bang	bijvoorbeeld	afwassen°	terwijl
de boodschap	het fruit	dicht	zeker	beloven	
de chocolade	het geluk	dom		brengen	maar
de ochtend	het vlees	dominant		gebeuren	morgenochtend
de slager		leeg		praten	nergens
de televisie (tv)		typisch		vergeten	
de trip					
				boodschappen doen	

komaan 🔊

Komaan !

5A

CD 2(23)

Bij Bert thuis

1.	Jennifer	Bert ! Wat ben je nog aan het doen ?
	Bert	Ik ben een boek aan het zoeken.
	Jennifer	Een boek aan het zoeken ? Nu nog ? Welk boek ben je dan wel aan het zoeken ? Snel !
	Bert	Eén ogenblik, mama !
	Jennifer	Komaan ! Een beetje vlug ! Denk je dat de trein op ons zal wachten ?

Bert	Kijk mama, dit boek was ik aan het zoeken. Het gaat over Gent: de architectuur, de musea, ...
Jennifer	Vooruit, Bert ! We moeten op tijd aan het station zijn.

In het station

2.	Bert	Hé, daar ben je. Dag, Paolo.
	Paolo	Yo !
	Jennifer	Dag, jongen. Ik ben blij dat je er bent en het doet me plezier dat je met ons meegaat.
	Bert	Mama, het is al laat.
	Jennifer	Ja jongen, dat weet ik. Terwijl wij het juiste spoor zoeken, ga jij de treinkaartjes kopen.

Aan het loket

3.	Bert	Driemaal Gent retour, alstublieft.
	loketbediende	Driemaal Gent, heen en terug. Alstublieft. Dat is dan 45,60 euro.

Op het perron

4.	Bert	Hé, hoor eens !
	Jennifer	Wat is er ?
	Bert	Onze trein heeft twintig minuten vertraging en hij vertrekt niet van spoor vijf, maar van spoor zes.
	Paolo	Wat betekent 'vertraging' ?
	Bert	Dat betekent dat onze trein niet op tijd komt.
	Jennifer	Dat wil zeggen dat we hier nog twintig minuten op onze trein moeten wachten.

20 MINUTEN LATER

Attentie ! Attentie ! Uw aandacht, alstublieft. De trein met bestemming Oostende rijdt het station binnen op spoor 6.
Hij stopt in Brussel-Noord, Brussel-Centraal en Brussel-Zuid, Gent en Brugge.

IEMAND TOT HAAST AANSPOREN *[to make someone hurry]*

Komaan !
(Een beetje) vlug !
Snel !
Vooruit !

TEVREDENHEID UITDRUKKEN *[expressing you are pleased]*

(ZIE OOK: DEEL 4, 5B)

Ik ben blij dat je er bent.
Het doet me plezier dat je met ons meegaat.

VRAGEN WAT IETS BETEKENT *[asking what something means]*

	REACTIE
'Vertraging'. **Wat wil dat zeggen ?**	**Dat wil zeggen** 'niet op tijd'.
Wat betekent 'vertraging' ?	**Dat betekent** 'niet op tijd'.

WERKBOEK 5A
P. 155

5B

IN DE TREIN NAAR GENT
TERWIJL BERT EN PAOLO AAN HET PRATEN ZIJN, IS JENNIFER IN DE TOERISTISCHE GIDS VAN BERT AAN HET LEZEN

In Gent, de hoofdstad van de provincie Oost-Vlaanderen, komen twee rivieren samen: de Schelde en de Leie. Daarom is Gent een stad van kanalen en bruggen.

Op de Sint-Michielsbrug kan je drie torens zien: die van de Sint-Niklaaskerk, die van het Belfort[1] en die van de Sint-Baafskathedraal[2]. Deze beroemde rij torens domineert het historische centrum. De toren van het Belfort is 95 meter hoog en in de toren van de Sint-Baafskathedraal kan je tot helemaal boven klimmen.

---

1   belfry
2   the Cathedral of Saint Bavon

De gotische[3] Sint-Baafskathedraal is de hoofdkerk[4] van Gent. Je vindt er achter glas "De aanbidding van het Lam Gods"[5], het beroemde schilderij uit de vijftiende eeuw van de broers Van Eyck.

Het Gravensteen[6] is de middeleeuwse residentie[7] van de graven[8] van Vlaanderen en is bijna achthonderdvijftig jaar oud. Het staat helemaal in het water.

Door de wolindustrie was Gent in de middeleeuwen rijk en belangrijk. In de zestiende eeuw was het de tweede Europese stad na Parijs.

De vele kanalen van de stad leiden naar de oude haven aan de Graslei, het vroegere handelscentrum. Je ziet er prachtige huizen in romaanse[9], gotische en barokke[10] stijl. Ze zijn uniek in Europa. Men zegt weleens: "De Graslei in Gent is de mooiste[11] straat van de wereld."

Gent is niet alleen een oude stad, het is ook een moderne stad. Je vindt er moderne architectuur[12]. Een voorbeeld is de Boekentoren van de Gentse universiteit van architect Henry Van de Velde. En in het Citadelpark ligt het Stedelijk Museum voor Actuele Kunst (het SMAK). Daar vind je kunst van beroemde hedendaagse kunstenaars[13].

SIMULTANE ACTIES: 'TERWIJL' *[simultaneous actions: 'terwijl']*

Terwijl Jennifer afwast, gaat Bert boodschappen doen.
Bert gaat boodschappen doen, **terwijl** Jennifer afwast.

Terwijl Jennifer en Paolo het juiste spoor zoeken, gaat Bert de treinkaartjes kopen.
Bert gaat de treinkaartjes kopen, **terwijl** Jennifer en Paolo het juiste spoor zoeken.

Terwijl Bert en Paolo aan het praten zijn, is Jennifer in de toeristische gids aan het lezen.
Jennifer is in de toeristische gids aan het lezen, **terwijl** Bert en Paolo aan het praten zijn.

WERKBOEK 5B
P. 156

---

3   Gothic
4   main church
5   the Adoration of the Lamb
6   the castle of the counts
7   residence
8   counts
9   Romanesque
10 baroque
11 most beautiful
12 architecture
13 artists

woordenlijst les 5

de aandacht	de rivier	het handelscentrum	Europees	betekenen
de attentie	de stijl	het kanaal	hedendaags	binnenrijden°
de bestemming	de toren	het loket	middeleeuws	klimmen
de gids	de vertraging	het perron	snel	leiden
de haven	de wol	het plezier	toeristisch	samenkomen°
de kunst		het retour	vlug	was (zijn)
de meter		het spoor		
		het treinkaartje	weleens	
		het voorbeeld	heen en terug	

Hé ! *❾*   Vlug !
Komaan ! *❾*   Snel !
Vooruit ! *❾*

Hoe zal ik het zeggen ?

6

CD 2(24)

IN EEN GENTS CAFÉ

1. | Bert | Paolo, heb je interesse voor kunst ?
   | Paolo | Ja, natuurlijk.
   | Bert | En heb je ook interesse voor moderne kunst ?
   | Paolo | Euh ..., ja. Ik weet het niet.

2. | Jennifer | Ik wil nog een kopje koffie. Jij ook, Paolo ?
   | Paolo | Graag.
   | Jennifer | En jij, Bert ?
   | Bert | Wat ? Sorry, ik ben naar de muziek aan het luisteren. Ik geloof dat ik die cd heb. Dat is die nieuwe cd met Vlaamse polyfone muziek.
   | Jennifer | Dat is kerkmuziek. Niets voor mij. En wat ben jij sociaal, zeg. Terwijl wij gezellig aan het babbelen zijn, luistert meneer geïnteresseerd naar kerkmuziek.
   | Bert | Sorry, mama.
   | Jennifer | Drink je nog iets ?

3. | Jennifer | En die Els ? Vind je Els niet een beetje ...
   | Bert | Een beetje wat ?
   | Jennifer | Een beetje ... te sympathiek, te vriendelijk, te enthousiast.
   | Bert | Wat bedoel je ?
   | Jennifer | Hoe moet ik dat uitleggen ? Niet echt spontaan. En ik geloof dat ze heel emotioneel is.

Bert	Emotioneel ?
Jennifer	Ja, emotioneel. En ze is ook niet echt mooi. Ze is zelfs een beetje dik.
Bert	Is Els dik en lelijk en niet spontaan ? Dat is niet waar. Els is heel knap en ik vind dat ze heel aardig en charmant is.
Jennifer	Wat vind jij, Paolo ?
Paolo	Ik ... Ik weet het niet. Ik vind dat ze ... hoe zal ik het zeggen, dat ze heel vriendelijk is.

BIJ BERT THUIS

4. Jennifer	Waarom zwijg je ? Ben je kwaad, jongen ? Waarom ben je zo kwaad ?
Bert	Jij vraagt waarom ik kwaad ben ? Ik ben kwaad omdat, omdat ... omdat jij over andere mensen verschrikkelijke dingen zegt.
Jennifer	Omdat ik over Els zeg dat ze niet knap is. Is dat verschrikkelijk ? Ik denk dat jij verliefd bent, jongen !

ZOEKEN NAAR DE JUISTE WOORDEN *[looking for the right words]*

Hoe moet / zal ik dat uitleggen . . .
Hoe zal ik het zeggen . . .
Hoe moet ik dat zeggen . . .

EEN OORDEEL GEVEN *[giving an opinion]*

(ZIE OOK: DEEL 4, 5A)

Ik vind dat ze heel aardig en charmant **is.**
Ik vind dat ze heel vriendelijk **is.**
Ik geloof dat ze heel emotioneel **is.**
Ik denk dat jij verliefd **bent.**

WERKBOEK 6
P. 159

▎woordenlijst les 6

de cd	charmant	babbelen
de muziek	emotioneel	uitleggen°
enthousiast	zwijgen	
	geïnteresseerd	
	sociaal	
	spontaan	
	sympathiek	
	verliefd (op)	

euh *♪*

Kunst in Vlaanderen.

7

DE 15e EEUW

DE VLAAMSE PRIMITIEVEN

In de 15e eeuw ontstaat in Vlaanderen een totaal nieuwe schilderkunst[1]: die van de 'Vlaamse Primitieven'[2].
Die 'Vlaamse Primitieven' zijn nu in heel de wereld bekend. Hun werken kan je in al de grote musea van de wereld vinden.

De Vlaamse Primitieven schilderen niet primitief[3]. Hun techniek[4] is in die tijd heel nieuw en modern. Door die nieuwe techniek hebben hun schilderijen heldere kleuren en diepte.
Hun thema's[5] zijn meestal religieus[6], maar zij schilderen hun figuren heel realistisch[7] en ze hebben aandacht voor het detail.

Eén van de meesterwerken[8] is het Lam Gods[9] van Jan en Hubert van Eyck uit 1432. Het hangt nog altijd in de Sint-Baafskathedraal in Gent. Daar is het ook gemaakt.

DE VLAAMSE POLYFONIE

Ook in de muziek wordt Vlaanderen in de 15e eeuw internationaal bekend.

Voor de 15e eeuw is de middeleeuwse[10] muziek eenstemmig[11]: er is één muzikale[12] lijn, één melodie[13]. De Vlaamse polyfonisten[14] maken de muziek meerstemmig of polyfoon[15]. In het begin zingen twee tot vijf of zelfs zes stemmen samen elk een eigen melodie. Later komt er langzaam meer gevoel in de muziek en er ontstaat ook langzaam een harmonie[16] tussen melodie en tekst. Door deze evolutie[17] vormt de polyfonie een belangrijke stap naar de traditionele klassieke muziek.

Het werk van de polyfonisten is meestal religieus, maar ze schrijven ook andere liederen.

DE 16e EEUW

PIETER BREUGHEL DE OUDE (1525-1569)

Pieter Breughel is de belangrijkste Vlaamse schilder uit de 16e eeuw.

Op heel veel schilderijen van Breughel zie je gewone mensen uit die tijd samen eten, drinken of werken. Deze gewone mensen zijn kleine mensen met kleine kanten en fouten. De wereld van Breughel is ook een wereld van de kleine Vlaamse boeren in een grote natuur.

1	(art of) painting
2	Flemish Primitives
3	primitive
4	technique
5	themes
6	religious
7	realistic
8	masterpieces
9	the Lamb of God
10	medieval
11	in unison or for one voice
12	musical
13	melody

14	writers of polyphonic music
15	many-voiced or polyphonic
16	harmony
17	evolution

Pieter Breughel de Oude "De grote vissen eten de kleine"

In zijn werk geeft Breughel kritiek op de wereld van zijn tijd. In zijn schilderij "De grote vissen eten de kleine" bijvoorbeeld voelen wij de sympathie[18] van de schilder voor de gewone, kleine mens.

DE 17e EEUW

Pieter Pauwel Rubens (1577-1640)

De 17e eeuw is de eeuw van de barok[19] en de grote schilder uit die periode is Pieter Pauwel Rubens. Zijn schilderijen zijn dynamisch[20] en dramatisch[21].

In het begin maakt Rubens vooral mythologische[22] en religieuze schilderijen, met veel goden en godinnen[23]. Die goden zijn geen typische goden, want ze lijken echte mensen van vlees en bloed.

Zijn tweede vrouw, de jonge en mooie Hélène Fourment, geeft hem veel inspiratie[24]. Daarom schildert hij ook veel portretten[25] van haar. Soms is zij een moeder, soms een sensuele[26] vrouw en soms een godin.

Op het einde van zijn leven schildert Rubens prachtige landschappen[27].

DE MODERNE TIJD

In de 18e eeuw krijgt de Vlaamse cultuur geen kans. Het is een donkere tijd met veel oorlogen. Maar in de late 19e en in de 20e eeuw vind je opnieuw grote kunstenaars in Vlaanderen: de expressionist[28] James Ensor bijvoorbeeld, en de surrealistische[29] schilders Delvaux en Magritte.

Een belangrijke hedendaagse kunstenaar is Jan Fabre. Hij maakt beelden[30], hij tekent[31], hij maakt theater[32] en dans[33]. In 2008 is hij de eerste levende[34] kunstenaar die in het Louvre in Parijs zijn kunst mag laten zien.

In dat jaar sterft[35] Hugo Claus. Hij was een van de belangrijkste[36] Nederlandstalige[37] schrijvers van onze tijd. Hij maakte ook films en schilderijen. In veel van zijn werken zie je zijn liefde voor de moeder, zijn afkeer[38] van het katholicisme[39] en zijn grote interesse voor de geschiedenis[40] van België en Vlaanderen.

In de wereld van de mode[41] zijn er ook beroemde Belgische kunstenaars. Antwerpen is al jaren een echte modestad. De namen Dries Van Noten en Ann Demeulemeester zijn in de hele wereld bekend. Hun kleren vind je in alle grote steden, van New York tot Tokyo.

---

18 sympathy
19 the age of baroque
20 dynamic
21 dramatic
22 mythological
23 goddesses
24 inspiration
25 portraits
26 sensual
27 landscapes
28 expressionist
29 surrealistic
30 sculptures
31 draws
32 theatre
33 dance
34 living
35 dies
36 most important
37 Dutch-speaking
38 dislike, aversion
39 Catholicism
40 history
41 fashion

WERKBOEK 7
P. 161

woordenlijst les 7

de aandacht
de boer
de diepte
de figuur
de god
de hoogte
de lijn
de kritiek (op)
de mode
de periode
de schilder
de schrijver
de stap
de stem
de tekst

het begin
het detail
het gevoel
het lied

bekend
internationaal
klassiek
totaal
traditioneel

in het begin
op het einde

gemaakt (maken)
ontstaan
schilderen
voelen

DEEL 6

Boodschappen doen.

Je zal wel honger hebben !

1A

CD 2(26)

BIJ ELS THUIS, 5 DECEMBER, KWART VOOR ACHT 'S AVONDS

1. Peter   Hallo.
   Els   Ha, daar ben je eindelijk. Dag Peter. Waarom ben je zo laat ?
   Peter   Sorry.
   Els   Heb je misschien je trein gemist ?
   Peter   Nee, ik heb zo laat gewerkt. Ik ben pas om halfzeven gestopt.
   Els   Arme jongen. Je zal wel honger hebben.
   Peter   Ja, ik heb verschrikkelijk veel honger.
   Els   Ik heb lekker gekookt en we kunnen meteen eten. Ik heb de borden al op tafel gezet.
   Peter   Mmm ... De soep ruikt lekker.

AAN TAFEL

2. Peter   Van wie is die brief daar ?
   Els   Dat weet ik niet. Waarschijnlijk heeft iemand die in de bus gegooid. Er staat geen postzegel op.
   Peter   Hé ! Hij komt van onze manager, Bert Sels.
   Els   Oh ja ? Laat mij eens lezen ! " ... Het is al bijna Kerstmis. Daarom wil ik jullie volgende zaterdag bij mij thuis uitnodigen."
   Hé ! Hij nodigt ons uit ! "Ik zal iets lekkers klaarmaken ..."
   Peter   Hij gaat koken ! Dat kan niet waar zijn. Onze manager gaat koken !
   Els   Peter !
   Peter   Grappig toch, onze manager achter de kookpannen ?
   Els   Mag ik het zout even ?

HET PERFECTUM *[the present perfect tense]*

presens van 'HEBBEN' of 'ZIJN' + PARTICIPIUM
[present of 'HEBBEN' or 'ZIJN' + PAST PARTICIPLE]

INFINITIEF		PERFECTUM
	hebben/zijn (presens)	+ participium
werken	**ik heb**	**gewerkt**
koken	**ik heb**	**gekookt**
gooien	**ik heb**	**gegooid**
stoppen	**ik ben**	**gestopt**

PERFECTUM: STRUCTUUR IN DE HOOFDZIN
[structure in the main clause]

1. subject	**pv.**	**rest**		**eindgroep**
Ik	**heb**	zo laat		**gewerkt.**
Ik	**ben**	pas om halfzeven met werken		**gestopt.**
Ik	**heb**	de borden al op tafel		**gezet.**
Ik	**heb**	lekker		**gekookt.**

2. (. . .)	**pv.**	**subject**	**rest**	**eindgroep**
Heb	je	misschien je trein	**gemist ?**
Waarschijnlijk	**heeft**	iemand	die in de bus	**gegooid.**

WERKBOEK 1A
P. 170

's middags   pv   s   rest   eindgroep.

ik zeg dat ik hard gewerkt heb / heb gewerkt
ik zeg dat ik grammatica

CD 2(27)

EVEN LATER BIJ ELS THUIS

1. Peter Hé, Els, heb je het weerbericht al gehoord ?
   Els Nee. Ik heb het gemist.
   Peter Ze hebben net op het nieuws van zeven uur gezegd dat het morgen gaat sneeuwen.
   Els Ja ? Heerlijk ! Ik hoop dat we een witte kerst krijgen. Is dat niet romantisch ?
   Peter Nee, ik vind sneeuw helemaal niet leuk, want dan zullen de treinen wel weer vertraging hebben.

2. Peter Els, ga jij morgen boodschappen doen ?
   Els Waarom ik ? Ga je morgen misschien weer laat thuiskomen ?

Peter Ik ben bang van wel. Ik zal wel weer niet voor zes uur klaar zijn.
Els Oké, dan ga ik morgen naar de supermarkt, maar ik moet ook nog even bij Lisa langslopen. Ze heeft mij vanmorgen gebeld.
Peter Gaat Lisa met Kerstmis naar Parijs ?
Els Dat heb ik niet gevraagd, maar ik geloof het niet. Ze zal wel naar haar ouders in Hasselt gaan.

EEN VERMOEDEN UITDRUKKEN *[expressing an assumption]*

Ik denk dat het morgen gaat sneeuwen.
Ik geloof dat Lisa met Kerstmis naar Parijs gaat.
Ik ben bang dat het morgen gaat sneeuwen.

Ik geloof het wel / niet.
Ik denk het wel / niet.

Ik geloof van wel / niet.
Ik denk van wel / niet.
Ik ben bang van wel / niet.

Je **zal wel** honger hebben.
Ik **zal wel** niet voor zes uur klaar zijn.
Ze **zal** met Kerstmis **wel** naar haar ouders gaan.

HET PARTICIPIUM PERFECTUM: regelmatige vorm
[the past participle: regular form]

1. De laatste letter van de stam is T, F, K, S, CH of P

participium = ge + stam + t

infinitief	stam	participium	
		ge + stam	**+ t**
werken	wer**k**	**ge** + werk	**+ t**
missen	mi**s**	**ge** + mis	**+ t**
stoppen	sto**p**	**ge** + stop	**+ t**
zetten	ze**t**	**ge** + zet	+ ~~t~~

 Memoriseer het woord '**t fokschaap**. De consonanten T, F, K, S, CH, en P staan samen in dat woord.

(ZIE OOK: DEEL 3, 3A (STAM))

2. Anders:

participium = ge + stam + d

infinitief	stam	participium	
		ge + stam	**+ d**
bellen	be**l**	**ge** + bel	**+ d**
horen	hoo**r**	**ge** + hoor	**+ d**
gooien	goo**i**	**ge** + gooi	**+ d**
sneeuwen	sneeu**w**	**ge** + sneeuw	**+ d**
antwoorden	antwoor**d**	**ge** + antwoord	+ ~~d~~

reizen	rei**s**	**ge** + reis + **d**	
leven	lee**f**	**ge** + leef + **d**	

(ZIE OOK: DEEL 3, 4B)

'v' en 'z' staan nooit op het einde van een woord en nooit voor een consonant. Door de 'v' en de 'z' van de infinitief krijgt het participium '-d'.

['v' and 'z' never appear at the end of a word and never before a consonant. Because of the 'v' and the 'z' of the infinitive the past participle gets '-d'.]

WERKBOEK 1B
P. 172

woordenlijst les 1

de kerst	het bericht	langslopen°	arm	eindelijk
de kerstmis (op / met Kerstmis)	het nieuws	missen	grappig	waarschijnlijk
de kookpan	het weerbericht	ruiken		
de pan	het zout	sneeuwen		
de sneeuw		uitnodigen°		
de soep				

Naar de supermarkt.

2A

ELS GAAT NAAR DE SUPERMARKT

Els fietst naar de supermarkt. Er hangt een grote tas aan haar fiets.

Bij de ingang van de supermarkt neemt ze een winkelwagen. Ze loopt langs alle rekken en neemt wat er op haar boodschappenlijstje staat: toiletpapier, twee blikken tomaten, een blik erwten, twee flessen volle melk, een doos eieren, een halve liter yoghurt, een stuk jonge kaas, een pak spaghetti, een pak koffie, een kwart kilo rijst en een potje confituur. Daarna gaat ze naar de afdeling 'groenten en fruit'. Daar neemt ze verse prei, selderij, een groene sla, bananen, een kilo mandarijnen en twee citroenen. Ze haalt soep uit de dieprvries en ten slotte neemt ze ook nog een verse kip mee. Aan de kassa steekt ze alles in haar tas en ze betaalt met haar betaalkaart.

Omdat haar tas heel zwaar is en omdat de weg door de verse sneeuw heel gevaarlijk is, rijdt Els heel voorzichtig terug naar huis.

Thuis zet Els haar fiets voor de deur. Ze doet haar jas uit, hangt hem aan de kapstok en loopt naar de keuken. Ze legt de spaghetti en de rijst op tafel en zet de blikken, de koffie en de confituur in de keukenkast. De yoghurt en de kaas, de groenten, de kip en de eieren doet ze in de koelkast en het fruit legt ze in de mand op de tafel.

Als ze klaar is, gaat ze op een stoel zitten, want ze is een beetje moe. Ze heeft zin om even te gaan liggen en een halfuurtje te slapen, maar dat kan niet. Ze moet nog naar Lisa, want dat heeft ze beloofd.

vijf kilo
aardappelen

een kilo
rijst

een halve kilo kaas
500 gram kaas

een kwart kilo boter
250 gram boter

twee liter
water

een liter
cola

een halve liter
melk

een kwart liter
room

PRIJS ???

Wat is de prijs van de *koffie* hier ?
3,45 euro **per** pak.

Hoeveel kost volle melk?
1,20 euro **per** liter.
En magere melk?
1,05 euro **per** liter.

Hoe duur zijn de citroenen?
25 cent **per** stuk.

En **hoeveel kosten** de *tomaten*?
2,20 euro **per** kilo.

GELD

een briefje van	500 euro (€)	een stuk van	2 euro
	200 €		1 euro
	100 €		50 cent
	50 €		20 cent
	20 €		10 cent
	10 €		5 cent
	5 €		2 cent
			1 cent

de betaalkaart
de bankkaart

de kredietkaart
de creditcard

WERKBOEK 2A
P. 175

2B

CD 2(29)

– Waar **zet** Els haar fiets ?
– Voor de deur. Haar fiets
staat altijd voor de deur.

– Waar **legt** ze het fruit? ?
– In een mand. Het fruit **ligt** altijd in
een mand op de keukentafel.

– Waar **steekt** ze haar betaalkaart ?
– In haar portefeuille. Haar betaalkaart
zit altijd in haar portefeuille.

– Waar **hangt** ze haar jas ?
– Aan de kapstok. Haar jas **hangt**
altijd aan de kapstok in de gang.

ACTIE *[action]**	RESULTAAT *[result]*
	(ZIE OOK: DEEL 4, 3A)
1. **zetten** Ik **zet** het glas op de tafel.	**staan** Het glas **staat** op de tafel.
2. **leggen** Ik **leg** het mes op de tafel.	**liggen** Het mes **ligt** op de tafel.
3. **steken (in) = stoppen (in)** Els **steekt** alles **in** de tas. Ik **stop** mijn zakdoek **in** mijn zak.	**zitten (in)** Alles **zit in** de tas. Mijn zakdoek **zit in** mijn zak.
4. **hangen** Ik **hang** het schilderij aan de muur.	**hangen** Het schilderij **hangt** aan de muur.

* Voor 'wegbergen' gebruiken we vaak ook 'doen' in plaats van 'zetten', 'leggen' of
'steken': 'ik doe mijn zakdoek in mijn zak; ik doe de messen in de lade; ik doe de
bloemen in de vaas'.
*[When we mean 'putting away something' we also often use 'doen' instead of 'zetten',
'leggen' or 'steken': 'ik doe mijn zakdoek in mijn zak; ik doe de messen in de lade; ik
doe de bloemen in de vaas'.]*

WERKBOEK 2B
P. 178

's Avonds bij Els thuis

Els	Dag Peter. Heb je een prettige dag gehad ?
Peter	Mmm. Nogal.
Els	Hard gewerkt ?
Peter	Ja, en ik ben nog niet klaar. Ik moet vanavond nog een paar dingen doen. En ... ik ben vandaag bij de directeur geweest.
Els	Oh ja ? En ?
Peter	Ik krijg misschien promotie.
Els	Echt waar ? Wat leuk !
Peter	Mmm. En jij ? Wat heb jij vandaag gedaan ?
Els	Na het werk heb ik eerst boodschappen gedaan en dan ben ik naar Lisa geweest. We hebben samen iets gedronken en daarna hebben we nog even in enkele vakantiebrochures gekeken. Lisa wil met Kerstmis gaan skiën.

CD 2(30)

HET PARTICIPIUM PERFECTUM: onregelmatige vormen
[the past participle: irregular forms]

Veel frequente werkwoorden hebben een onregelmatig participium.
[A lot of frequently used verbs have got an irregular past participle.]

INFINITIEF	PARTICIPIUM	
hebben	**gehad**	Heb je vandaag een prettige dag **gehad** ?
zijn	**geweest**	Ik ben vandaag bij de directeur **geweest**.
doen	**gedaan**	Wat heb je vandaag **gedaan** ?
drinken	**gedronken**	We hebben samen iets **gedronken**.
kijken	**gekeken**	Daarna hebben we nog even in vakantiebrochures **gekeken**.
gaan	**gegaan**	De vriend van Lisa is naar Parijs **gegaan**. (Daar is hij nu nog.)
	geweest	Els is naar de supermarkt **geweest**. (Ze is nu terug thuis.)

ONREGELMATIGE WERKWOORDEN ZIJN GEMARKEERD MET EEN *. IN APPENDIX 1 VIND JE ALLE WERKWOORDEN MET EEN ONREGELMATIG PARTICIPIUM (OF EEN ONREGELMATIG IMPERFECTUM; ZIE DEEL 9, 3A). IN APPENDIX 2 VIND JE DE LIJST VAN ONREGELMATIGE PARTICIPIA MET HUN INFINITIEF.
*[Irregular verbs are marked with an *. In Appendix 1 you find all verbs with an irregular past participle (or an irregular past tense; see part 9, 3A). In appendix 2 you find the list of irregular past participles with their infinitive.]*

WERKBOEK 2C
P. 180

woordenlijst les 2

de aardappel
de afdeling
de banaan
de betaalkaart
de brochure
de cola
de diepvries
de erwt
de euro (€)
de fiets
de groente
de / het kilo

de ingang
de kassa
de keukenkast
de kip
de koelkast
de kredietkaart
de liter
de mand
de mandarijn
de pot
de prei
de promotie
de rijst

de room
de selderij
de sla
de spaghetti
de tas
de tomaat
de vakantie-
brochure
de wagen
de winkel-
wagen
de yoghurt

het blik
het bood-
schappenlijstje
het briefje
het geld
het gram
het kwart
het pak
het papier
het rek
het toiletpapier

gevaarlijk
mager
vers
vol
voorzichtig
zwaar

leggen
skiën
steken*

binnen
nogal

ten slotte

Wie is er aan de beurt ?

3A

Bij Els thuis

CD 2(31)

1. Els   Peter, heb je nog geen andere kleren aangetrokken ?
   Peter   Waarom moet ik andere kleren aantrekken ?
   Els   We moeten toch naar Bert vanavond ! En we zullen moeten
              opschieten. Hij heeft ons tegen zeven uur uitgenodigd en we hebben
              nog geen cadeautje.
   Peter   Ik ben nog niet klaar. Ik heb mijn krant nog niet gelezen.

Even later

2. Els   Toe nou, Peter. Laten we nu iets voor Bert gaan kopen.
   Peter   Oké, we gaan. Waar zijn mijn schoenen ?
   Els   Dat weet ik niet. Ben je ze kwijt ?
   Peter   Dat heb ik niet gezegd. Ik weet alleen niet waar ik ze heb gezet.
   Els   Ik heb je al zo dikwijls gezegd dat je ...
   Peter   Ja ja, ik weet het. Veel orde heb ik niet.
   Els   Hier zijn ze.
   Peter   Zie je wel dat ik ze niet heb verloren.
   Els   Komaan ! En waarom heb je nu die lichte jas aangetrokken ? Ben je
              vergeten hoe koud het buiten is ?

Op straat

3. Peter   Heb je genoeg geld meegenomen ?
   Els   Ja, ik ben gisteren naar de bank geweest. Zeg, heb ik je al verteld dat
              er een nieuwe kruidenier in onze straat is ?
   Peter   Nee, dat heb je me nog niet verteld. Laten we dan daar iets voor Bert
              kopen.
   Els   Dat doen we. Hé, tegen wie zeg jij nu goedendag ?
   Peter   Dat was Ria. Een maand geleden hebben we haar ontmoet. Je weet
              wel, op dat feestje bij je broer. Heb je haar niet herkend ?
   Els   Nee. Wat is die veranderd, zeg !

PARTICIPIUM PERFECTUM: speciale vormen

1. infinitieven met prefix be-, er-, ge-, her-, ont-, ver-, ... : geen 'ge-' in het participium
[infinitives with prefix be-, er-, ge-, her-, ont-, ver-, ... : no 'ge-' in the participle]

regelmatig		onregelmatig	
infinitief	participium	infinitief	participium
vertellen	**ver**teld	verliezen	**ver**loren
veranderen	**ver**anderd	vergeten	**ver**geten
herkennen	**her**kend	begrijpen	**be**grepen
ontmoeten	**ont**moet	ontstaan	**ont**staan
bedoelen	**be**doeld		

2. scheidbare werkwoorden: 'ge-' staat tussen de twee delen
[separable verbs: 'ge-' is put between the two parts]

regelmatig		onregelmatig	
infinitief	participium	infinitief	participium
uitnodigen	uit**ge**nodigd	meenemen	mee**ge**nomen
uitleggen	uit**ge**legd	aantrekken	aan**ge**trokken
openmaken	open**ge**maakt	terugvinden	terug**ge**vonden

VERGELIJK
[compare]

infinitief	participium
staan	ge**staan**
op**staan**	opge**staan**
zoeken	ge**zocht**
be**zoeken**	be**zocht**
nemen	ge**nomen**
mee**nemen**	meege**nomen**

WERKWOORDEN MET EEN PREFIX OF SCHEIDBARE WERKWOORDEN HEBBEN IN HET PARTICIPIUM MEESTAL DEZELFDE ONREGELMATIGHEID ALS HET CORRESPONDERENDE BASISWERKWOORD.
[Verbs with a prefix or separable verbs usually have the same irregularities in the past participle as the corresponding basic verb.]

WERKBOEK 3A
P. 182

PAOLO ONTMOET EEN AMERIKAANSE MEDESTUDENT
[PAOLO MEETS AN AMERICAN FELLOW STUDENT]

CD 2(32)

1. Donald   Heb jij al gegeten ?
   Paolo   Nee, ik ga nu naar het studentenrestaurant. Heb je zin om mee te gaan ?
   Donald   Ja, ik heb ook nog niet gegeten. Ga jij vaak in het studentenrestaurant eten ?
   Paolo   Ja, elke middag.
   Donald   Ik ben er nog niet zo vaak geweest. Ik kook meestal zelf. Ik ben er een keer met Fernando geweest. Maar dat is alweer enkele weken geleden.

2. Paolo   Heb je Fernando al teruggezien ?
   Donald   Nee, nog niet. Is hij al terug in België ?
   Paolo   Ja, sinds vorige week. Ik heb hem gisteren in het studentenrestaurant ontmoet. Hij heeft naar je gevraagd.
   Donald   Ik zal eens bij hem langsgaan.

3. Donald   Wat doe jij in het weekend ?
   Paolo   Vanavond heeft een Belgische vriend mij uitgenodigd. Ik moet straks nog een cadeautje gaan kopen. En jij ? Wat doe jij ?
   Donald   Ik heb nog geen echte plannen. Maar, misschien ga ik dit weekend eens naar Gent. Daar ben ik nog niet geweest. Ben jij er al geweest ?
   Paolo   Ja, twee maanden geleden. Ik wil nog eens naar Brugge en Antwerpen.
   Donald   Antwerpen is leuk. Ik ben er drie weken geleden met Barbara naartoe geweest.

NEGATIE VAN 'AL' *[negation of 'al']*

(ZIE OOK: DEEL 3, 6C)

1. NOG GEEN: voor onbepaald substantief

Heeft Donald **al** plannen voor het weekend ?
Nee, hij heeft **nog geen** echte plannen.

Heeft Paolo **al** een cadeautje voor Bert ?
Nee, hij heeft **nog geen** cadeautje voor Bert.

2. NOG NIET: in alle andere gevallen *[in all other cases]*

Heeft Paolo **al** gegeten ?
Nee, hij heeft **nog niet** gegeten.

Heeft Donald Fernando **al** teruggezien ?
Nee, hij heeft hem **nog niet** teruggezien.

Is Donald **al** in Gent geweest ?
Nee, hij is er **nog niet** geweest.

	- 1 dag	- 2 dagen	- 3 dagen
vandaag	gisteren	eergisteren	3 dagen geleden

	- 1 week	- 2 weken
van de week deze week	een week geleden vorige week (= in de week vóór deze week)	2 weken geleden
vrijdag	vorige vrijdag	vrijdag twee weken geleden

	-1 maand	- 2 maanden
van de maand deze maand	vorige maand een maand geleden	2 maanden geleden

WERKBOEK 3B
P. 184

3C

CD 2(33)

BIJ DE KRUIDENIER

1.	winkelierster	Zegt u het maar, mevrouw.
	klant	Mag ik 1 kilo boontjes ?
	winkelierster	Zeker, mevrouw. Alstublieft. Verder nog iets ?
	klant	Ja, nog twee dozen magere melk, graag. Hoeveel is het dan, alstublieft ?
	winkelierster	Een kilo boontjes en twee dozen melk ... Dat is dan samen 2,60 euro, mevrouw.
	klant	Oh, dat is hier goedkoop ! Alstublieft.

2. winkelierster   Wie is er nu aan de beurt ?
   klant   Eh ... ik.
   winkelierster   Wat mag het zijn, meneer ?
   klant   Eén rode kool, een halve kilo tomaten en 200 gram van deze Franse kaas hier.
   winkelierster   Nog iets ?
   klant   Nee, dat is alles. Hoeveel is het alstublieft ?
   winkelierster   Dat is dan samen 3,34 euro.
   klant   Alstublieft.
   winkelierster   En 1,66 euro terug. Bedankt en tot ziens.

3. Els   Wat zullen we kopen ?
   Peter   Ach, ik weet het ook niet. Je doet maar.
   Els   Een fles aperitief misschien ? Maar wat drinkt Bert graag ?
   Peter   Hoe moet ik dat nu weten ?
   Els   Ach, ik weet het ook niet. Laten we dan een fles sherry nemen. Hij zal wel sherry drinken.
   winkelierster   1 fles sherry ? Droog of zoet ?
   Els   Mmm... Geeft u maar droog.
   Peter   En een kilo mandarijnen.
   Els   Nee, geen mandarijnen.
   Peter   Jawel, we hebben geen mandarijnen meer in huis.
   Els   Toch wel. Er zijn wel mandarijnen. Ik heb gisteren mandarijnen gekocht.
   (...)
   winkelierster   Mandarijnen dus ?
   Els   Ja. Geeft u maar mandarijnen.
   Peter   Nee ! We hebben al mandarijnen.
   Els   Kan me niet schelen. Mandarijnen alstublieft. Hoeveel kosten ze ?
   winkelierster   1,98 euro per kilo.
   Els   Twee kilo dan.
   Peter   Dat is te veel, Els.
   Els   Maakt niet uit. Oké, geeft u maar twee kilo.

IN DE PATISSERIE

4. klant   Een doosje pralines, alstublieft.
   winkelier   Dat zijn doosjes van 500 gram en deze doosjes hier wegen 250 gram, meneer.
   klant   Oké, geeft u dan maar een doosje van een halve kilo en ook nog twee van die gebakjes daar, alstublieft.

ONVERSCHILLIGHEID UITDRUKKEN *[expressing indifference]*

(Dat) kan me niet schelen.
(Dat) maakt niet uit.
Je doet maar.

VRAGEN EN REACTIES IN DE WINKEL
[questions and responses in the shop]

– **Wie is er aan de beurt ?**
– Ik.

– **Wat mag / zal het zijn, meneer ?**
– Een rode kool, alstublieft.

– **Zegt u het maar, mevrouw.**
– Mag ik één kilo boontjes ?

– **(Verder) nog iets ?**
– Nee, **dat is alles.**

– **Hoeveel wegen** deze doosjes ?
– Dit zijn doosjes van 250 gram, meneer.
– Oké, **geeft u maar** een doosje.

– **Hoeveel is het alstublieft ?**
– **Dat is dan (samen)** 3,35 euro.
– Alstublieft.
– **En u krijgt** drie stukken van 5 cent **terug.**

WERKBOEK 3C
P. 187

▌ woordenlijst les 3

de beurt	het aperitief	droog	alweer	herkennen	tegen zeven uur
de boontjes	het cadeautje	geleden	gisteren	langsgaan°*	
de klant	het gebakje	kwijt	verder	opschieten°*	
de kool	het plan	licht		terugkrijgen°*	
de kruidenier	het studentenrestaurant	vorig		terugzien°*	
de orde		zoet	geen ... meer	uitmaken°	
de patisserie				veranderen	
de praline				vertellen	
de sherry				wegen*	

hé ! 🔊
zeg ! 🔊
Toe nou 🔊

Achter de kookpannen.

 AAN DE TELEFOON

CD 2(35)

1. Jennifer   Wat ben je aan het doen ?
   Bert   Ik ben aan het koken.
   Jennifer   Jij ? Aan het koken ?
   Bert   Natuurlijk. Waarom niet ?
   Jennifer   Ben je misschien een omelet aan het bakken ? Heb je wel goed in het kookboek gekeken ?
   Bert   Nee, ik maak geen omelet en ik vind je niet grappig, mama.
   Jennifer   Wat maak je dan ?
   Bert   Gentse waterzooi.
   Jennifer   Soep ? Jij wordt nog een echte kok ! Hahaha ...
   Bert   Gentse waterzooi is geen soep. Of het is wel soep. Maar, ... Ik heb Els, Peter en Paolo uitgenodigd. Ze komen vanavond eten. Daarom maak ik een typisch Vlaams gerecht klaar.
   Jennifer   Nee toch ! Die Italiaanse jongen ? Die lieve, aardige, charmante, knappe jongen heb jij uitgenodigd ?
   Bert   Ja. Ik heb hem al lang niet meer gezien.
   Jennifer   Heb je geen contact meer met hem gehad ?
   Bert   Nee. Sinds we samen met jou naar Gent zijn geweest, heb ik hem niet meer gezien.

EEN HALFUUR LATER

2. Bert   Nu moet ik voortwerken, mama. Ik ben nog maar pas begonnen en ze komen tegen zeven uur, en ik moet straks ook nog even naar de bakker.
   Jennifer   Ik hoor het al. Je hebt geen tijd voor je oude moeder.
   Bert   Mama !
   Jennifer   Oké, oké. Ik laat je voortwerken. Tot ziens. Veel plezier vanavond.
   Bert   Sorry, mama. Maar nu moet ik echt opschieten. Ik bel je nog wel. Dag ! Tot ziens !

HET PERFECTUM: HULPWERKWOORDEN 'HEBBEN' OF 'ZIJN'
[the present perfect tense: auxiliary 'hebben' or 'zijn']

1. 'zijn' + participium perfectum (20%)

a. Werkwoorden zoals 'rijden, fietsen, lopen, wandelen, reizen, stappen, zwemmen, . . .' die een <u>beweging</u> uitdrukken als in dezelfde zin ook de <u>richting</u> gegeven is.
[Verbs like 'rijden, fietsen, lopen, wandelen, reizen, stappen, zwemmen, ... ' expressing a <u>motion</u> if - in the same sentence - its <u>direction</u> is mentioned.]

> Ik **ben** naar de bakker **gelopen**.
> Paolo en Bert **zijn** met Jennifer naar Gent **gereisd**.
> Hij **is** naar het station **gefietst**.

> **MAAR:**   Ik **heb** de hele weg gelopen.
>   Ik **heb** vandaag niet gezwommen.
>   Ik **heb** veel gereisd.

b. De werkwoorden 'beginnen, blijven, gaan, gebeuren, komen, ontstaan, opstaan, vallen, vertrekken, worden, zijn'.

> Hij **is** om zeven uur **gekomen** en tot tien uur **gebleven**.
> Bert **is** een goede kok **geworden**.
> Wanneer **is** dat **gebeurd** ?
> Zij **is** altijd heel vriendelijk voor mij **geweest**.
> Hij **is** om zes uur **opgestaan** en om halfzeven **vertrokken**.
> Bert **is** nog maar pas met koken **begonnen**.
> Het kopje **is** op de grond **gevallen**.

c. Bij veel werkwoorden is het gebruik van 'hebben' of 'zijn' afhankelijk van de betekenis.
[With a lot of verbs the use of 'hebben' or 'zijn' depends on the meaning.]

> 1. Ria **is** veranderd. (= anders geworden)
>   Paolo **heeft** zijn kamer een beetje **veranderd**. (= anders gemaakt)
> 2. Ik **heb / ben** mijn paraplu **vergeten**. (= ik heb hem niet hier)
>   Ik **ben** zijn naam **vergeten**. (= ik weet zijn naam niet meer)

2. Anders: 'hebben' + participium perfectum (80%)
> Bert **heeft** Paolo **uitgenodigd**.
> Bert **heeft** Paolo na die dag in Gent niet meer **gezien**.

 De meeste werkwoorden krijgen 'hebben' in het perfectum.
[Most verbs take 'hebben' in the present perfect.]

WERKBOEK 4A
P. 189

GENTSE WATERZOOI

Gentse waterzooi[1] is heel lekker. Het is een gerecht met kip. Het komt uit de buurt van Gent.

RECEPT

Wat u nodig hebt voor vier personen:

1,5 l kippenbouillon[2], 30 gram boter, 1 grote kip, 2 eieren, 1dl room, peterselie, tijm, zout en peper
groenten: 2 preien, 3 wortelen, 2 stengels[3] selderij, 2 of 3 uien, 2 grote aardappelen

1. De kip in stukken snijden en met de kippenbouillon in een grote kookpan doen. Zout, peper en tijm toevoegen[4]. De kookpan op het vuur zetten. Ongeveer 25 minuten zachtjes laten koken.

2. De boter laten smelten[5]. Hierin de fijngesneden prei, uien, wortelen en selderij doen. Tien minuten laten stoven[6] zonder bruin te laten worden.

3. Een beetje kippenbouillon bij de groenten doen. De stukken kip boven op de groenten leggen. 15 minuten laten stoven. Niet bruin laten worden.

4. De bouillon uit de kookpan zeven[7]. Het geel van de eieren mengen[8] met de room en de peterselie, en toevoegen aan de gezeefde[9] bouillon. Blijven roeren[10].

5. De saus over de kip gieten. Enkele in kleine stukken gesneden aardappelen toevoegen. Alles ongeveer 20 minuten laten stoven.

6. Proeven. Zout en peper toevoegen naar smaak. Opdienen.

1	chicken casserole
2	broth, stock
3	stalk
4	to add
5	to melt
6	to stew, so simmer
7	to strain
8	to mix
9	strained
10	to stir

Ik **doe** water in de pan.
Ik **doe** de kip in de kookpan.
Ik **doe** zout op de frieten.
Ik **doe** room bij de soep.

VOOR ETEN GEBRUIKEN WE VAAK 'DOEN'.
[For food we often use 'doen'.]

WERKBOEK 4B
P. 191

woordenlijst les 4

de deciliter (dl)	de saus	het contact	fijngesneden	bakken*
de kok	de smaak	het gerecht		gieten*
de omelet	de tijm	het kookboek	bovenop	opdienen°
de peper	de ui	het recept	zachtjes	proeven
de persoon	de wortel	het vuur		snijden*
de peterselie				vallen*
				voortwerken°

Babbelen met klanten.

5A

IN DE WINKEL

CD 2(36)

1. klant   Dus, u bent stewardess geweest ?
   Elly   Ja. Drie jaar. Ik ben drie jaar stewardess geweest. Tot oktober.
   klant   En nu bent u verkoopster.
   Elly   Verkoopster ? Pardon mevrouw, ik heb nu mijn eigen winkel. In oktober heb ik tegen mezelf gezegd : "Elly - ik heet Elly - nu is het genoeg geweest." Ik heb pen en papier genomen, ik heb een brief aan mijn baas geschreven en ik heb ontslag genomen. Weet u, ik heb nooit stewardess willen zijn. Ik heb altijd een winkel willen hebben.

2. klant   U hebt dus altijd een winkel willen hebben.
   Elly   Oh, ja. Een winkel heb ik altijd fantastisch gevonden. Ik ben altijd van een winkel blijven dromen. Ja, dat is altijd mijn droom geweest.
   klant   Waarom ?
   Elly   Waarom ? Omdat je in een winkel met de klanten kan babbelen. Als stewardess moet je vriendelijk zijn en zwijgen.
   klant   Een stewardess moet zwijgen ? Maar die moet toch met de passagiers praten.
   Elly   Ja. "Zit u comfortabel, meneer ? Wilt u iets drinken, mevrouw ?" Dat noem ik niet praten. Ik wil met de mensen babbelen. Ik kan niet zwijgen. Ik heb nooit kunnen zwijgen.
   klant   Eerlijk gezegd, ik ook niet. Ik kan ook niet zwijgen.
   Elly   En dan. Ja, ik heb deze winkel hier goedkoop kunnen kopen, ziet u. En dus ben ik maar een kruidenierszaak begonnen. En ik heb ook een klein appartement boven de winkel. Heel leuk. Ik heb echt vaak genoeg in hotels moeten slapen en in restaurants moeten eten.
   klant   Hebt u al veel klanten ?
   Elly   Mmm... Het valt wel mee. Er komen nogal veel studenten.

PETER EN ELS OP STRAAT

3. Peter   Waarom heb je toch die mandarijnen gekocht, Els ? Nu zullen we te veel mandarijnen hebben. En jij eet bijna nooit mandarijnen.
   Els   Ik heb geen mandarijnen willen kopen. Jij hebt mandarijnen willen kopen !
   Peter   Nee, jij hebt ze willen kopen.
   Els   Oké, oké. Ik heb ze gekocht. Laten we nu over die mandarijnen zwijgen. Je hebt de hele week hard moeten werken en nu wil ik een leuk weekend zonder ruzie.
   Peter   Een leuk weekend ? Noem jij dat een leuk weekend ? Een etentje bij Bert de manager ? We zullen wel biefstuk met friet krijgen ! Dat kan iedereen klaarmaken !

HET PERFECTUM: ZINNEN MET EEN HULPWERKWOORD
[the present perfect: sentences with an auxiliary]

	PRESENS			PERFECTUM

Vergelijk:	Ik **blijf** hier.			Ik **ben** hier **gebleven**.	
	Ik **blijf** hier **eten**.			Ik **ben** hier **blijven eten**.	

	hulpww.	**inf.**		**hebben / zijn**	**eindgroep (inf. + inf.)**
Hij	**wil**	niets	**kopen.**	Hij	**heeft**	niets	**willen kopen.**
Zij	**kan**	niet	**zwijgen.**	Zij	**heeft**	nooit	**kunnen zwijgen.**
Je	**moet**	hard	**werken.**	Je	**hebt**	hard	**moeten werken.**
Lisa	**gaat**	vaak	**skiën.**	Lisa	**is**	vaak	**gaan skiën.**
Ik	**blijf**	thuis	**eten.**	Ik	**ben**	thuis	**blijven eten.**
Hij	**komt**	me	**bezoeken.**	Hij	**is**	me	**komen bezoeken.**

1. **In de eindgroep staat de inf. van het hulpwerkwoord eerst.**
   [In the ending the infinitive of the auxiliary comes first.]

2. **Voor de keuze van 'hebben' of 'zijn': kijk naar het hulpww. in de eindgroep! Met de hulpww. 'gaan', 'blijven', 'komen': 'zijn' ; met 'willen', 'kunnen', 'moeten': *hebben*.**
   [To choose between 'hebben' or 'zijn': look at the auxiliary in the ending! With the aux. 'gaan', 'blijven', 'komen': zijn ; with 'willen', 'kunnen', 'moeten': hebben.]

WERKBOEK 5A
P. 192

5 B

DE BELGISCHE FRIETCULTUUR

Een beeld dat je nooit meer vergeet, is dat van het frietkraam. In veel dorpen zie je er nog één, een frietkraam of 'frietkot'[1], zoals de Vlamingen dat noemen. Frietkramen zie je niet alleen, je ruikt ze ook. Daar kun je die heerlijke goudgele[2] frietjes kopen, met of zonder mayonaise.
Vroeger vond je altijd wel een frietkraam recht tegenover de kerk, of bij het station. Maar er zijn nu veel minder frietkramen in België dan vroeger, want de overheid[3] wil die lelijke en onhygiënische[4] frietkramen weg van de straat.

---

1   chips stand
2   golden yellow
3   authorities, government
4   unhygienic

Natuurlijk zal de Belg altijd friet blijven eten. Elke Belg moet nu eenmaal[5] af en toe[6] zijn friet hebben. Frieten zijn een belangrijk element van de Belgische eetcultuur en Belgen zijn trots op hun frieten: Belgische frieten zijn de beste van de wereld. Je vindt ze in elk restaurant en je ziet ze ook in elke supermarkt. Daar liggen de pakken diepvriesfrieten voor je klaar en de rekken staan vol met verschillende soorten mayonaise en goedkope frietsaus. Bij zeer veel gerechten eet de Belg frieten: biefstuk met frieten, kotelet met frieten, mosselen met frieten, garnalen met frieten, kip met frieten, stoofvlees met frieten…

Maar op straat met je vingers[7] frieten uit een papieren zakje eten, is niet meer zo gewoon als twintig jaar geleden. Je krijgt frieten in een frituur nu ook meestal in een plastic of kartonnen[8] bakje[9], net zoals in een fastfoodrestaurant. Veel van de vroegere frietkramen zitten nu ook achter een nette gevel[10].
In Brugge staan er al sinds 1897 twee houten 'frietwagens' voor het Belfort[11]. Zal aan

die lange traditie[12] ook een einde komen en zullen de volgende generaties[13] niet meer weten wat een echt Belgisch frietkot is?

Dat mag niet, vindt kunsthistoricus[14] Paul Ilegems. Hij is bang dat de frietkramen uit het Belgische stadsbeeld[15] gaan verdwijnen. Daarom heeft hij al enkele boeken geschreven over onze Belgische frietcultuur. *De Frietkotcultuur* en *Het Belgisch Frietenboek* zijn de titels van twee van zijn boeken. Op de eerste verdieping van Fritkot Max op de Groenplaats in Antwerpen begon[16] hij in het jaar 2000 met een piepklein[17] frietmuseum. En sinds 2008 is er in Brugge een heel groot frietmuseum in de Saaihalle.

Nu hebben bier, chocolade en frieten, de bekendste Belgische producten, elk hun eigen museum, en zal hun geschiedenis zeker nooit verloren gaan.

---

5 simply has to
6 every now and then
7 fingers
8 cardboard
9 tray
10 a decent façade
11 belfry
12 tradition
13 generation
14 art historian
15 townscape
16 began
17 tiny little

De Saaihalle met het frietmuseum in Brugge.

WERKBOEK 5B
P. 193

▌woordenlijst les 5

de biefstuk	de kruidenierszaak	het bakje	eerlijk	klaarliggen°*
de cultuur	de mayonaise	het beeld	gebakken	opeten°*
de droom	de mossel	het element	laatste	verdwijnen*
de friet	de passagier	het etentje	papieren	ontslag nemen*
de frituur	de ruzie	het frietkraam	recht	
de garnaal	de soort	het ontslag	trots	
de geschiedenis	de stewardess	het stoofvlees	weg	eerlijk gezegd
de historicus	de titel			
de kotelet	de zaak			

Een etentje bij Bert.

6A

Na het eten

CD 2(37)

1. Els   Mmm... Dat was heerlijk, Bert.
   Bert   Wat ? Sorry, ik heb niet geluisterd.
   Els   Ik vind dat je fantastisch hebt gekookt.
   Bert   Ach ... dank je. Ik heb iets typisch Vlaams voor Paolo willen klaarmaken. Wil je nog iets drinken ? Je hebt maar één glas gedronken. Wijn ? Of misschien een sherry ?
   Els   Die sherry ! Gek hè ! Ik vind het echt gek dat we hier op hetzelfde moment met dezelfde fles sherry uit dezelfde winkel zijn binnengekomen.
   Bert   Dat is toch niet erg. Ik heb altijd graag sherry gedronken.

2. Els   Zeg eh ..., hoe lang werk je nu al in Brussel ?
   Bert   Sinds maart. Negen maanden geleden ben ik uit Leuven weggegaan.
   Els   Ben je nog maar negen maanden uit Leuven weg ? Niet langer ?
   Bert   Nee, eind februari was mijn contract in Leuven afgelopen en ik ben toen nog dezelfde dag in Brussel begonnen.
   Els   En nu blijf je in Brussel ?
   Bert   Dat weet ik nog niet.
   Els   Waarom ?
   Bert   Ik heb een paar problemen met mijn baas.

3. Bert   Ik heb nog met niemand anders over mijn problemen gepraat. Ja, alleen met mijn moeder. Maar ...

Els	Heb je haar alles verteld ?
Bert	Nee, natuurlijk niet. Je kent ze, hè ! Ik heb haar alleen gezegd dat ik een paar problemen heb gehad.
Els	Is dat alles ?
Bert	Ik heb haar gezegd dat ik een paar keer te laat ben gekomen omdat ik problemen met mijn auto heb gehad. En ook dat ik vorige week ziek ben geweest en dat ik niet heb kunnen werken.
Els	Heel veel heb je haar dus niet verteld, hè.
Bert	Nee, dat durf ik niet ... Als ze alles weet, wil ze misschien zelf met mijn baas praten. Je kent haar.
Els	Ja, ze weet wat ze wil en ze is heel direct.
Bert	Brutaal, bedoel je.

HETZELFDE / DEZELFDE

ENKELVOUD

hetzelfde + het-woord	**dezelfde + de**-woord
hetzelfde karakter	**dezelfde** mens
hetzelfde gerecht	**dezelfde** winkel

MEERVOUD

dezelfde karakters	**dezelfde** mensen
dezelfde gerechten	**dezelfde** winkels

MAAR / ALLEEN (MAAR)

Je hebt **maar** 1 glas gedronken.
Ben je nog **maar** 9 maanden uit Leuven weg ?
Paolo heeft **maar** weinig boeken.

Bert heeft **alleen (maar)** met zijn moeder over zijn problemen gepraat.
Hij heeft haar **alleen (maar)** gezegd dat hij een paar problemen heeft.

Het Engelse **'only'** is in het Nederlands **'maar'** als het voor een beklemtoond tel-woord staat en **'niet meer dan'** betekent. Anders: **'alleen' (maar).**
*[The English **'only'** is **'maar'** in Dutch if it occurs before a numeral that gets the emphasis and if it means **'no more than'**. Otherwise: 'alleen' (maar).]*

WERKBOEK 6A
P. 195

BIJ BERT THUIS, NA HET ETEN

Paolo	Het is maanden geleden dat we elkaar nog hebben gezien.
Peter	Ja, en je hebt in die tijd veel Nederlands geleerd, zeg.
Paolo	Aan het Instituut voor Levende Talen[1]. Ik heb veel woorden en veel grammatica moeten leren.
Peter	Begrijp je nu alles ?
Paolo	Niet alles, maar heel veel. Ik heb hard moeten studeren, maar ik vind dat ik niet vaak genoeg met de Vlamingen heb kunnen praten.
Peter	Hoezo ?
Paolo	Die willen altijd Engels met mij praten. Gelukkig is er Els. Met haar heb ik veel Nederlands gesproken en zij zegt dat ik haar ook veel Italiaans heb geleerd.
Peter	Hoe bedoel je ?
Paolo	Ik help haar drie keer per week met Italiaans.
Peter	Drie keer per week ?
Paolo	We spreken elke keer een halfuur Italiaans en een halfuur Nederlands.
Peter	Drie keer per week ...
Paolo	Ja, drie keer per week.

CD 2(38)

HET PREFECTUM: STRUCTUUR VAN DE BIJZIN
[the present perfect tense: structure of the subclause]

HOOFDZIN	BIJZIN				
	link	**subj.**	**rest**	**eindgroep**	
				pv.	**participum**
Het is maanden geleden	dat	we	elkaar	hebben	gezien.
Peter zegt	dat	Paolo	veel	heeft	geleerd.
Els zegt	dat	Bert	fantastisch	heeft	gekookt.
				pv.	**infinitief**
Bert heeft gezegd	dat	hij	niet	heeft	kunnen werken.
Paolo vindt	dat	hij	niet genoeg	heeft	kunnen praten.

WERKBOEK 6B
P. 196

woordenlijst les 6

de grammatica	het contract	brutaal	aflopen°*	dezelfde	nog maar
		gek	durven	hetzelfde	toen
		langer	weggaan°*		

[1] Institute for Living Languages

Onderwijs in Vlaanderen.

7

van 2,5 tot 6 jaar	**kleuterschool**		
	[kindergarten]		
van 6 tot 12 jaar	**lager onderwijs**		verplicht
	[primary education]		[compulsory]
van 12 tot 18 jaar	**secundair onderwijs**	– algemeen	verplicht
	[secondary education]	– technisch	
		– beroeps	
		– kunst	
vanaf 18 jaar	**hoger onderwijs**	– niet-universitair	
	[higher education]	– universitair	

De Belgische wet op de leerplicht[1] bestaat al sinds 1914. Als ze zes jaar zijn, moeten al de Belgische kinderen naar school. In 1983 is de leerplicht verlengd[2] van 14 jaar tot 18 jaar. Dat wil zeggen dat de Belgische kinderen nu tot hun achttiende naar school moeten. Al die tijd zijn de lessen gratis. En iedereen mag vrij kiezen naar welke school hij gaat.

Sinds 1989 controleert niet langer de Belgische regering maar de Vlaamse Gemeenschap[3] het onderwijs in Vlaanderen. Een heel groot deel van het budget[4] van de Vlaamse regering gaat naar onderwijs, want Vlaanderen wil goed onderwijs voor alle kinderen. Zo zijn in het kleuter- en basisonderwijs nu ook de schoolboeken en het schoolgerief[5] zoals schriften[6], tekenpapier[7], pas-sers[8], pennen, meetlatten[9] of rekenmachines[10] gratis.

In Vlaanderen zijn er twee types van onderwijsinstellingen[11]. Het 'vrij onderwijs' telt in Vlaanderen de meeste instellingen. Deze onderwijsinstellingen zijn privé[12] en werken met subsidies[13] van de staat. De meeste privéscholen zijn katholiek. Het 'officieel onderwijs' wordt georganiseerd door[14] de Vlaamse Gemeenschap - het gemeenschapsonderwijs - maar ook door de provincies en de gemeenten.

Vlamingen hebben dus een ruime keuze tussen pluralistische[15], katholieke[16], protestantse[17], joodse[18], orthodoxe[19] of islamitische[20] scholen en tussen verschei-

---

1   compulsory education
2   prolonged
3   Flemish Community [The Communities in Belgium are the linguistic groups.]
4   budget
5   school materials
6   notebooks
7   drawing-paper

8   pairs of compasses
9   rulers
10   calculators
11   educational institutes
12   private
13   subsidies
14   is organized by
15   pluralistic
16   (Roman) Catholic
17   Protestant
18   Jewish
19   Orthodox
20   Islamic

dene methodescholen[21], zoals Montessori- , Freinet- of Steinerscholen[22].

De meeste kinderen in Vlaanderen gaan al naar de kleuterschool als ze 2,5 jaar zijn. Daar leren ze terwijl ze spelen. Van 6 tot 12 jaar moeten de leerlingen lager onderwijs volgen op een basisschool. Van 12 tot 18 jaar volgen ze secundair onderwijs op een middelbare school. Er geven bijna 150.000 leraren les aan meer dan één miljoen leerlingen. De basisschool en de middelbare school tellen elk zes klassen. Elke klas van de basisschool heeft gewoonlijk één leerkracht voor bijna alle vakken: de onderwijzer of onderwijzeres. Hij of zij geeft dus bijna al de lessen. De leraren op de middelbare school geven een of twee vakken. Op de middelbare school kan je een algemene opleiding[23], een technische opleiding[24], een kunstopleiding[25] of een beroepsopleiding[26] volgen.

Na de middelbare school houden de meeste leerlingen niet op met studeren. Ongeveer 160.000 studenten volgen hoger onderwijs[27] aan een hogeschool[28] of aan een universiteit.

Vlaanderen telt 8 universiteiten. De grootste vind je in Leuven en Gent. De Katholieke Universiteit Leuven is ook de oudste universiteit in Vlaanderen. Ze dateert[29] van 1425. Brussel, Antwerpen en Limburg hebben ook eigen universiteiten.

Wil je na de universiteit of hogeschool nog meer leren ? Of heb je nooit een diploma[30] van de middelbare school behaald[31] en wil je een tweede kans ? Ook dat kan in Vlaanderen. Dan volg je een van de vele opleidingen in het volwassenenonderwijs[32] of in het tweedekansonderwijs voor volwassenen. In de 21e eeuw investeert de Vlaamse regering ook graag en veel in 'levenslang leren'[33].

WERKBOEK 7
P. 199

---

21 alternative schools
22 alternative schools based on different educational philosophies
23 general schooling
24 technical schooling
25 artistic schooling
26 professional training
27 higher education
28 polytechnic, college
29 dates
30 diploma, certificate
31 obtained
32 adult education
33 continuing education, lifelong learning

woordenlijst les 7

de basisschool
de gemeente
de keuze
de kleuterschool
de leerkracht
de leerling
de leraar
de les
de middelbare school
de onderwijzer
de onderwijzeres
de opleiding
de school
de wet

het onderwijs
het schoolboek
het vak

algemeen
gratis
officieel
oudste
technisch

bestaan*
kiezen*
lesgeven°*
ophouden°* (met)
organiseren

DEEL 7

Wat is er aan de hand ?

Hoe ziet hij eruit ?

1A

CD 3(1)

Op de firma van Bert

collega1	Die Sels. Weet jij wie dat is ?
collega2	Ja, natuurlijk. Jij kent hem ook. Hij zit bij de dienst marketing.
collega1	Ja, dat weet ik. Maar hoe ziet hij eruit ?
collega2	Hij is groot.
collega1	Dat zegt niet zoveel. Ik ben groot en jij bent ook groot.
collega2	Ik bedoel, hij is heel lang. Zeker een meter negentig. Alles is lang aan hem. Lange armen, lange benen, grote handen, grote voeten ...
collega1	Ik weet nog niet wie je bedoelt. Denk je echt dat ik hem ken ?
collega2	Natuurlijk ken je hem. Hij heeft halflang zwart haar, een nogal lang gezicht, grote neus, brede mond, grote oren, dikke lippen, kleine ogen en hij draagt een bril.
collega1	Oh, een nogal formele man ?
collega2	Precies. Die is het.
collega1	Ik geloof dat ik nu weet wie je bedoelt.

Het lichaam

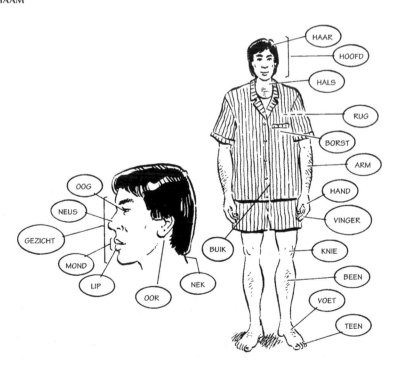

VRAGEN NAAR UITERLIJK [asking about appearance]

Hoe ziet hij **eruit ?**   Hij is lang.
Hij heeft zwart haar.
Hij heeft een rond gezicht.
Hij ziet er goed uit.

Heeft hij lang haar ?
Hoe groot / lang is hij ?
Welke kleur hebben zijn ogen ?

 Hoe lang: Hoe lang is zijn haar ? [length]
Hoelang: Hoelang woon je hier al ? [duration]

WERKBOEK 1A
P. 206

1 B

'S MORGENS IN HET ZIEKENHUIS

1. verpleger   Goedemorgen, mevrouw De Wit. U ziet er goed uit, vandaag. Lekker geslapen ? Hoe voelt u zich ?

CD 3(2)

patiënte   Ik voel me goed, maar ik heb wel een beetje rugpijn. En mijn benen doen ook pijn.

verpleger   Dat is normaal. U ligt al zo lang. Ik help u even uit bed. Dan kunt u eens in de gang gaan wandelen.

2. verpleegster   Goedemorgen, meneer De Vries. Hebt u een goede nacht gehad ?
patiënt   Ja, dank u.
verpleegster   We brengen zo meteen uw ontbijt.
patiënt   Ik heb geen zin in eten. Ik heb last van mijn maag.

3. patiënt   Kunt u even het raam opendoen, alstublieft ? Het is hier zo warm.
verpleger   Dat komt omdat u nog altijd koorts hebt. Ik zal u iets tegen de koorts geven.

4. verpleegster   En ? Hoe gaat het ermee ?
patiënt   Ik voel me zo slecht. Mijn keel doet zo'n pijn en ik heb ook pijn in mijn borst. Ik kan bijna niet ademen.
verpleegster   Rustig maar, jongen. Niet huilen. De dokter komt meteen langs. Nu eerst je medicijnen.

VRAGEN HOE IEMAND ZICH VOELT [asking how one feels]

Hoe voelt u zich ?
Hoe gaat het ermee ?

PIJN EN LICHAMELIJK ONGEMAK UITDRUKKEN
[expressing pain and discomfort]

Ik voel me slecht / niet goed / niet lekker.

Mijn benen **doen pijn**. Mijn maag **doet pijn**.

Ik heb rugpijn, buikpijn, keelpijn, hoofdpijn, oorpijn, tandpijn.

Ik heb pijn <u>in</u> mijn borst.
Ik heb pijn <u>aan</u> mijn voet.

Ik heb last <u>van</u> mijn maag.

WERKBOEK 1B
P. 207

▌ woordenlijst les 1

de arm	de mond	het been	ademen	formeel
de borst	de nek	het gezicht	eruitzien°*	halflang
de buik	de oorpijn	het haar	huilen	
de buikpijn	de patiënt	het lichaam	opendoen°*	
de dienst	de pijn	het medicijn	(zich) voelen	
de hals	de rug	het oor		
de hoofdpijn	de rugpijn			
de keel	de tandpijn			
de keelpijn	de teen			
de knie	de verpleegster			pijn doen
de koorts	de verpleger			last hebben van
de last	de vinger			
de lip	de voet			
de maag				

Ik voel me ziek.

2A

Op de kamer van Paolo (1 uur 's middags)

CD 3(4)

1. **Els**   Dag Paolo. Hier ben ik.
   Paolo   Els ?
   Els   Ja, ik ben het. Het is één uur. Tijd voor ons Italiaans halfuurtje.
   Paolo   Italiaans ? Nu ?
   Els   Hé, Paolo, hoe zie jij eruit ! Scheer je je niet meer ? En je hebt je ook niet gekamd. Heb je je wel gewassen ? Oh, ik begrijp het al. Je bent gisteren uitgeweest en je hebt je goed geamuseerd en het is laat geworden.
   Paolo   Laat ? Uitgeweest ? Helemaal niet. Ik wil slapen.
   Els   Slapen ? Om één uur 's middags ? Heb je gisteren dan zoveel gedronken ?
   Paolo   Ik heb hoofdpijn.

2. **Els**   Oké. Dan maar geen Italiaans vandaag. Zeg, het is hier zo koud. Staat de verwarming niet aan ?
   Paolo   Nee, ik heb het veel te warm en mijn ogen doen pijn en ik heb keelpijn. En ik voel me zo moe. Ik ben moe, moe ... En mijn neus zit dicht. En ik moet hoesten. Ik ben verkouden. Waar is mijn zakdoek ?
   Els   Hé, je handen zijn heel warm. Jij hebt koorts. Je bent ziek. Jij moet naar de dokter. Zal ik een dokter bellen ?
   Paolo   Nee, ik wil geen dokter. Ik wil slapen.

ONGEMAK UITDRUKKEN *[expressing discomfort]*

Ik heb <u>het</u> (te) koud.
Ik heb <u>het</u> (te) warm.

REFLEXIEVE WERKWOORDEN [reflexive verbs]

VERGELIJK [COMPARE]

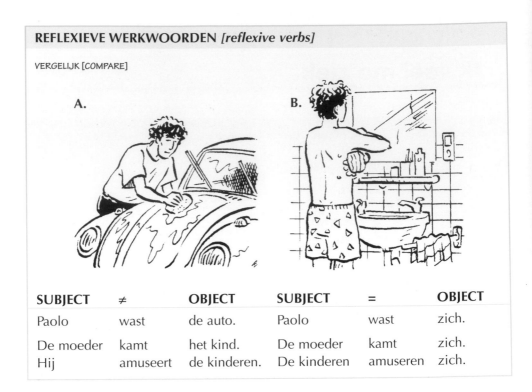

SUBJECT	≠	OBJECT	SUBJECT	=	OBJECT
Paolo	wast	de auto.	Paolo	wast	zich.
De moeder	kamt	het kind.	De moeder	kamt	zich.
Hij	amuseert	de kinderen.	De kinderen	amuseren	zich.

In de B-zinnen zijn subject en object éénzelfde persoon. Daarom is in de B-zinnen het object een reflexief pronomen. De infinitief van het werkwoord is 'zich wassen', 'zich kammen', 'zich amuseren'.
[In the B-sentences subject and object are one and the same person. Therefore the object in the B-sentences is a reflexive pronoun. The infinitive of the verb is 'zich wassen', 'zich kammen', 'zich amuseren'.]

HET REFLEXIEF PRONOMEN

ik	was	**me**	**wij**	wassen	**ons**
je	wast	**je**	**jullie**	wassen	**je**
u	wast	**zich***	**u**	wast	**zich***
hij / zij	wast	**zich**	**ze**	wassen	**zich**

* Voor de 'u'-vorm gebruikt men ook vaak het reflexief pronomen 'u': U scheert u elke morgen, zegt u ?
[For the 'u'-form the reflexive pronoun 'u' is often used too: U scheert u elke morgen, zegt u ?]

REFLEXIEVE WERKWOORDEN: ZINSSTRUCTUUR

1. HOOFDZIN

subject	pv.	refl.pron.		rest	eindgroep
Hij	heeft	**zich**		niet	geschoren.
Wij	hebben	**ons**		gisteren	geamuseerd.
Ik	voel	**me**		moe.	

(......)	pv.	subject	refl.pron.	rest	eindgroep
	Scheer	je	**je**	niet meer ?	
	Hebben	jullie	**je**	wel	gewassen ?
Gisteren	heb	ik	**me**	goed	geamuseerd.

2. BIJZIN

hoofdzin	bijzin link	subject	refl.pron.	rest	eindgroep
Els denkt	dat	hij	**zich**	niet	heeft gewassen.
Els vraagt	of	hij	**zich**	niet meer	scheert.

Als de hoofdzin begint met het subject, volgt het reflexief pronomen op de pv. In een hoofdzin die niet met het subject begint, volgt het reflexief pronomen op het subject. Ook in de bijzin volgt het reflexief pronomen op het subject.
[If the sentence starts with the subject, the reflexive pronoun follows the finite verb. If a main clause doesn't start with the subject, the reflexive pronoun follows the subject. The reflexive pronoun also follows the subject in the subclause.]

 In het perfectum krijgen reflexieve werkwoorden altijd het hulpwerkwoord 'hebben'.
[In the present perfect, reflexive verbs always take the auxiliary 'hebben'.]

WERKBOEK 2A
P. 210

2B

Els bij Lisa in het ziekenhuis (2 uur in de namiddag)

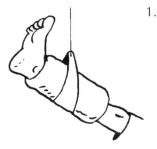

1.	Lisa	Dag Els. Leuk dat je gekomen bent.
	Els	Dag Lisa. Mmm ... Je ziet er goed uit.
	Lisa	Ja, ik voel me ook helemaal niet ziek. Dank je voor de bloemen.
	Els	Geef maar. Ik zet ze in een vaas. Heb je nog veel pijn ?
	Lisa	Nu niet meer. Maar de eerste dagen na de operatie heb ik wel heel veel pijn gehad.
	Els	Arme Lisa.

CD 3(7)

2. Els   Wat is er eigenlijk gebeurd ?

      Lisa   Ik ben bij het skiën gevallen en ik heb mijn been gebroken. Een heel dom ongeluk.

      Els   Maar jij skiet toch goed.

      Lisa   Ja, nogal. Maar ik heb me toch lelijk pijn gedaan.

      Els   Hè, wat erg.

3. Els   Gelukkig had je een goede reisverzekering.

      Lisa   Ja, alles is heel snel gegaan. Ze hebben me nog dezelfde avond met een vliegtuig naar Zaventem gebracht. Van daar hebben ze me met een ziekenwagen naar Leuven gebracht. En de volgende morgen hebben ze me al geopereerd. Uren heeft die operatie geduurd.

      Els   Vreselijk, zeg !

      Lisa   Dat ik me niet kan bewegen en dat ik hier helemaal niets kan doen, dát vind ik vreselijk. Ik kan me niet zelf aankleden of uitkleden, ik kan me zelfs niet alleen wassen. Oh, ik hoop dat ik gauw weer kan lopen.

      Els   Dat zal wel meevallen. Wanneer mag je naar huis ?

      Lisa   Dat weet ik nog niet. Ik zal hier nog wel een paar weken moeten blijven en ik verveel me hier zo.

      Els   Ik breng volgende keer enkele tijdschriften en strips voor je mee.

4. Els   Herinner je je Paolo nog ? Ik ben vanmiddag bij hem geweest. Hij is ook ziek.

      Lisa   Wat heeft hij ?

      Els   Griep, denk ik. En ik heb om kwart voor vier een afspraak met mijn tandarts.

      Lisa   Dan zal je je toch moeten haasten. Het is al bijna kwart voor.

      Els   Dat kan niet. Je vergist je.

      Lisa   Toch niet. Het is nu precies zeventien voor vier.

      Els   Help ! Ik kom te laat.

MEDELIJDEN UITDRUKKEN *[expressing compassion]*

Arme Lisa **!**

Wat erg !

(Wat) vreselijk !

Dat is vreselijk !

REFLEXIEVE WERKWOORDEN

SOMS REFLEXIEF

zich wassen (r)
De verpleger **wast zich**.
wassen
De verpleger **wast** de patiënt.

zich aankleden (r)
Hij **kleedt zich aan**.
aankleden
Hij **kleedt** de patiënt **aan**.

zich vervelen (r)
Lisa **verveelt zich**.
vervelen
Dat boek **verveelt** me.

ALTIJD REFLEXIEF

zich haasten
Els moet **zich haasten**.

zich vergissen
Lisa **vergist zich** niet.

Veel werkwoorden zoals 'wassen, aankleden, uitkleden, . . .' kunnen wel of niet reflexief worden gebruikt. Deze werkwoorden krijgen in de woorden-lijsten het teken '(r)'. Sommige werkwoorden zoals 'zich haasten, zich vergis-sen, . . .' zijn alleen reflexief. In de woordenlijsten zijn ze als volgt gemar-keerd: 'haasten (zich)'; 'vergissen (zich)'.
[A lot of verbs like 'wassen, aankleden, uitkleden. . .' may have an object or may be reflexive. In the vocabulary lists they are marked with '(r)'. Some verbs like 'zich haasten, zich vergissen, . . .' are only reflexive. In the vocabulary lists they are marked this way: 'haasten (zich)'; 'vergissen (zich)'.]

WERKBOEK 2B
P. 214

woordenlijst les 2

de griep	het halfuur	verkouden	aankleden° (r)	eigenlijk
de operatie	het ongeluk	vreselijk	aanstaan°*	gauw
de reisverzekering	het uurtje	ziek	amuseren (r)	helemaal niet
de strip			bewegen* (r)	
de tandarts			breken*	
de verwarming			haasten (zich)	
de verzekering			herinneren (r)	
de ziekenwagen			hoesten	
			kammen (r)	
			meebrengen°*	
			opereren	
			scheren* (r)	
Help !			uitgaan°*	
Wat is er gebeurd ?			uitkleden° (r)	
			vergissen (zich)	
			vervelen (r)	
			wassen* (r)	

Wat is er vandaag gebeurd ?

3A

CD 3(8)

BERT BIJ ZIJN BAAS (10 UUR 'S MORGENS)

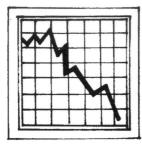

1. Bert — Goedemorgen, meneer Rogiers.
   directeur — Goedemorgen. Gaat u zitten, meneer Sels. Hebt u de resultaten van de jongste zes maanden al bekeken ?
   Bert — Mmm, ja.
   directeur — En wat denkt u ?
   Bert — Ik geloof dat er een lichte daling is.
   directeur — Een lichte daling ? Een catastrofe is dit, Meneer Sels !

'S AVONDS BIJ DE DIRECTEUR THUIS

2. vrouw — Zeg, je ziet er moe uit.
   directeur — Wel, ik heb een zware dag gehad. We zijn met de herstructurering van de dienst marketing begonnen. Ik heb die Sels en zijn collega Piers ontslagen.
   vrouw — Nee toch ! Waarom ?
   directeur — Ja, kijk. We moeten iets doen. De dienst marketing heeft helemaal geen goede resultaten geboekt.
   vrouw — Maar ontslaan ... Was dat nu echt nodig, schat ? Waar kunnen die mensen nu naartoe ?
   directeur — Ik weet het, ik weet het, maar het aantal werknemers op de marketingafdeling is te groot. Weet jij wel wat die mensen aan het bedrijf kosten ? Als ze 2000 euro netto per maand verdienen, kosten ze aan het bedrijf zeker 4000 euro. En de concurrentie groeit. Het bedrijf moet gezond blijven. Begrijp je ?
   vrouw — Ja ja.

EEN UITING INLEIDEN [introducing a statement]

Wel, ...
Kijk, ...
Zeg, ...

WERKBOEK 3A
P. 217

HET NIEUWS OP DE RADIO (4 JANUARI, 17 UUR)

Dit is het nieuws van vijf uur.

CD 3(9)

1. Het blijft winterweer. Er komt nog geen einde aan de kou. Straks wordt het een koude nacht met temperaturen van –2°C aan de kust tot –10°C in de Ardennen. Voor morgen verwacht men een lichte stijging van de temperatuur. Ook de volgende nachten zal het nog vriezen, maar het blijft wel droog.

2. Vanmiddag om 2 uur is er een 24-urenstaking begonnen bij de NMBS[1]. In Wallonië rijden de treinen helemaal niet. In Brussel en Vlaanderen rijdt ongeveer de helft van de treinen. Voorlopig hebben vooral de treinen die uit Brussel komen vertraging.

3. Op de E40[2] in Sterrebeek is er vanmiddag rond 15u een zwaar ongeval gebeurd. Er zijn 4 doden en 3 zwaargewonden. In de richting van Leuven moet het verkeer daar nu over 1 rijstrook.

4. Het VBO[3], het Verbond van Belgische Ondernemingen, heeft zopas zijn jaarlijkse rapport gepubliceerd. In dat rapport van de organisatie van werkgevers staat dat de loonkosten in België de jongste 5 jaar met 10 procent zijn gestegen. Van alle landen in de Europese Unie heeft ons land al jaren de hoogste loonkosten. En die hoge loonkosten hebben een negatieve invloed op de groei van de economie, zegt het VBO.

5. In de tweede helft van vorig jaar is het aantal werklozen in Vlaanderen opnieuw gedaald. Op dit moment zijn er nog 170.000 mensen werkloos. Dat is ongeveer 6% van de actieve bevolking. In de regio Brussel blijft de werkloosheid hoog. Meer dan 35% van de jongeren tot 24 jaar heeft er geen werk.

HELEMAAL GEEN, HELEMAAL NIET

De dienst marketing heeft **helemaal geen** goede resultaten geboekt.
In Wallonië rijden de treinen **helemaal niet**.
De baas van Bert is **helemaal niet** tevreden over de resultaten.

'Helemaal' voor 'niet' of 'geen' versterkt de negatie.
['Helemaal' before 'niet' or 'geen' reinforces the negation.]

WERKBOEK 3B
P. 218

---

1 Belgian National Railway Company (Nationale Maatschappij der Belgische Spoorwegen)
2 European route E40 (Europese route E40)
3 Association of Belgian Enterprises (Verbond van Belgische Ondernemingen)

woordenlijst les 3

de catastrofe	de min (-)	het aantal	jaarlijks	bekijken*
de concurrentie	de organisatie	het bedrijf	jongste	boeken
de daling	de richting	het loon	negatief	dalen
de dode	de rijstrook	het ongeval	voorlopig	groeien
de gewonde	de staking	het resultaat	werkloos	ontslaan*
de groei	de stijging	het winterweer		publiceren
de helft	de werkgever		netto	stijgen*
de herstructurering	de werkloosheid		vooral	verdienen
de invloed	de werkloze		zopas	verwachten
de kou	de werknemer			vriezen*
de loonkosten	de zwaargewonde		men	

Kom hier !

EEN MOEDER MET TWEE KINDEREN IN DE WACHTZAAL BIJ DE TANDARTS

CD 3(10)

1. moeder   Jan, kom hier !
   Jan   Nee !
   moeder   Hier, zeg ik je. En jij ook, Leen. Blijf op je stoel zitten !
   Jan   Ik wil niet naar de tandarts.
   Leen   Ik wil wel naar de tandarts. Nu.
   moeder   Jan, kom hier, ga op die stoel zitten en lees een beetje. Kijk hier, een strip van 'SUSKE EN WISKE'.
   Jan   Ik wil niet lezen.
   moeder   Leen, wat doe je ? Ga daar niet binnen ! De tandarts is nog bezig.
   Leen   Mama, ik wil nu naar de tandarts !
   moeder   Dat kan niet, meisje. Wacht nu nog een beetje.
   Jan   Ik wil niet lezen.
   moeder   Jan, wees nu braaf en kom hier naast me zitten. En jij Leen, blijf jij zitten waar je zit ! Hoor je dat ?

DE TANDARTS ROEPT MOEDER EN KINDEREN BINNEN

2. moeder   Hier komen, kinderen ! Haast je ! De tandarts wacht op ons. Hé ! Niet weglopen, Jan !
   Jan   Ik wil niet naar de tandarts. Die doet me pijn.
   moeder   Jan, doe nu niet moeilijk en kom mee, nu onmiddellijk.
   Jan   Ik wil geen spuitje.
   moeder   Wees nu een grote jongen, zo'n spuitje doet helemaal geen pijn. En daarna gaan we een ijsje eten.
   tandarts   Zal ik met Leen beginnen ? Zo ! Kom jij maar hier zitten. En als je nu heel ver je mond opendoet, dan kan ik al je tanden goed zien.

IMPERATIEF ZONDER SUBJECT: VORM
[imperative without subject: form]

INFINITIEF	IMPERATIEF=STAM
	STAM: ZIE DEEL3, 3A
komen	**Kom !**
blijven	**Blijf !**
weglopen	**Loop ... weg !**
lezen	**Lees !**
binnengaan	**Ga ... binnen !**
wachten	**Wacht !**
zich haasten	**Haast je !**

 onregelmatige vorm *[irregular form]*
zijn **Wees !**

 Reflexieve werkwoorden worden in de imperatief altijd gevolgd door het reflexief pronomen 'je': Haast je ! Vergis je niet !
[In the imperative mood reflexive verbs are always followed by the reflexive pronoun 'je': Haast je ! Vergis je niet !]

EEN BEVEL GEVEN OF IETS VERBIEDEN
[giving an order or forbidding something]

1. IMPERATIEF ZONDER SUBJECT

Jan, **kom** hier ! **Ga** op die stoel **zitten.**
Kom hier, kinderen. Jan, **loop** niet **weg !**
Jan en Leen, **haast je.** **Doe** nu niet moeilijk.

2. IMPERATIEF MET SUBJECT 'JIJ' OF 'JULLIE'

Leen, **blijf jij** zitten waar je zit.
Blijven jullie daar, kinderen.

3. INFINITIEF

Hier **komen**, kinderen !
Niet weglopen, Jan !

De aanspreking staat geïsoleerd door een komma vooraan of achteraan in de zin.
[The address is put in front or at the end of the sentence, isolated by a comma.]

Bij een imperatief met subject 'jij' of 'jullie', worden de werkwoordsvormen van het presens gebruikt.
[The verbal forms of an imperative with subject 'jij' or 'jullie' are those of the present tense.]

WERKBOEK 4A
P. 221

BERT BIJ ELS THUIS

CD 3(11)

1. Bert   Sorry. Excuseer. Ik ... Neem me niet kwalijk.
   Els   Maar Bert, dat geeft niet. Je bent even in slaap gevallen.
   Bert   Ik heb gedroomd. En nu heb ik het vreselijk warm.
   Els   Doe even je jas uit. Zal ik koffie zetten ?
   Bert   Ja, graag.

2. Bert   Voor mij is het afgelopen.
   Els   Hé, wacht even. Luister eens goed naar mij, Bert. Je bent nu wel je werk
           kwijt, maar dat is niet het einde van de wereld. Drink eens even. Drink
           maar. De koffie zal je goed doen. En neem maar een koekje. Ze zijn lekker.
   Bert   Zal je het aan niemand vertellen, Els ?
   Els   Nee, natuurlijk niet. Vertrouw me maar. Alles komt wel weer in orde.
           Maak je maar niet zoveel zorgen.

EEN VRIENDELIJK BEVEL OF VERZOEK *[a friendly order or request]*

= IMPERATIEF + eens
even
eens even

Doe **even** je jas uit.
Wacht **even.**
Drink **eens even**.

ADVIES OF TOESTEMMING GEVEN - AANMOEDIGEN
[giving advice or permission - encouraging]

= IMPERATIEF + maar

Drink **maar.**
Neem **maar** een koekje.
Vertrouw me **maar.**
Maak je **maar** niet zoveel zorgen.

WERKBOEK 4B
P. 223

CD 3(13)

BERT BIJ ELS THUIS

1. Els   Ach, je vindt wel een andere baan.
   Bert   Waar dan ? Nee, voor mij is het afgelopen.
   Els   Wees toch niet zo pessimistisch. Misschien kan Peter helpen, of je vader. Elk bedrijf heeft toch een marketingmanager nodig.
   Bert   Maar ik wil helemaal geen manager zijn. Dat is niets voor mij. Ik ben marketingmanager geworden omdat mijn moeder dat heeft gewild.

2. Bert   Ik wil terug naar de universiteit. Ik wil weer onderzoek doen. Kan jij me niet helpen ? Alsjeblieft, Els. Help me !
   Els   Rustig maar, Bert, rustig maar. Maak je toch niet zo druk. Drink je koffie nu maar. En ga alsjeblieft weer zitten. We vinden wel een oplossing.

EEN DRINGEND VERZOEK *[a compelling request]*

= **IMPERATIEF + toch***
             alsjeblief(t) / alstublieft
             toch alsjeblief(t) / alstublieft

Wees **toch** niet zo pessimistisch.
Help me, **alsjeblieft.**
Maak je **toch alsjeblieft** niet zo druk.
Ga **alsjeblieft** weer zitten.

* Deze 'toch' wordt nooit geaccentueerd. *[This 'toch' never takes emphasis.]*

WERKBOEK 4C
P. 224

▌ woordenlijst les 4

de baan	het ijsje	bezig	binnenroepen°*	in slaap vallen
de oplossing	het koekje	braaf	roepen*	in orde komen
de wachtzaal	het onderzoek	pessimistisch	vertrouwen	zich druk maken (over)
de zaal	het spuitje		wees (zijn)	zich zorgen maken (over)
de zorg		onmiddellijk	weglopen°*	koffie zetten
		zo'n		

Ach, ... ❹

Wat scheelt er ?

5A

PETER BIJ DE DOKTER

CD 3(15)

1. dokter Goedemiddag. Komt u binnen. Komt u binnen alstublieft, meneer. Gaat u maar zitten. Gaat u toch zitten. Wat scheelt er, meneer ... ? Wat is uw achternaam ?
   Peter Maas.
   dokter Maas ... Hoe spelt u dat ? Wilt u dat even spellen ?
   Peter M - A - A - S.
   dokter Meneer Maas dus. Laat eens horen. Wat scheelt er ?
   Peter Eh ... Wat ?
   dokter Wat is er aan de hand, meneer Maas ? Zegt u het maar.

EVEN LATER

2. dokter Luistert u eens even heel goed, meneer Maas. U moet nu veel rusten. Rust u maar heel veel. In een donkere kamer. Geen radio, geen televisie, geen lawaai. Geen licht en absoluut geen lawaai. U moet zich goed verzorgen. U bent op uw hoofd gevallen en dat kan gevaarlijk zijn. Volledige rust is heel belangrijk. Anders kan u nog lang last van hoofdpijn hebben.
   Peter Ik moet mij goed verzorgen en ik moet veel rusten ! Geweldig !
   dokter Ik schrijf u een attest voor uw werkgever. En ik zie u over een week terug.
   Peter Waar ?
   dokter Hier natuurlijk. Maar, vertelt u eens, meneer Maas. Woont u alleen ? Kan er iemand voor u zorgen ?

| Peter | Alleen ? Nee, ik heb een vriendin. Hoe heet ze ook alweer ? Ze is heel mooi ... En heel lief. |
| dokter | Ja, dat begrijp ik. Euh ... Gaat u nu maar naar huis, meneer Maas. Veel beterschap ! En tot volgende week. |

VRAGEN OM TE SPELLEN *[asking to spell]*

	REACTIE
Hoe spel je dat ? / Hoe spelt u dat ?	M-A-A-S
Kun je / kunt u dat even spellen ?	

BETERSCHAP WENSEN *[wishing a good recovery]*

(Veel) beterschap !

IEMAND UITNODIGEN OF VERZOEKEN TE SPREKEN
[to invite or request someone to speak]

Laat eens horen.	🛈		
Vertel eens !	🛈	**Vertelt u eens !**	🅕
Zeg het maar !	🛈	**Zegt u het maar !**	🅕

EEN BELEEFD VERZOEK, BEVEL, ADVIES
[a polite request, order, or advice]

IMPERATIEF MET SUBJECT 'U' 🅕

Komt u binnen, mevrouw.
Komt u alstublieft **binnen**, meneer.
Komt u binnen, dames en heren.
Gaat u toch **zitten**.
Vertelt u eens.
Luistert u eens even.
Gaat u nu maar naar huis, meneer Maas.

Ook bij een imperatief met 'u' gebruikt men vaak 'even', 'eens', 'eens even', 'maar', 'toch' en 'alstublieft'. (Zie: deel 7, 4B, 4C)
[An imperative with 'u' will also often take words like 'even', 'eens', 'eens even', 'maar', 'toch' and 'alstublieft'. (See: part 7, 4B, 4C)]

WERKBOEK 5A
P. 227

IN DE WACHTZAAL BIJ DE DOKTER

1. Peter   Paolo ! Paolo Sanseverino. Mijn beste vriend. Jij hier bij de dokter ? Vertel eens, wat is er aan de hand ? Hé, jij ziet er echt niet goed uit !

Paolo   Klopt. Ik moet hoesten, en ik heb keelpijn en spierpijn. Ik denk dat ik griep heb.

CD 3(17)

Peter   Pas op ! Griep is gevaarlijk. Je moet je maar goed verzorgen. En je moet eens vroeg naar bed gaan. En geen lawaai, absoluut geen lawaai. Je moet maar veel rusten, heel veel rusten.

Paolo   Ja, dank je voor het advies. Maar, jij ziet er ook niet goed uit. Wat scheelt er met jou ?

Peter   Ik ben op mijn hoofd gevallen, hahaha !

Paolo   Op je hoofd gevallen !?

Peter   Ja, en ik krijg een week vakantie van dokter Van Hirtum. Een week in bed. Een week slapen, hahaha. Maar, oh, ik heb zo'n hoofdpijn en ik voel me zo moe.

Paolo   Hoor eens, Peter. Ik heb een idee. Ga hier zitten en wacht op mij. Ik moet nu naar binnen, bij de dokter. Als ik daar klaar ben, gaan we samen naar huis. Akkoord ? Hé, jij wordt zo bleek. Voorzichtig, Peter. Ga toch zitten en wacht op mij. Oké ? Wacht op mij. Ga niet weg !

VRAGEN WAT ER SCHEELT *[asking what's wrong]*

Wat scheelt er (met je) ?
Wat is er (met je) aan de hand ?

IEMAND WAARSCHUWEN *[warning someone]*

Pas op !
Voorzichtig !
Griep **is gevaarlijk.**

OM IEMANDS AANDACHT VRAGEN
[asking for someone's attention]

①   **Hoor eens !**   **Ⓕ**   **Hoort u eens !**
     Luister eens (even) !   **Luistert u eens (even) !**
     Je moet eens (even) luisteren.   **U moet eens (even) luisteren.**

WERKBOEK 5B
P. 229

CD 3(18)

ELLY IN DE WINKEL

Elly	Voelt u zich ook niet goed, meneer ?
klant	Het gaat wel. Ik ben alleen een beetje verkouden.
Elly	Ik voel me echt ziek. Vanmorgen komt mijn moeder hier binnen en ze zegt: "Elly, jij ziet er niet goed uit. Jij moet eens naar de dokter." Dus, ik sluit mijn winkel om kwart voor twaalf en ik ga naar mijn huisarts, dokter Van Hirtum. Hij heeft elke morgen spreekuur van 10 tot 12. Hij onderzoekt me en weet u wat hij zegt ? "Mevrouw," zegt hij, "u moet een week in bed blijven." Ik zeg: "Dokter, hoe kan dat nu ? Ik heb een winkel." En dan zegt hij: "U moet maar niet aan uw winkel denken en u moet zich maar goed laten verzorgen." Dat is gewoon te gek. Hoe kan iemand als ik - een zelfstandige - nu in bed blijven als ik de winkel open moet houden. En daarbij ...
klant	Ja, het is niet gemakkelijk voor een zelfstandige.
Elly	Meneer, wij - zelfstandigen - kunnen niet eens rustig een weekje ziek zijn. Ik heb zelfs nog niet naar de apotheker kunnen gaan.

EEN BEVEL GEVEN: ALTERNATIEF *[giving an order: alternative]*

(ZIE OOK: DEEL 7, 4A)

> **je / u moet + infinitief**

Je **moet** in bed blijven.   U **moet** in bed blijven.
Je **moet** je goed verzorgen.   U **moet** zich goed verzorgen.

EEN VRIENDELIJK BEVEL OF VERZOEK: ALTERNATIEF *[a friendly order or request: alternative]*

(ZIE OOK: DEEL 7, 4B)

> **je / u moet + even   + infinitief**
> **eens**
> **eens even**

Nu **moet** u **eens even** luisteren.
Elly, je **moet eens** naar de dokter (gaan).
Je **moet eens** vroeg naar bed (gaan).

EEN ADVIES GEVEN: ALTERNATIEF *[giving advice: alternative]*

(ZIE OOK: DEEL 7, 4B)

> **je / u moet + maar + infinitief**

U **moet maar** niet aan uw winkel denken.
U **moet** zich **maar** goed laten verzorgen.
Je **moet maar** veel rusten, Paolo.

WERKBOEK 5C
P. 229

de apotheker	het advies	bleek	onderzoeken*
de arts	het attest	volledig	openhouden°*
de beterschap	het spreekuur		oppassen°
de dame			rusten
de heer		alweer	schelen
de huisarts		anders	sluiten*
de rust		daarbij	spellen
de spier		niet eens (−zelfs niet)	verzorgen (r)
de spierpijn			zorgen
de zelfstandige			

Hoe heet ... ook alweer ?

Dat mag absoluut niet !

6A

CD 3(19)

ELLY IN DE APOTHEEK

apotheker	Wie is er nu aan de beurt ?
Elly	Ik. Ik geloof dat het mijn beurt is.
apotheker	Hebt u een voorschrift, mevrouw ?
Elly	Ja, alstublieft.
apotheker	Zo. Dit zijn de pillen. Dit is een antibioticum. U neemt drie keer per dag twee pillen in. En voor de maaltijd. Anders krijgt u misschien last van uw maag. En u mag bij deze pillen geen alcohol drinken. En hier hebt u de siroop. Van deze fles neemt u 's morgens en 's avonds een koffielepeltje tot de hoest voorbij is.
Elly	Is dat wel genoeg ? Ik moet zoveel hoesten.
apotheker	Ja, u mag absoluut niet meer nemen.
Elly	En kunt u me ook neusdruppels geven ?
apotheker	Alstublieft, mevrouw.
Elly	Hoeveel is dat, alstublieft ?
apotheker	Even kijken. Het antibioticum, het drankje tegen de hoest en de druppels. Dat is dan 19,83 euro.
Elly	Alstublieft.
apotheker	Tot ziens, mevrouw. En beterschap.

IETS VERBIEDEN: ALTERNATIEF *[forbidding something: alternative]*

(ZIE OOK: DEEL 7, 4A)

mogen + geen + infinitief
       niet

U **mag geen** alcohol drinken.
U **mag** absoluut **niet** meer nemen.

WERKBOEK 6A
P. 231

's Avonds bij Els thuis

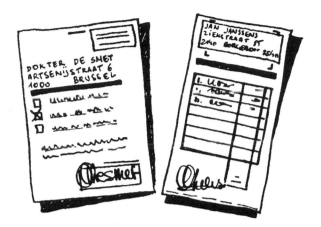

CD 3(20)

1. Els   Oh, wat zal er nu gebeuren ? Hij is gek, mijn Petertje. Hij is zijn verstand kwijt ! Hopelijk wordt hij weer normaal.

   Paolo   Natuurlijk, maak je niet ongerust. Hij moet alleen veel rusten. En jij moet hem maar goed verzorgen. Wees niet bang, hij wordt wel weer beter.

   Els   Dat hoop ik.

2. Paolo   Zeg, dokters zijn nogal duur bij jullie.

   Bert   Vind je ?

   Paolo   Absoluut. 20 euro voor een bezoek aan de dokter vind ik duur.

   Bert   Ja, maar je hebt toch een attest voor het ziekenfonds gekregen, hoop ik.

   Paolo   De dokter heeft mij een papier gegeven.

   Bert   Wel, met dat papier moet je naar het ziekenfonds gaan.

   Paolo   Oh ja. Dan krijg ik nog geld terug.

3. Bert   Zo, ik ga maar eens naar huis, denk ik.

   Paolo   Ik ook. Ik ga slapen. Ik krijg weer koorts, voel ik. Dit slechte weer blijft hopelijk toch niet duren. Hoe kan een mens in dit klimaat nu gezond blijven ?

   Els   Ja, Paolo. Dit is Italië niet. Zeg, nog eens bedankt dat je Peter naar huis hebt gebracht. En jij, Bert, rust jij maar eens goed uit. Je zal wel weer een baan vinden.

   Bert   Ja, dat hoop ik. Dag !

   Paolo   Dag Els. Tot ziens.

   Els   Tot ziens allebei !

4. baas U bedoelt toch Peter Maas ? Hij heeft dus een ongeval gehad. Ik hoop dat het niet te erg is.

Els Wel, hij heeft heel veel hoofdpijn. Hij zal de volgende weken niet kunnen werken. De dokter heeft hem absolute rust voorgeschreven.

baas Zo. Wel, dan moet u het doktersattest opsturen. En het ziekenfonds waarschuwen. Dat mag u zeker niet vergeten. Voor de ziekteverzekering, ziet u.

Els Oké, doe ik.

baas Zo. Wij zullen zijn dienst waarschuwen. Wens hem in elk geval veel beterschap. Dag mevrouw.

Els Dank u wel. Dag meneer.

EEN HOOP UITDRUKKEN *[expressing hope]*

Hopelijk wordt hij weer normaal.
Dat hoop ik (ook).
Ik hoop het (ook).
Ik hoop dat het niet te erg is.
Je hebt toch een attest voor het ziekenfonds, **hoop ik**.

WERKBOEK 6B
P. 232

| woordenlijst les 6

de alcohol	het antibioticum	ongerust	hopen
de apotheek	het drankje	voorbij	innemen°*
de druppel	het koffielepeltje		opsturen°
de hoest	het verstand		uitrusten°
de maaltijd	het voorschrift	hopelijk	voorschrijven°*
de neusdruppels	het ziekenfonds		waarschuwen
de pil			wensen
de ziekteverzekering		allebei	
			in elk geval
			zich ongerust maken (over)

De sociale zekerheid.

7A

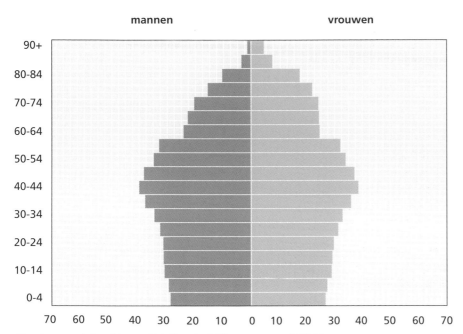

Structuur van de bevolking van België per leeftijdsgroep on per 1.000 inwoners

DE BELGISCHE VERZORGINGSSTAAT[1]

Belgische mannen leven ongeveer 76 jaar. Belgische vrouwen nog 6 jaar langer. De gemiddelde Belg leeft niet alleen lang, hij leeft in vergelijking met[2] andere Europese landen ook goed. Dat komt voor een deel door de uitgebreide sociale zekerheid. Die maakt het mogelijk dat een Belg zonder al te grote financiële problemen oud kan worden. De Belg woont in een verzorgingsstaat: door de sociale zekerheid is het mogelijk dat je als Belg goed kan blijven leven, ook als het leven moeilijk wordt: als je ziek wordt, of oud, of als je ontslagen wordt.

De dokter, de medicijnen en het ziekenhuis hoef je voor een groot deel niet zelf te betalen[3]. Als je ziek bent en niet kunt werken, krijg je toch een inkomen. Dat krijg je ook als je werkloos bent. Gezinnen met kinderen krijgen elke maand een beetje financiële hulp, de 'kinderbijslag'. Maar er is meer. Vrouwen die een kind hebben gekregen bijvoorbeeld, kunnen 15 weken thuisblijven bij de nieuwe baby en ze krijgen dan toch een groot deel van hun loon. En iedereen die werkt, krijgt elk jaar een betaalde vakantie. Als je na veel jaren werken 65

1 welfare state
2 in comparison with
3 you needn't pay yourself

bent en met pensioen gaat, krijg je ook pensioengeld.

De basis van de Belgische sociale zekerheid is de solidariteit[4] tussen alle Belgen. Dat is nodig, want de sociale zekerheid kost heel veel geld. De actieve bevolking – dat zijn de mensen die werken – is dus solidair[5] met de mensen die werkloos zijn, de jongeren zijn solidair met de ouderen, gezonde mensen zijn solidair met de zieken, gezinnen zonder kinderen zijn solidair met gezinnen met kinderen. Daarom staat elke werknemer automatisch een stuk van zijn loon af. Maar niet alleen de werknemer betaalt voor zijn sociale zekerheid: ook de werkgevers en de staat betalen voor de sociale zekerheid van de werknemers.

Rond de 15% van de actieve bevolking is geen werknemer, maar werkt als zelfstandige[6]. Zelfstandigen – zoals dokters, apothekers of winkeliers – hebben geen baas, maar werken voor zichzelf. Ook zij moeten zich verplicht verzekeren en krijgen dus kinderbijslag en later ook pensioen. Ook voor hen betaalt de staat een deel van de kosten[7]. Maar als zelfstandigen werkloos worden, krijgen ze geen financiële steun.

Alle Belgische volwassenen en kinderen die sociaal verzekerd zijn, hebben een SIS-kaart[8], een sociale identiteitskaart. Die maakt de administratie van de sociale zekerheid snel en gemakkelijk. Die kaart heb je bijvoorbeeld nodig bij het ziekenfonds, in het ziekenhuis of in de apotheek.

Helaas zijn sommige mensen arm en niet sociaal verzekerd: zij 'vallen uit de boot'. In het begin van de 21e eeuw loopt nog 14% van de Belgische inwoners het risico[9] arm te worden of te blijven. Daar kunnen veel redenen voor zijn: ze zijn al heel lang ziek, ze hebben nog nooit gewerkt, of ze zijn al lang werkloos en kunnen geen baan meer vinden. Voor hen bestaat er in elke gemeente een O.C.M.W. (Openbaar Centrum voor Maatschappelijk Welzijn)[10]. Het O.C.M.W. geeft ze een minimumloon, het 'leefloon'. Dat is het noodzakelijke minimum om te[11] kunnen leven in ons land. Het O.C.M.W. helpt hen ook bij het vinden van een baan of bij het volgen van een opleiding. Zo krijgen ook deze mensen een nieuwe kans om zich in de samenleving te integreren[12], want elke inwoner in dit land heeft recht op[13] integratie[14].

WERKBOEK 7A
P. 233

---

4   solidarity
5   solidary
6   self-employed person
7   costs, expenses

8   SIS = Social Information System
9   runs the risk
10   O.C.M.W.: official welfare centre
11   in order to
12   to integrate
13   has the right to
14   integration

DE PROBLEMEN VAN DE SOCIALE ZEKERHEID

Het grootste probleem voor de Belgische sociale zekerheid in de 21e eeuw is de 'vergrijzing'[1]. De Belgische bevolking wordt ouder. Er zijn steeds meer gepensioneerden[2]. Hoe zal de staat aan al deze mensen een goed pensioen kunnen blijven betalen? Een oudere bevolking is ook duurder voor de ziekteverzekering. Hoe zal de kleinere groep van actieven dan nog kunnen zorgen voor de sociale zekerheid van alle Belgen?

Dat zijn belangrijke vragen en daar moeten de politici van alle grote politieke partijen oplossingen voor zoeken. En ze moeten soms ook moeilijke keuzes[3] maken om de toekomst[4] van de sociale zekerheid in België te garanderen[5]. Een aantal keuzes hebben de Belgische regeringen al gemaakt.

Ten eerste[6] moeten de Belgen langer gaan werken. In België was in het begin van de 21e eeuw maar 41% van de bevolking tussen 50 en 64 jaar nog actief. In de Europese Unie was dat 55%. Te veel mensen in België stoppen te vroeg met werken – ze gaan met 'brugpensioen'[7] - en dat moet veranderen. Iedere gezonde Belg zal in de toekomst moeten werken tot hij 65 jaar is.

Ten tweede[8] stimuleert de regering de Belg ook om zelf aan 'pensioensparen' te doen[9]. Als hij dan met pensioen is, kan hij comfortabeler leven dan met zijn pensioengeld van de staat alleen.

En in Vlaanderen moeten alle inwoners nu ook elk jaar betalen voor een verplichte zorgverzekering. Zo kunnen mensen die veel zorg nodig hebben ook geld krijgen voor hun extra niet-medische[10] kosten.

WERKBOEK 7B
P. 235

1	the rise in the ageing population
2	pensioners
3	choices
4	future
5	guarantee

6	in the first place
7	early retirement
8	in the second place
9	to make tax-deductible contributions to a pension fund
10	non-medical

woordenlijst les 7

de actieven	het inkomen	actief	sommige	afstaan°*
de bevolking	het leefloon	automatisch		verzekeren (r)
de hulp	het leven	financieel (financiële)		
de kinderbijslag	het minimum	kleiner		
de kosten	het pensioen	minder	zichzelf	
de partij	het pensioengeld	mogelijk		
de politicus		noodzakelijk		
de reden		ouder		
de steun		uitgebreid		met pensioen gaan / zijn
de zekerheid		verplicht		voor een deel
de ziekte				

DEEL 8

Uit eten.

Dat is veel gezonder !

1A

Bij Jennifer thuis

CD 3(22)

1. Jennifer   Hé, Marian, leuk dat je me nog eens bezoekt. Dat is lang geleden, zeg.

   Marian   Ja, je bent verhuisd en zo hebben we mekaar een beetje uit het oog verloren. En je woont nu ook verder weg.

   Jennifer   Kom binnen, kom toch binnen.

   Marian   Hé, je woont hier schitterend.

   Jennifer   Leuk, hè. Ik vind het een geweldig appartement. Het is groter en veel gezelliger dan het vorige. Er zijn twee slaapkamers en Brian heeft nu ook een bureau. Ja, ik woon hier veel en veel beter. En veel liever ook.

Even later

2. Marian   Ik ben blij dat ik ben langsgekomen. Ik vind het fantastisch voor je.

   Jennifer   Wat ? Wat vind je fantastisch ?

   Marian   Wel, je nieuwe woning, je nieuwe vriend ...

   Jennifer   Ik heb eindelijk een beetje geluk. En dat heb ik verdiend, mag ik wel zeggen. Na al die moeilijkheden met Fred, mijn eerste man, heb ik wel een beetje geluk verdiend. Nee, hij was niet gemakkelijk. Fred, bedoel ik. Hij was veel moeilijker dan Brian. En dan altijd die ruzies. Nee, het is goed dat we uit elkaar zijn. Dat is veel gezonder, zou ik denken.

   Marian   En nu heb je dus Brian.

   Jennifer   Ja, nu heb ik Brian. Hij is een schat. Hij is heel lief. Niemand is liever dan hij. Een droom van een man, is hij. Echt !

3. Marian   En Bert ? Hoe gaat het met hem ?

    Jennifer   Wel, ik zie hem nu zelden. Of liever, minder vaak dan vroeger. Hij is een beetje dikker geworden. Niet dik. Dat niet. Alleen niet meer zo mager. Hij maakt het uitstekend, zou ik zeggen. Kan niet beter. Hij heeft een Engelse vriendin en hij heeft een geweldige baan. Hij verdient schitterend. Ja, die jongen van mij doet het heel goed. Hij is sterk en heel zelfstandig en intelligent, veel intelligenter dan zijn vader. En hij is ook veel wijzer dan andere mannen van zijn leeftijd. Hij heeft meer gestudeerd en meer boeken gelezen dan ... Oh, daar is Brian. Ik hoor de deur.

DE COMPARATIEF: REGELMATIGE VORM
[the comparative: regular form]

Deze bal is **groot**.

Deze bal is **groter**

COMPARATIEF = ADJECTIEF + -er

ADJECTIEF	COMPARATIEF
moeilijk	moeilijk**er**
gezond	gezond**er**
intelligent	intelligent**er**
dik	di**kker**
groot	gr**o**t**er**
lief	lie**ver**
wijs	wij**zer**

(ZIE OOK: DEEL 4, 2B)

ADJECTIEF OP -R: COMPARATIEF = ADJECTIEF + -**d**er

ver	ver**der**
mage**r**	mager**der**
duu**r**	duur**der**

DE COMPARATIEF: ONREGELMATIGE VORMEN
[the comparative: irregular forms]

goed	**beter**
dikwijls (vaak)	**vaker**
graag	**liever**
veel	**meer**
weinig	**minder**

JE OVERTUIGING WEERGEVEN [expressing your conviction]

..., **zou ik zeggen.**
..., **mag ik zeggen.**
..., **zou ik denken.**

WERKBOEK 1A
P. 244

1 B

CD 3(23)

(DE VOLGENDE AVOND) JENNIFER KRIJGT TELEFOON VAN BERT

1.	Jennifer	Ah, dag Bert. Alles goed met je ?
	Bert	Ja, of nee, het gaat eigenlijk niet zo best. Ik wil ... ik moet je iets vertellen.
	Jennifer	Hé, wat is er aan de hand, Bertje ? Je stem klinkt zo vreemd.
	Bert	Ik ... ik ben mijn baan kwijt. Ik ben werkloos.
	Jennifer	Nee toch ! Dat is verschrikkelijk. Oh, Bertje, dat doet me pijn. Heel veel pijn. Waarom ? Waarom toch ?
	Bert	De firma heeft de jongste maanden slechtere resultaten geboekt, eh, ik bedoel kleinere winsten gemaakt. Er is grotere concurrentie en, en ... ze willen minder personeel, en goedkoper personeel, lagere loonkosten ...
2.	Jennifer	Ik wil ze op die firma weleens zeggen wat ik denk. Mijn zoon ontslaan ! Een uitstekende manager ontslaan ...
	Bert	Wat moet ik nu doen ? Wat kan ik nu doen, mama ?
	Jennifer	Meteen een andere baan zoeken, Bert. Elk bedrijf heeft een manager nodig.
	Bert	Maar, ik weet niet of ik nog marketingmanager wil zijn !
	Jennifer	Ho maar, Bertje ... Zo niet, hè. Je bent goed, heel goed. Ik ken geen betere managers. Nee nee, jij moet nu een nieuw kostuum kopen en solliciteren bij een groot bedrijf ... Een groter bedrijf, een belangrijker bedrijf ... Niemand heeft meer diploma's, niemand is intelligenter ... Je moet vechten.
3.	Bert	Ik weet het niet, mama. Ik weet het echt niet.
	Jennifer	Kop op ! Moed houden, Bert. Zal ik naar België komen ?
	Bert	Mama, nee ! Ik wil niet dat je komt.
	Jennifer	Waarom niet ? Ik wil je helpen, Bert. Echt waar !

MOED GEVEN [encouraging]

Moed houden, Bert.
Hou(d) moed !
Kop op !

DE COMPARATIEF: COMPARATIEF + SUBSTANTIEF

(ZIE OOK: DEEL 4, 4B)

1. GEEN -e

ENKELVOUD

Ø + comparatief + het-woord:
    goedkop**er**   personeel

(g)een + comparatief + het-woord:
  een   grot**er**   bedrijf
  geen   slecht**er**   resultaat

2. ANDERS: COMPARATIEF + -e

de-woorden	**het**-woorden
ENKELVOUD	
grot**ere** concurrentie	het grot**ere** bedrijf
de grot**ere** concurrentie	het slecht**ere** resultaat
MEERVOUD	
lag**ere** loonkosten	slecht**ere** resultaten
klein**ere** winsten	de grot**ere** bedrijven

> ⚠ **'Minder' en 'meer' krijgen nooit een '-e'.**
> *['Minder' and 'meer' never get an '-e'.]*
>   **minder** werknemers
>   **meer** concurrentie

WERKBOEK 1B
P. 246

---

 woordenlijst les 1

de leeftijd	het kostuum	wijs	klinken*	mekaar (= elkaar) uit elkaar
de moed	het personeel	zelfstandig	langskomen°*	uit het oog verliezen
de moeilijkheid			solliciteren	
de winst			vechten*	Ho ! 🔊
			verhuizen	Kop op ! 🔊
				Moed houden ! 🔊

Dat is jouw schuld !

2A

CD 3(24)

DEZELFDE AVOND WAT LATER BIJ JENNIFER THUIS

Jennifer	Brian, ik maak me ongerust over Bert.
Brian	Hoezo ? Je hebt gisteren nog tegen die vriendin van je gezegd dat het uitstekend met hem gaat.
Jennifer	Ja, ik weet het, maar ...
Brian	Heb je misschien gelogen ? Ja, dat is het: je hebt een beetje gelogen, hè ! Je hebt de dingen weer een beetje mooier voorgesteld !
Jennifer	Nee, Brian, zo is het niet. Ik lieg niet. Ik lieg nooit ! Bert heeft zopas gebeld. Er is gisteren iets verschrikkelijks gebeurd.
Brian	Wat ? Wat is er gebeurd ? Toch geen ongeval, hoop ik ?
Jennifer	Nee, nee.
Brian	Wat dan ? Wat is er dan aan de hand ?
Jennifer	Hij is zijn baan kwijt ! Bertje is werkloos !
Brian	Is dat alles ? Werkloos ? Wel, dan zal hij een andere baan moeten zoeken, zou ik denken.
Jennifer	Maar, hij wil geen andere baan. Of beter, hij wil geen andere baan als manager.
Brian	Dan doet hij wel iets anders.
Jennifer	Dat kan niet ! Of nee, dat wil ik niet ... Ik moet hem helpen, ik moet Bertje helpen.
Brian	Bertje, Bertje ... Bert is een man, Jennifer. Hij zal zelf wel zijn problemen oplossen.

| Jennifer | Maar Brian, Bert is bang en depressief. Hij is niet zo sterk als jij. |
| Brian | Dat is jouw schuld. Je hebt hem nooit iets laten doen. Of liever, je hebt hem nooit iets alleen laten doen. Het is jouw schuld als die zoon van je niet zonder zijn moeder kan. En het is jouw schuld dat hij niet sterk genoeg is. |

JE EIGEN WOORDEN CORRIGEREN
[correcting your own words]

Hij wil geen andere baan. **Of beter**, hij wil geen andere baan als manager.
Dat kan niet ! **Of nee**, dat wil ik niet.
Je hebt hem nooit iets laten doen. **Of liever**, je hebt hem nooit iets alleen laten doen.

IEMAND BESCHULDIGEN OF IETS VERWIJTEN
[accusing someone]

Je hebt een beetje gelogen, **hè** !
Dat is jouw / uw schuld.
Het is jouw schuld als / dat hij niet sterk genoeg is.

WERKBOEK 2A
P. 249

2 B

Brian	Jij kan toch niet wéér naar Europa gaan, Jennifer.
Jennifer	Waarom niet, als ik mag vragen ? Ik wil mijn zoon helpen !
Brian	Je bent pas geweest, Jennifer !

CD 3(26)

Jennifer	Oh, ik begrijp het. Jij bent bang dat ik jou minder belangrijk vind dan Bert. Denk je dat echt ? Maar, dat is niet zo, Brian. Helemaal niet. Ik vind jullie even belangrijk. Echt, jij bent even belangrijk voor mij als hij, maar jij bent sterker en zelfstandiger dan hij. En nu heeft hij mij meer nodig dan jij.
Brian	En je baan ?
Jennifer	Ik neem gewoon vakantie.
Brian	Maar, als Bert hulp nodig heeft, kan zijn vader hem toch helpen, of niet soms ?
Jennifer	Zijn vader, zijn vader ... Die ziet hem nog minder vaak dan ik. Bert heeft een betere vader verdiend. Jij bent een goede vader, Brian. Jij bent een betere vader dan Fred. Maar nu moet ik Bert helpen. Ik moet naar België.
Brian	Misschien wil hij helemaal niet dat je komt, Jennifer.
Jennifer	Dat wil hij wel. Dat weet ik. Ik ben zijn moeder !

1. =

Ik vind jullie **even** belangrijk.
Jij bent **even** belangrijk voor mij **als** hij.

2. ≠

INFERIORITEIT

Bert is **niet zo** sterk **als** Brian.
Hij is **niet even** sterk **als** hij.
Bert is **minder** sterk **dan** hij.

SUPERIORITEIT

Brian is **sterker dan** Bert.
Brian is **een betere** vader **dan** Fred.

1. **Na een comparatief volgt 'dan'. Anders: 'als'.**
   [A comparative is followed by 'dan'. Otherwise: 'als'.]

2. **Bert** is groter dan **Brian.**   **Bert** is groter dan **hij.**
   Brian maakt zich minder   **Brian** maakt zich minder
   ongerust dan **Jennifer.**   ongerust dan **zij.**

   Jennifer vindt **Brian**   Jennifer vindt **Brian** even
   even belangrijk als **Bert.**   belangrijk als **hem.**

**Als het tweede deel van de vergelijking een pronomen is dat met het subject
van het eerste deel wordt vergeleken, dan heeft het de subjectvorm. Wordt het
vergeleken met het object van het eerste deel, dan heeft het de objectvorm.**
*[When the second part of the comparison is a pronoun which is being com-
pared with the subject of the first part, it takes the subject form. If it is being
compared with the object of the first part, it takes the object form.]*

WERKBOEK 2B
P. 249

| **woordenlijst les 2**

de schuld   depressief   liegen*
                                       oplossen°

Wat een toestand !

3A

CD 3(27)

1. Paolo   En ... hoe gaat het nu met jou, Bert ?

    Bert   Pfff. Slecht. Ik voel me slecht, Paolo.

    Paolo   Slechter dan gisteren ?

    Bert   Ja, natuurlijk slechter. Mijn situatie is niet veranderd. Ik ben nog altijd werkloos. En als ik morgen nog geen werk heb, zal het met mij nog slechter gaan. En weet je wat het ergst is ? Niet kunnen slapen. Ik maak me zorgen en dan kan ik niet slapen. Vorige nacht was de langste en donkerste nacht van mijn hele leven.

    Paolo   Ja, als je niet kan slapen duren de uren het langst. Zeg, Bert, weet je wat ik het ergst vind ? Hier binnen zitten. Kijk eens. Nu is het weer aan het regenen. Eerst die sneeuw en nu regen. Dit is het natste seizoen dat ik ooit heb meegemaakt. Dit wordt de vreselijkste week van mijn leven.

    Bert   Wat een toestand ! Wat een miserie ! Zoveel ongeluk als ik heb, heeft niemand. Ik ben de ongelukkigste man van de wereld.

    Paolo   En ook de meest pessimistische, vrees ik.

2. Paolo   Zeg, ik wil hier geen hele week in bed liggen en niets doen. We moeten iets doen, Bert.

    Bert   Wat dan, Paolo ? Wat kan ik doen ? Ik wil het liefst slapen en niet meer denken. Dan gaat de dag het snelst voorbij. Oh, ik wil kunnen slapen.

    Paolo   Maar je moet iets doen, Bert. Hoe kan je nu werk vinden als je hier met je hoofd in je handen aan mijn bed zit ? Zo heb je niet de minste kans.

    Bert   Je hebt gelijk, Paolo. Ik weet het, je hebt gelijk.

Paolo	Natuurlijk heb ik gelijk.
Bert	Juist. Ik moet werk zoeken.
Paolo	Zo snel mogelijk.
Bert	Inderdaad. Zo snel mogelijk. Ik moet zo snel mogelijk een nieuwe baan zoeken. Maar hoe ?

DE SUPERLATIEF: REGELMATIGE VORM

Deze bal is **groot**.　　　Deze bal is **groter**.　　　Deze bal is het **grootst**.

Superlatief = het + adjectief + -st

adjectief	superlatief	
snel	**het** snel**st**	Zo gaat de dag **het snelst** voorbij.
lang	**het** lang**st**	De nachten duren **het langst**.
ongelukkig	**het** ongelukkig**st**	Bert is **het ongelukkigst**.

1.	wijs	het wijs~~st~~	Oude mensen zijn vaak **het wijst**.
2.	pessimistisch	**het meest** pessimistisch	Bert is **het meest pessimistisch**.

Adjectieven eindigend op '-isch' krijgen geen '-st' in de superlatief.
[Adjectives ending in '-isch' don't get a superlative in '-st'.]

DE SUPERLATIEF: ONREGELMATIGE VORMEN

goed	**het best**
dikwijls (vaak)	**het vaakst**
graag	**het liefst**
veel	**het meest**
weinig	**het minst**

DE SUPERLATIEF: SUPERLATIEF + SUBSTANTIEF

de-woord	**het**-woord
superl. = de + adj.+ -ste	**superl. = het + adj.+ -ste**
de langst**e** nacht	**het** natst**e** seizoen
de vreselijkst**e** week	**het** best**e** boek
de minst**e** fouten	**het** meest**e** geld
de meest praktisch**e** oplossing	**het** meest optimistisch**e** kind

Ook sommige preposities krijgen een superlatief.
[Also some prepositions have got a superlative.]

de voorst**e** rij	**het** bovenst**e** rek
de achterst**e** rij	**het** onderst**e** rek

WERKBOEK 3A
P. 252

Bɪj Paolo thuis, even later

Bert	Ik ben boos. Ik ben heel boos.
Paolo	Op wie ? Op mij ?
Bert	Nee, natuurlijk niet. Op die Rogiers.
Paolo	Rogiers ?
Bert	Ja, Rogiers. Dat is de man die mij heeft ontslagen. Dat is de dikste, de domste en de arrogantste directeur die ik ooit heb ontmoet. Dat is een man die niet van mensen maar van cijfers houdt. En van geld. Op dit ogenblik is hij misschien weer een collega aan het ontslaan. En dat resultaat ...
Paolo	Welk resultaat ?
Bert	Van de dienst marketing. Het resultaat dat hij heeft getoond, klopt niet. Dat kan niet kloppen. De cijfers van de laatste maanden waren niet zo slecht.
Paolo	Rustig, Bert. Rustig maar. Jij moet misschien werk zoeken in een bedrijf dat niet zo groot is. Jij moet werken voor een baas die van zijn werknemers houdt.
Bert	Oh, ik wil nooit meer in een bedrijf werken. Ik heb nooit manager willen zijn. Waarom luister ik toch altijd naar mijn moeder ?

CD 3(28)

HET RELATIEF PRONOMEN: 'DIE' OF 'DAT'
[the relative pronoun: 'die' or 'dat']

ENKELVOUD

de - woord	**DIE**
... de man	**die** mij heeft ontslagen.
... de arrogantste directeur	**die** ik ooit heb ontmoet.
... een man	**die** niet van mensen maar van cijfers houdt.
... een baas	**die** van zijn werknemers houdt.
het - woord	**DAT**
Het resultaat	**dat** hij heeft getoond, ...
... een bedrijf	**dat** niet zo groot is.

MEERVOUD

	DIE
... werknemers	**die** hij heeft ontslagen.
... de resultaten	**die** hij heeft getoond.

Het relatief pronomen 'die' verwijst naar een genoemd 'de'-woord; het relatief pronomen 'dat' verwijst naar een genoemd 'het'-woord. (zie ook: deel 3, 5B). 'Die' en 'dat' zijn de 'links' van de relatieve bijzin.
[The relative pronoun 'die' refers to a mentioned 'de'-word; the relative pronoun 'dat' refers to a mentioned 'het'-word. (See part 3, 5B). 'Die' and 'dat' are the linking words of the relative subclause.]

ZINSSTRUCTUUR *[sentence structure]*

hoofdzin	relatieve bijzin*	rest van de hoofdzin
Dat is <u>de man</u>	**die** mij heeft ontslagen.	
Dat is <u>de arrogantste directeur</u>	**die** ik ooit heb ontmoet.	
Dat is <u>een man</u>	**die** niet van mensen maar van cijfers houdt.	
<u>Het resultaat</u>	**dat** hij heeft getoond,	klopt niet.
Jij moet werk zoeken in <u>een bedrijf</u>	**dat** niet zo groot is.	

* Een relatieve bijzin heeft dezelfde structuur als elke andere bijzin. (Zie: deel 5, 2A)
De "links" 'die' of 'dat' vallen soms samen met het subject of het object van de relatieve bijzin.
[A relative subclause has got the same structure as any other subclause. (See: part 5, 2A) Sometimes the linking words 'die' or 'dat' are at the same time the subject or the object of the relative clause.]

WERKBOEK 3B
P. 254

3 C

CD 3(29)

BIJ PAOLO THUIS, EVEN LATER

1. Bert   Waar kan ik nu werk vinden ? Er is bijna geen werk. Het is crisis.
   Paolo   Eh ... Laten we eerst een dag vakantie nemen !
   Bert   Dat is een goed idee ! Laten we eerst een dag vakantie nemen.
   Paolo   Om uit te rusten.
   Bert   Om na te denken.
   Paolo   En om helemaal te genezen.
   Bert   Juist. Om helemaal te genezen. Wanneer ?
   Paolo   Morgen !
   Bert   Prima ! Waar gaan we naartoe ?
   Paolo   Eh ... naar Antwerpen ! Daar ben ik nog nooit geweest !

BIJ ELS THUIS

2. Peter   Ik zou graag uitgaan.
   Els   Uitgaan ? Maar je bent ziek, Peter.
   Peter   Ik, ziek ? Niet waar. Je hebt zelf gezegd dat ik genezen ben. Zullen we uitgaan ? Om weer eens mensen te zien ... Of laten we gaan eten in een restaurant.
   Els   Ja, dat is iets rustiger en gezelliger dan uitgaan. Dat vind ik een beter idee. Oké. Morgen gaan we naar een restaurant ... Om eens lekker te eten en om te vieren dat je weer beter bent.

EEN DOEL UITDRUKKEN *[expressing a purpose]*

om te + infinitief

Els gaat met Peter naar een restaurant **om** eens lekker **te** eten en **om te** vieren
  dat Peter weer beter is.
Paolo wil een dag vakantie (nemen) **om** uit **te** rusten en **om** helemaal **te**
  genezen.
Bert wil een dag vakantie (nemen) **om** na **te** denken.

| uitrusten | **om uit te rusten** |
| nadenken | **om na te denken** |

Bij scheidbare werkwoorden staat de 'te' tussen de twee delen.
[With separable verbs the 'te' is put in between the two parts.]

WERKBOEK 3C
P. 256

woordenlijst les 3

de crisis	het cijfer	achterste	genezen*	zo snel mogelijk
de miserie		arrogant	meemaken°	
de situatie		bovenste	vieren	
de toestand		nat	voorbijgaan°*	
		onderste	vrezen	
		ongelukkig		
		voorste		

Naar Antwerpen !

4A

CD 3(30)

DE VOLGENDE DAG BIJ BERT THUIS

1. Paolo   Bert, waar vind ik wat informatie over Antwerpen ?
   Bert   Zoek eens in dat blauwe boek daar.
   Paolo   Waarin, zeg je ?
   Bert   In dat grote blauwe boek op het kleine tafeltje.
   Paolo   Waarop ?
   Bert   Op dat kleine tafeltje daar, links.
   Paolo   Ah ! Gevonden.
   Bert   In dit boek vind je al de toeristische attracties van de stad Antwerpen.
   En ergens heb ik ook nog een boek over de geschiedenis van
   Antwerpen.
   Paolo   Waarover ?
   Bert   Over hoe Antwerpen vroeger was.

BERT EN PAOLO OP HET PERRON

2. Paolo   Waarnaar ben je aan het kijken, Bert ?
   Bert   Ik kijk niet naar iets, ik kijk naar iemand.
   Paolo   Naar wie kijk je dan ?
   Bert   Naar dat meisje daar met die rode jas en die zwarte rok.
   Paolo   Waar ?
   Bert   Daar bij die man in dat bruine kostuum. Ze heeft ook een hoed op.
   Ze lijkt op Els, vind je niet ?
   Paolo   Op wie, zeg je ?
   Bert   Op Els.
   Paolo   Op Els ? Helemaal niet. Els is mooier, veel mooier.

IN DE TREIN

3. Bert   Zullen we in Antwerpen ook even winkelen ? Ik heb een nieuw hemd
   nodig. Op de Meir zijn er veel mooie winkels.
   Paolo   Waar ?
   Bert   Op de Meir. De Meir is een straat, een grote brede straat, de
   belangrijkste winkelstraat van Antwerpen.
   Paolo   Oh ! Oké. Laten we gaan winkelen. Ik wil ook wel iets nieuws.

4. Paolo   Hé, Bert. Je bent zo stil. Je zwijgt zeker al tien minuten. Waaraan
   denk je ?
   Bert   Aan mijn baan. Of liever aan de baan die ik had. En aan die Rogiers.
   Paolo   Vergeet nu even je ontslag en vergeet die Rogiers. Vandaag nemen
   we vakantie.

- Ik heb nog een boek **over** de geschiedenis van Antwerpen.
- **Waarover ?**
- **Over** de geschiedenis van Antwerpen.

- **Waarin** vind ik die informatie ?
- **In** dat grote blauwe boek.

- **Waar** ligt dat boek ?
- **Op** het tafeltje.
- **Waarop ?**
- **Op** dat kleine tafeltje daar.

- **Waarnaar** ben je aan het kijken ?
- **Naar** de vertrekuren van de treinen.

- **Waaraan** denk je ?
- **Aan** de baan die ik had.

PREPOSITIE + WAT ?

WAAR + PREPOSITIE ?

~~Aan wat~~ denk je ?	**Waaraan** denk je ?
~~Over wat~~ gaat de film ?	**Waarover** gaat de film ?
~~Naar wat~~ kijk je ?	**Waarnaar** kijk je ?

1. Wel: prepositie + wie
   - **Aan wie** denk je ?
   - Ik denk **aan Els**.

   - **Over wie** spreek je nu ?
   - Ik spreek **over mijn moeder**.

   - **Op wie** lijkt hij ?
   - Hij lijkt **op zijn broer**.

2. Vragen naar een plaats: ~~WAARIN ?~~ WAAR

   - De Meir ligt in Antwerpen.
   - ~~Waarin~~ ligt de Meir ?
   - In Antwerpen.

   - De Meir ligt in Antwerpen.
   - **Waar** ligt de Meir ?
   - In Antwerpen.

WERKBOEK 4A
P. 257

Antwerpen ligt aan de Schelde. De stad telt ongeveer 470.000 inwoners. Antwerpen heeft veel gezichten. Het is een oude middeleeuwse stad, maar ook een zeer moderne stad, met een druk uitgaanscentrum.

In de vijftiende eeuw wordt Antwerpen het grootste commerciële en financiële centrum van Europa. Ook nu nog is de stad aan de haven de belangrijkste Belgische handelsstad. Je vindt er handelshuizen[1] uit heel de wereld. En Antwerpen is het wereldcentrum van de diamant.

Door de handel is Antwerpen een kosmopolitische stad geworden. In Antwerpen zijn alle nationaliteiten en alle religies aanwezig. Er zijn kerken voor katholieken[2], orthodoxen[3], protestanten[4], anglicanen[5], er zijn synagogen[6], moskeeën[7] en zelfs enkele boeddhistische tempels[8]. Antwerpen heeft al eeuwen een gastvrije en tolerante traditie.

De oude binnenstad is een levendig centrum gebleven. Onder de toren van de Onze-Lieve-Vrouwekathedraal[9] - de grootste gotische kerk van Vlaanderen - kan je in de zomer bij een koele pint bier genieten van het spel van de 'beiaard'[10]. In de oude, smalle straatjes rond de kathedraal vind je kleine, gezellige restaurants en mooie antiekwinkeltjes[11]. Toeristen houden vooral van de gerestaureerde[12] Vlaaikensgang uit de zestiende eeuw.

---

1   mercantile houses
2   Catholics
3   orthodox believers
4   Protestants
5   Anglicans
6   synagogues
7   mosques
8   Buddhist temples
9   Our Lady's Cathedral
10 carillon
11 antique shops
12 restored

Antwerpen is ook de stad van belangrijke figuren uit onze culturele geschiedenis. Het is de stad van grote Vlaamse schilders zoals Pieter Pauwel Rubens, Antoon Van Dijck, Jacob Jordaens, Quinten Matsijs, David Teniers en Adriaan Brouwer; het is ook de stad van de beroemde zestiende-eeuwse drukkers[13] Christoffel Plantijn en Jan Moretus en van de eerste Vlaamse romanschrijver[14] Hendrik Conscience.

WERKBOEK 4B
P. 258

woordenlijst les 4

de attractie	het tafeltje	commercieel (commerciële)	lijken* op
de binnenstad	het uitgaanscentrum	cultureel	genieten* van
de diamant	het winkeltje	gastvrij	ophebben°*
de handel		koel	
de handelsstad		kosmopolitisch	
de hoed		levendig	
de nationaliteit		tolerant	
de religie			waarin, waaraan ...
de rok			
de traditie			wat (= een beetje)
de winkelstraat			

---

13 printers
14 novelist

Nieuwe kleren.

5A

BERT EN PAOLO LOPEN LANGS DE ETALAGES IN ANTWERPEN

1. BROEK (85 €)
2. JASJE (220 €)
3. (OVER)JAS (399 €)
4. KOSTUUM (449 €)
5. SOKKEN (6,50 €)

6. DAS (40 €)
7. LEREN RIEM (75 €)
8. WOLLEN MUTS (29,99 €)
9. WOLLEN SJAAL (39,99 €)
10. PET (60 €)

11. OVERHEMD (65 €)
12. VEST (80 €)
13. TRUI (120 €)
14. SHORT (25 €)

jasje = colbert

JURK (34,90 €)
BEHA & SLIP (24,90 €)
HERENONDERBROEK
(7,49 €)
ONDERHEMD (8,99 €)

ZUDEN BLOES ;
MATEN 38-44 (49,90 €)
KLEUREN : WIT, ROZE, GEEL
ROK ;
MATEN 38-44 (62,50 €)
KLEUREN : ZWART, GR'JS, BLAUW
ZWARTE HOED (55 €)

JEANS (62,50 €)
KATOENEN T-SHIRT MET
LANGE MOUWEN (12,49 €)
JAS (72,50 €)
KOUSEN (6,29 €)

WERKBOEK 5A
P. 259

Halfacht 's morgens. Elly is tegen zichzelf aan het praten

Halfacht. Tijd om op te staan, Elly ! Oh, ik voel me nog altijd slecht. Bah ! Ik voel me nog slechter dan gisteren. En die hoest. En ik heb nog minder geslapen dan de vorige nacht. Wat een leven, verdomme.

CD 3(33)

Zo, wat zal ik vandaag aantrekken ? Nee, geen bloesje vandaag. Ik ben verkouden. Ik trek beter iets warms aan. Dat is zekerder. Maar wat ? Ik kan toch niet met een broek en een trui in de winkel staan. En jurken heb ik niet. Dus, die oude rok dan maar. Of nee, toch niet. Die rok mist een knoop en hij past niet bij mijn donker-bruine trui. En in mijn nylon kousen is er een gat. Die zijn dus kapot. Oké, dan toch maar die broek met mijn bruine trui.

Oh, ik heb zo'n zin om eens rustig te gaan winkelen en kleren te kopen, heel veel kleren te kopen. Maar ik heb geen tijd om kleren te gaan kopen. Ik ben ziek en ik heb zelfs geen tijd om te rusten.

Ik hoop dat de klanten vandaag een beetje vriendelijk zijn. Bah, het regent weer. Dan doen klanten altijd zo moeilijk.

En vandaag al de rekeningen in orde brengen. Begrepen, Elly ? Dat kan niet langer wachten. De administratie van je winkel wordt anders een echte ramp. Wat ik nodig heb, is een manager. Een manager die de administratie voor mij kan regelen. En ik heb een vriend nodig. Ik ben altijd alleen. Ja, je wordt ouder, Elly, binnenkort 32 en je staat voor alles alleen. Maar, hoe vind ik nu een vriend ? Al mijn klanten zijn kinderen of getrouwde vrouwen of oudere mannen ... Kom, Elly. Kop op ! We beginnen een nieuwe dag.

WERKBOEK 5B
P. 261

Paolo en Bert winkelen in Antwerpen

In een klerenwinkel

CD 3(34)

1. verkoper	Kan ik u helpen ?	
Bert	We zouden graag even rondkijken, meneer.	
verkoper	Doet u maar, heren. Hier liggen de overhemden en de wollen truien en achteraan in de winkel hangen de colberts, de broeken en de kostuums.	
2. Paolo	Kijk eens wat een mooie zijden hemden, Bert.	
Bert	Ja, wel leuk. Maar die kleuren, zeg.	
Paolo	Dat vind ik heel mooie kleuren. Ik zou zo'n zijden hemd wel dragen. Maar ik heb hemden genoeg.	
Bert	Nee, met zo'n hemd zou ik opvallen en ik wil niet opvallen. En ik wil geen hemd van zijde. Ik wil een gewoon wit katoenen hemd.	

Paolo	Jij hebt altijd witte overhemden aan, Bert. Wil je niet eens iets anders ?
Bert	Ah, hier liggen ze. Kijk, dit vind ik een mooi hemd. Mooie stof.
Paolo	En ... Heb je al eens naar het prijskaartje gekeken, Bert ?
Bert	Verdorie !

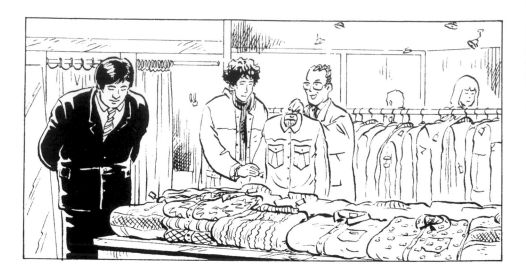

IN EEN ANDERE KLERENWINKEL

3.	Paolo	Kunt u me even helpen, mevrouw ?
	verkoopster	Een ogenblik, meneer. Ik kom meteen. (...) Zo. Zegt u het maar.
	Paolo	Hebt u dit groene jasje ook nog in andere maten ?
	verkoopster	Welke maat hebt u, meneer ?
	Paolo	Een medium. 44 of 46. Ik weet het niet precies.
	verkoopster	Dit is maat 44.
	Paolo	Mag ik het even passen ?
	verkoopster	Natuurlijk, meneer. Daar is een spiegel. En ? Hoe vindt u het ?
	Paolo	Mmm ... Ik vind dit wel een elegant jasje, maar het zit niet echt comfortabel.
	verkoopster	Mmm ... Het is een beetje te smal. Wacht, ik geef u een grotere maat. Kijk, dit jasje is maat 48. Past dat beter ?
	Paolo	Mmm ... ja. Het zit goed. Maar de mouwen zijn te lang, vindt u niet ?
	verkoopster	Nee, dat vind ik niet, meneer. Ze mogen zeker niet korter. Ik vind dat dit jasje u bijzonder goed staat. En het past perfect. Ik vind het echt een modieus en elegant jasje. En de stof is van prima kwaliteit. 100 % wol.
	Paolo	Oké, ik neem het.
	verkoopster	We hebben ook een mooie lichtbeige broek die goed bij dit jasje past ...
	Paolo	Nee nee nee, dank u, ik neem alleen de jas.

Paolo en Bert in een café in Antwerpen

4. Bert   En ? Waar is je jasje nu ?
   Paolo   Het zit in deze plastic zak.
   Bert   Trek het eens aan.
   Paolo   Wat ? Hier ?
   Bert   Ja. Waarom niet ? Trek het even aan.
   (...)
   Paolo   Vind je het mooi ?
   Bert   Sta eens recht ! Mmm ... Ja, ik vind het een heel mooi jasje.
               Maar wel een beetje opvallend, hè.
   Paolo   Dat mag toch !
   Bert   Ja, voor jou wel. Het staat je uitstekend, Paolo.
   Paolo   En jouw hemd ? Laat je hemd ook eens zien.
   Bert   Oh, het is een simpel, wit, katoenen hemd.
   Paolo   Mmm ... Eenvoudig en mooi.

EEN OORDEEL GEVEN *[giving an opinion]*

(ZIE OOK: DEEL 4, 5A)

Hij is	een gemakkelijke klant.	**Dit is**	een dure winkel.
Ik vind hem	een gemakkelijke klant.	**Ik vind dit**	een dure winkel.
Zij is	een goede verkoopster.	**Dat zijn**	heel mooie kleuren.
Ik vind haar	een goede verkoopster.	**Ik vind dat**	heel mooie kleuren.
		Het is	een mooi jasje.
		Ik vind het	een mooi jasje.

VRAGEN OVER KLEREN *[questions on clothes]*

	REACTIE
Welke maat heeft u ?	**Maat 44.**
	Small.*
	Medium.*
	Large.*

* = internationale maten in het Engels
   [international size indications in English]

Mag ik het jasje even **passen** ?	Natuurlijk !
Past dit jasje ?	Het **past** goed.
	Het **zit** comfortabel.
	Het is **te** groot.
	Het is **niet** groot **genoeg.**
	Het is **te** smal.
	Het is **niet** breed **genoeg.**
Past deze broek ?	Ze is **te** lang.
	Ze is **te** kort.
Hoe vind je dit jasje ?	**Het staat je** uitstekend.
	De kleur **past** goed **bij** je broek.

STOFADJECTIEVEN *[adjectives indicating materials]*

stofadjectief = substantief + en

een rok van wol	een woll**en** rok
een hemd van katoen	een katoen**en** hemd
een riem van leer	een ler**en** riem
een hemd van zijde	een zijd**en** hemd

Stofadjectieven eindigen op '-en' en krijgen nooit een '-e'.

(zie: deel 4, 4b)

[Adjectives indicating materials end in '-en' and never get an -e.

(See: Part 4, 4B)]

kousen van nylon	**nylon** kousen
een zak van plastic	een **plastic** zak

Dit hemd is ~~zijden~~.	Dit hemd is <u>van</u> zijde.
Die zak is ~~plastic~~.	Die zak is <u>van</u> plastic.

WERKBOEK 5C
P. 262

woordenlijst les 5

de beha	de kwaliteit	de rok	het colbert	beige	medium	aanhebben°*
de bloes	de maat	de short	het gat (de gaten)	donkerbruin	modieus	dragen*
de broek	de mouw	de sjaal	het jasje	eenvoudig	nylon	opvallen°*
de das	de muts	de slip	het katoen	elegant	opvallend	passen
de hoed	de onderbroek	de sok	het leer	kapot	perfect	rechtstaan°*
de jeans	de overjas	de spiegel	het onderhemd	katoenen	roze	rondkijken°*
de jurk	de pet	de stof	het overhemd	large	wollen	zou / zouden
de klerenwinkel	de ramp	de zijde	het prijskaartje	leren	zijden	(zullen)
de knoop	de rekening		het vest	lichtbeige		
de kous	de riem					
				achteraan		
				bijzonder		
				binnenkort		

Eet smakelijk !

6A

ELS EN PETER IN HET RESTAURANT

CD 3(36)

1. ober   Goedenavond, mevrouw, meneer. Hebt u gereserveerd ?
   Peter   Ja. Maas is de naam.
   ober   Zal ik uw jas aannemen, mevrouw ? Daar hebt u een tafel voor twee. Gaat u zitten.
   Els   Dank u.

2. Peter   Mogen we de kaart, alstublieft ?
   ober   Zeker, meneer. Alstublieft. Hier is de kaart.

Peter   Dank u. Hé, wat gezellig hier.

Els   En zo romantisch met die kaarsen. Wat een heerlijke avond, Peter, zo alleen met ons tweeën. En wat een heerlijke gerechten ...

Peter   Laten we hopen.

Els   Wat een keuze, zeg. Wat neem jij ?

Peter   Ik weet het nog niet. Ik zou graag een goed stuk vlees hebben. Zouden die kalfslapjes lekker zijn ? En jij ? Wat wil jij eten ?

Els   Ik weet het niet. Alles lijkt lekker. Maar, ik heb vandaag geen zin in vlees, ik zou liever vis hebben.

ober   Heeft u al gekozen ?

Peter   Nee, nog niet. Een ogenblik, alstublieft.

ober   Wenst u misschien een aperitief ?

Peter   Voor mij een porto, graag.

Els   En voor mij ... Even kijken ... Geeft u mij maar een glas zoete, witte wijn.

3. ober   Eén porto en één zoete, witte wijn. Alstublieft.
   Els, Peter   Dank u.
   Els   Op je genezing, Peter. Gezondheid !
   Peter   Op het mooiste meisje in dit restaurant. Proost !

DE OBER KOMT MET DE GERECHTEN

4. ober   Alstublieft. Eet u smakelijk.
   Peter   Dank u.
   Els   Mmm. Dát ziet er lekker uit. Smakelijk eten, Peter !
   Peter   Smakelijk !

IEMAND TOEDRINKEN *[toasting to someone]*

	REACTIE
Op je genezing !	**Gezondheid !**
Proost !	**Proost !**
(Op je / uw) gezondheid !	

'SMAKELIJK ETEN' TOEWENSEN
[wishing someone to enjoy his / her meal]

	REACTIE
Smakelijk !	**Smakelijk !**
Eet smakelijk !	**Eet smakelijk !**
Smakelijk eten !	**Smakelijk eten !**
	Dank je / u.

VERRASSING UITDRUKKEN *[expressing surprise]*

1. Wat / hoe + adjectief

Wat / hoe gezellig, hier !
Wat / hoe leuk !

2. Wat een + (adjectief +) substantief

Wat een heerlijke gerechten !
Wat een heerlijke avond !
Wat een duur restaurant !
Wat een lekkere wijn !
Wat een keuze !

 'Wat' kan ook 'een beetje' of 'iets' betekenen.
['Wat' can also mean 'een beetje' or 'iets'.]
Wilt u nog wat wijn?
Ik wil wat warms.

WERKBOEK 6A
P. 265

(ZIE OOK: DEEL 4, 1A)

6B

PETER EN ELS IN HET RESTAURANT

CD 3(38)

1.	Peter	Je bent dus nooit op Paolo verliefd geweest ?
	Els	Nee, Peter, ik ben nooit op hem verliefd geweest.
	Peter	Dat is het antwoord dat ik wil horen.
	Els	En, Peter, om je te tonen dat ik het echt meen, zal ik stoppen met die Italiaanse lessen.

Peter	Nee nee, Els. Waarom zou je stoppen ? Ik vertrouw je. Als jij zegt dat er niets is tussen jou en Paolo, dan geloof ik dat. Waarom zou ik je niet geloven ?
Els	Oh, Peter ! Ik vind je zo lief. Ik zou alles voor je doen ...
Peter	En ik zou als dessert graag ijs met heel veel chocolade willen.

NA HET DESSERT

2. ober	En heeft het gesmaakt ?
Peter	Euh ... Jazeker. Heel lekker. Dank u. Kunnen we de rekening hebben, alstublieft ?
ober	Jazeker.

BERT EN PAOLO IN EEN CAFÉ IN ANTWERPEN

```
            – Onder De Toren –

  Jupiler            2,10    Stella Artois         2,10
  Maes Pils          2,10    De Coninck            2,10
  Carlsberg          2,50    Kronenburg            2,25
  Corona             3,25    Butweiser             2,90
  Hoegaarden witbier 2,40    Hoegaarden Grand Cru  2,90
  Dentergemse        2,40    Duvel                 3,10
  Verboden Vrucht    3,40    Olifant               3,10
  Palm               2,40    Westmalle Dubbel      3,10
  Pale Ale           2,60    Westmalle Triple      3,40
  Belle-Vue          2,90    Heineken              2,40
  Rodenbach          2,90    Kriek                 2,60
  La Chouffe         3,10    Gueuze                2,60

            btw en bediening inclusief
```

3. Bert	Heb je dit gezien ? Hier hebben ze meer dan 20 soorten bier.
Paolo	Ja, en ik zou nog wel een biertje willen.
Bert	Zouden we niet beter een koffie drinken ? We hebben al twee glazen gedronken.
Paolo	Jij mag koffie drinken. Ik neem nog een Duvel.* Wat een lekker bier, zeg !

* [Duvel: a strong Belgian beer]

4. Paolo	Zeg, Bert. Jij hebt toch een vriendin in Italië. Alison ? Heet ze zo niet ? Een Engelse, die in Italië woont. Hoe gaat het met haar ?
Bert	Mmm ... Goed.
Paolo	Zou jij ook niet naar Italië gaan en dáár werk zoeken ? Dan kan je bij je vriendin wonen.
Bert	Neenee, dat vind ik geen goed idee.
Paolo	Waarom niet ?

Bert	Daar zal ik toch ook geen werk vinden. En daarbij, ik spreek geen Italiaans.
Paolo	Ik zou het je kunnen leren ! Ik zou je privélessen kunnen geven.
Bert	Nee nee ...
Paolo	En ... vindt jouw Alison het normaal dat jij op andere vrouwen verliefd wordt ?
Bert	Nee nee. Ze ... Ik ... Ik denk dat ...
Paolo	Of vertel je haar niet dat je op iemand anders verliefd bent geworden ?
Bert	Mmm ...
Paolo	Of ... Bestaat ze niet, jouw Alison ?
Bert	Nee.
Paolo	Wat ?
Bert	Nee, zoals je zegt. Ze bestaat niet. Er bestaat geen Alison.
Paolo	Ze ... Ze bestaat echt niet ?
Bert	In mijn fantasie wel, maar niet in de realiteit.
Paolo	Nee toch !

DE VORMEN: ZOU / ZOUDEN *[the forms: 'zou' / 'zouden' = would]*

ENKELVOUD: **zou + infinitief**

Ik **zou** alles voor je **doen.**
Waarom **zou** je **stoppen ?**
Zou hij ook niet naar Italië **gaan ?**

MEERVOUD: **zouden + infinitief**

Zouden die kalfslapjes lekker **zijn ?**

EEN WENS OF VOORKEUR UITDRUKKEN*
[expressing a wish or preference.]

(ZIE OOK DEEL 4, 1A, 4A, DEEL 5, 1A)

Ik **zou graag** een goed stuk vlees hebben.
Ik **zou liever** vis hebben.
Ik **zou** alles voor je **(willen) doen.**
Ik **zou** als dessert **(graag)** ijs **willen.**
Ik **zou** nog wel een biertje **willen.**

* Met 'zou' en 'zouden' kunnen nog andere attitudes van de spreker worden uitgedrukt, zoals 'twijfel' (Zou hij ziek zijn ?) of een 'suggestie' (Zou je niet beter een beetje vroeger komen ?) enz.
['Zou' and 'zouden' may also express other attitudes of the speaker, like 'doubt' (Zou hij ziek zijn ?) or a 'suggestion' (Zou je niet beter een beetje vroeger komen ?) etc.]

WERKBOEK 6B
P. 267

woordenlijst les 6

de bediening	het biertje	inclusief	aannemen°*	Proost !
de btw	het dessert	smakelijk	smaken	Gezondheid!
de fantasie	het kalfslapje		reserveren	
de genezing				
de gezondheid				
de kaars		met ons tweeën		
de porto				
de realiteit				
de rekening				

De Belgische economie.

7A

IN WELKE SECTOREN WERKT DE BELGISCHE BEVOLKING ?

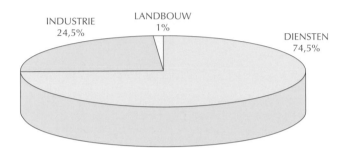

INDUSTRIE
24,5%

LANDBOUW
1%

DIENSTEN
74,5%

In het federale België mogen de regio's Vlaanderen, Brussel en Wallonië zelf beslissingen[1] nemen in verband met landbouw, industrie en buitenlandse handel. Hoe belangrijk zijn deze sectoren ?

1. DE LANDBOUW

België heeft nu veel minder open ruimte dan bij zijn ontstaan in 1830. Vlaanderen heeft de jongste 20 jaar per dag 10 hectare open ruimte verloren. Dat is meer dan één vierkante meter[2] per seconde. België verliest zijn open ruimte sneller dan de meeste andere Europese landen. Maar de landbouw blijft wel de grootste gebruiker van de niet-bebouwde ruimte.

In België is de veeteelt[3] het belangrijkst. Landbouwbedrijven in Vlaanderen en Wallonië kweken vooral dieren zoals runderen[4], varkens[5], kippen of schapen[6],

maar ook veel groenten en fruit. Het noorden van Wallonië is de streek van de graangewassen[7]. In het zuiden van Wallonië zijn er alleen bossen en weiden.

De Belgische landbouw heeft een zeer hoge productiviteit, is zeer divers en zeer intensief. Maar zoals in andere Europese landen zijn er in de Belgische landbouw veel economische en ecologische problemen.

Moderne landbouwbedrijven vragen heel veel investeringen[8], de energie is duur en de milieunormen[9] zijn streng. Daarom worden de Belgische landbouwbedrijven steeds groter[10] en zijn er steeds minder[11] landbouwers. Veel jonge mensen willen niet meer in de landbouwsector werken, want daar verdienen ze gemiddeld niet zoveel als de werknemers in de andere economische sectoren.

1	decisions
2	square meter (m²)
3	cattle breeding
4	cattle
5	pigs
6	sheep

7	(grain) crops
8	investments
9	environmental standards
10	bigger and bigger
11	less and less

De Belgische landbouw produceert ook nog altijd te veel mest[12], en dat zorgt voor vervuiling van het drinkwater. Maar gelukkig kiezen steeds meer landbouwers voor een ecologische landbouw, met respect voor de natuur en voor het welzijn van de dieren.

2. DE INDUSTRIE

In Wallonië is de industriële ontwikkeling[13] al in de 19e eeuw begonnen met mijnbouw[14] en zware industrie. Toen waren de Waalse industriële centra rond Charleroi en Luik economisch zeer belangrijk voor België. Maar door het sluiten van de steenkoolmijnen[15] en het verdwijnen van de metaalindustrie vanaf de jaren vijftig van de 20e eeuw zijn die regio's armer geworden. Toch zijn er nu ook nieuwe Waalse economische centra. Vooral in de provincie Waals-Brabant gaat de economische ontwikkeling zeer snel. De universiteiten van Luik en Louvain-La-Neuve spelen een belangrijke rol[16] in die vernieuwing[17] van de Waalse economie.

Vlaanderen is sinds de tweede helft van de 20e eeuw economisch veel sterker dan Wallonië. Dat was niet altijd zo. In Vlaanderen is de industriële activiteit pas na de Eerste Wereldoorlog echt begonnen. Maar vooral na de Tweede Wereldoorlog heeft Vlaanderen een moderne economie kunnen ontwikkelen. In de buurt van de havens van Antwerpen en Gent vind je nu grote internationale bedrijven zoals olieraffinaderijen[18], petrochemische[19] bedrijven en assemblagebedrijven[20]. Ook nieuwe lichte industrieën zoals de textiel-, de hout- en de voedingsindustrie[21] zijn belangrijk in Vlaanderen.

In de Belgische industrie produceert elke werknemer nu gemiddeld twee keer zoveel als in 1980. De productiviteit van de industriële bedrijven is dus zeer hoog. Toch is het voor Belgische bedrijven niet altijd gemakkelijk om concurrentieel[22] te blijven in Europa. Ook nieuwe, sterk groeiende economieën zoals die van China zorgen voor concurrentie. Daarom moeten onze bedrijven flexibel[23] zijn: ze moeten zich snel kunnen aanpassen[24].

De belangrijkste motor van de Vlaamse economie zijn de kleine en middelgrote ondernemingen (KMO's)[25]. Die zijn zeer flexibel en innovatief. Zij zorgen dat de economie de moeilijke tijden op de internationale economische markt kan overleven.

Maar de industriële sector is veel minder belangrijk geworden. Steeds meer[26] mensen vinden nu ccn baan in de dienstensector[27], want vooral door de technologische ontwikkeling in de industrie is de vraag naar diensten veel groter geworden.

---

12 manure
13 industrial development
14 mining industry
15 coal-mines
16 play an important role
17 renewal

18 oil refineries
19 petrochemical
20 assembly plants
21 textile, wood and food industries
22 competitive
23 flexible
24 to adapt
25 small and medium-sized companies
26 more and more
27 services sector

3. De handel

De Belgische economie is vooral op export gericht[28]. België is per inwoner de grootste exporteur[29] van de wereld. Het exporteert[30] goederen[31] en diensten via vele wegen. Door goede verbindingen[32] met de gebieden over zee, door goede verbindingen met het Europese waterwegennet[33], door internationale spoorwegverbindingen[34] en door een zeer dicht autowegennet[35] zijn de havens van Antwerpen, Zeebrugge en Gent belangrijke poorten op de wereld. België telt ook vijf luchthavens: een grote in Zaventem, en vier kleine in Deurne, Oostende, Luik en Charleroi.

De belangrijkste exportlanden van België zijn de buurlanden, maar ook de andere landen van de Europese Unie zijn voor de handel belangrijk. Het zeer dichte autowegennet zorgt voor gemakkelijk goederentransport[36] tussen de industrieterreinen[37] in alle hoeken van het land en de andere Europese landen. Maar natuurlijk exporteert België ook naar andere delen van de wereld, zoals Azië en de Verenigde Staten. De belangrijkste exportgoederen zijn diamanten[38] en chocolade.

WERKBOEK 7A
P. 269

---

28 oriented
29 exporter
30 exports
31 goods
32 connections
33 waterway network
34 railway connections
35 motorway network

36 freight transport
37 industrial zones
38 diamonds

DE SOCIAAL-ECONOMISCHE INSTELLINGEN

In België is er een vrij stabiel sociaal klimaat. Per jaar gaan er minder werkdagen verloren door stakingen dan in Frankrijk, Italië, Spanje of Groot-Brittannië. Dat komt doordat[1] België bijna het enige land is met een automatische indexkoppeling[2]: als het leven duurder wordt, stijgen de lonen automatisch. Een tweede reden is dat België een 'overlegeconomie'[3] heeft. Werkgevers en werknemers hebben hun eigen verenigingen. Die praten met elkaar en met de overheid en maken samen afspraken.

De belangrijkste werkgeversorganisaties zijn het "Verbond van Belgische Ondernemingen" (VBO),[4] het "Voka - Vlaams Economisch Verbond",[5] de Waalse "Union Wallonne des Entreprises" (UWE),[6] en het Verbond van Ondernemingen van Brussel (VOB).[7]

De werknemersverenigingen of 'vakbonden' hebben een politieke kleur. Zo zijn er drie grote vakbonden die diensten bieden aan werknemers: het socialistische ABVV[8] (Algemeen Belgisch Vakverbond), het katholieke ACV[9] (Algemeen Christelijk Vakverbond) en de liberale ACLVB[10] (Algemene Centrale der Liberale Vakbonden).

Omdat de vakbonden in België ook het werkloosheidsgeld[11] mogen uitbetalen[12], is bijna 60% van de werknemers lid van een vakbond. Vakbonden zijn dus politiek heel belangrijk in België.

WERKBOEK 7B
P. 270

1	owing to the fact that
2	automatically index-linked wages and salaries
3	collective bargaining economy
4	Association of Belgian Enterprises
5	Association of Flemish Enterprises
6	Association of Walloon Enterprises
7	Association of Brussels Enterprises
8	General Belgian Union (socialist)
9	General Christian Union
10	General Federation of Liberal Unions
11	unemployment benefits
12	pay out

woordenlijst les 7

de activiteit
de export
de gebruiker
de handel
de hectare
de hoek
de instelling
de landbouw

de poort
de productiviteit
de ruimte
de sector
de vakbond
de vereniging
de vervuiling
de weide

het dier
het drinkwater
het gebied
het lid (leden)
het ontstaan

bebouwd
divers
ecologisch
economisch
enig
industrieel (industriële)
intensief
middelgroot
politiek
stabiel
technologisch
traditioneel

bieden*
ontwikkelen
produceren
zorgen voor

vanaf
via

DEEL 9

Solliciteren voor een nieuwe baan.

Ik maakte me zorgen !

1

CD 4(1)

IN HET VLIEGTUIG

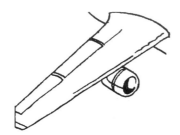

1. **Jennifer** Dit is mijn tweede reis naar België in drie maanden tijd. Gelukkig vliegen we deze keer overdag, want ik vind 's nachts vliegen helemaal niet prettig. Hebt u ook familie in België ?

   vrouw Ja, mijn dochter is met een Vlaming getrouwd en nu heeft ze een baby. Mijn eerste kleinkind. Ik ben pas grootmoeder geworden. En mijn man ... Die is in de wolken.

Jennifer Wat heerlijk ! Is het een meisje of een jongen ?

vrouw Een jongen. Mijn eerste kleinzoon !

Jennifer Ik heb een zoon in België.

vrouw Is hij ook met een Belgische getrouwd ?

Jennifer Nee nee, hij is zelf Belg. Zijn vader is een Belg. En hij is nog niet getrouwd. Mijn zoon, bedoel ik. Eergisteren belde hij me en ik hoorde meteen dat er iets scheelde. En toen vertelde hij me dat hij zijn baan kwijt was.

vrouw Wat vreselijk !

Jennifer Ja, en hij was zo triest aan de telefoon. Je kon aan zijn stem horen dat hij verdriet had. Ik wilde hem helpen, maar ik was zo ver van hem. Oh, ik maakte me vreselijk zorgen. En toen heb ik beslist: ik ga meteen naar België. Een moeder moet toch bij haar kinderen zijn als ze haar nodig hebben ...

EVEN LATER

2. **vrouw** En ze hebben hem dus ontslagen ? Zo zonder reden ? Kan dat wel ?

   Jennifer Ja, ik begrijp het ook niet. Hij was een uitstekende manager, mag ik wel zeggen. Hij is ook heel intelligent, weet u. Hij heeft verschillende diploma's. Toen hij aan de universiteit studeerde, slaagde hij altijd met schitterende cijfers. Hij is niet één keer gezakt, voor geen enkel examen. Maar hij werkte wel heel hard.

   vrouw Ja, de jeugd heeft het tegenwoordig niet gemakkelijk. Het leven is hard.

   Jennifer Maar, hij vindt wel weer een baan. Dat weet ik zeker. Een jongen met die kwaliteiten ...

HET IMPERFECTUM: REGELMATIGE VORM
[the past tense: regular form]

Werkwoorden hebben in het imperfectum <u>één</u> <u>onveranderlijke</u> vorm in het enkelvoud en <u>één</u> in het meervoud. *[Verbs have <u>one</u> <u>invariable</u> form in the singular and <u>one</u> in the plural.]*

1. De laatste letter van de stam = T, F, K, S, CH of P

> **Imperfectum = stam + te(n)**

<u>infinitief</u>	<u>stam</u>	<u>imperfectum</u>			
		Enkelvoud		Meervoud	
		stam + te		**stam + ten**	
maken	maa**k**	maak	**+ te**	maak	**+ ten**
missen	mi**s**	mis	**+ te**	mis	**+ ten**
lachen	la**ch**	lach	**+ te**	lach	**+ ten**
zetten	ze**t**	zet	**+ te**	zet	**+ ten**

 Memoriseer het woord <u>'t fokschaap</u>. De consonanten t, f, k, s, ch, p staan samen in dat woord.

(ZIE OOK: DEEL 6, 1B)

2. Anders *[if not]*:

> **Imperfectum = stam + de(n)**

<u>infinitief</u>	<u>stam</u>	<u>imperfectum</u>			
		Enkelvoud		Meervoud	
		stam + de		**stam + den**	
bellen	bel	bel	**+ de**	bel	**+ den**
gooien	goo**i**	gooi	**+ de**	gooi	**+ den**
slagen	slaa**g**	slaag	**+ de**	slaag	**+ den**
antwoorden	antwoor**d**	antwoord	**+ de**	antwoord	**+ den**
rei<u>z</u>en	rei**s**	reis	**+ de**	reis	**+ den**
le<u>v</u>en	lee**f**	leef	**+ de**	leef	**+ den**

(ZIE OOK: DEEL 3, 4B)

⚠ SCHEIDBARE WERKWOORDEN WORDEN WEL GESCHEIDEN IN DE HOOFDZIN MAAR NIET IN DE BIJZIN.
[Separable verbs are separated in the main clause, but not in the subclause.] (Zie ook: deel 3, 4B en deel 5, 2A)

Bert **belde** Jennifer **op.** Ik weet dat hij haar gisteren **opbelde.**

TOEN [when, then]

toen [then]

= op dat moment, in die tijd

Toen vertelde hij me dat hij zijn baan kwijt is.
Ik heb **toen** beslist: ik ga naar België.

toen: 'link' van bijzin [when: linking word of the subclause]

= op het moment dat, in de periode dat

Toen hij aan de universiteit studeerde, slaagde hij altijd met schitterende cijfers.

1. **Gebruik 'toen' als 'link' niet met een perfectum. [Don't use 'toen' as a linking word for subclauses in the present perfect.]**

   Toen hij naar huis ~~is gekomen~~, was het al te laat.
   Toen hij naar huis kwam, was het al te laat.

2. **'Toen' refereert altijd aan het verleden. Gebruik nooit 'toen' in een zin in het presens. ['Toen' always refers to the past. Never use 'toen' in a sentence in the present.]**

   ~~Toen~~ komt hij naar huis.
   Dan komt hij naar huis.

WERKBOEK 1
P. 278

█ woordenlijst les 1

de grootmoeder	het diploma	slagen	tegenwoordig	in de wolken zijn
de jeugd	het examen	zakken		
de kleinzoon	het kleinkind		verschillende	
	het verdriet			

Dat hoeft niet.

2A

JENNIFER OP DE LUCHTHAVEN

Jennifer is aangekomen in België. Ze moet straks geld wisselen. Nu heeft ze alleen wat kleingeld, niet genoeg om een taxi naar Leuven te betalen. In haar haast was ze vergeten naar de bank te gaan.

Ze gaat eerst naar de douane. Daar moet ze haar paspoort laten zien. Jennifer vraagt of dat echt nodig is. Ze zeggen dat het moet. Dus doet ze het maar. Als ze voorbij de douane is, gaat ze naar een wisselkantoor in de grote aankomsthal op de lucht-haven. De loketbediende vertelt haar dat de koers van de dollar weer een beetje is gezakt. Jennifer wisselt al haar briefjes van 100 dollar. De loketbediende vraagt of ze een briefje van 500 euro wil, maar dat wil Jennifer liever niet. Ze hoeft geen briefje van 500 euro. Ze wil alleen briefjes van 50 euro.

Daarna loopt ze helemaal door tot het einde van de hal en neemt ze de lift naar beneden. Nu zoekt ze een taxi.

JENNIFER NEEMT EEN TAXI

1. Jennifer   Kunt u me snel naar Leuven brengen ?
   taxichauffeur   Tot uw dienst, mevrouw. Geeft u uw koffer maar hier. U mag al instappen.
   Jennifer   Moet ik achteraan zitten ?
   taxichauffeur   Dat hoeft niet. U mag ook vooraan gaan zitten.
   Jennifer   Dank u. Op de achterbank word ik ziek, ziet u.
   (...)

CD 4(2)

Jennifer	Chauffeur, kan het niet wat sneller ? Ik heb haast.
taxichauffeur	Het spijt me, maar u ziet het: we zitten in de file. Op dit ogenblik van de dag is er altijd file. En vandaag is het vrijdag. Dan zijn er altijd veel vrachtwagens op de weg.
Jennifer	Het gaat wel langzaam, moet ik zeggen.
taxichauffeur	Misschien kan ik een andere weg nemen. Wilt u dat ik een kleinere weg neem ?
Jennifer	Nee nee, dat hoeft niet.
taxichauffeur	Zoals u wilt, mevrouw. Waar ergens moet u in Leuven zijn ?
Jennifer	In de Bergstraat.
taxichauffeur	Die ken ik niet. Is dat ver van de Sint-Pieterskerk ?
Jennifer	Niet zo ver, maar brengt u me nu eerst maar naar Leuven. Dan leg ik straks wel uit hoe u daar moet rijden. Hé, pas op ! Die vrachtwagenchauffeurs zijn een echt gevaar op de weg.

Bij Els thuis

2. Els	Peter, zou ik toch niet beter ophouden met die Italiaanse lessen ?
Peter	Maar, dat is helemaal niet nodig. Dat heb ik je toch al gezegd, Elsje. Ik vertrouw je. Voor mij hoef je echt niet op te houden. Ik meen het.
Els	En als jij nu ook eens Italiaans leerde ?
Peter	Hé, Els, schat. Je weet dat ik alles voor je zou doen, maar omdat jij Italiaans leert, hoef ik dat toch niet te doen.
Els	Natuurlijk hoeft dat niet, maar het zou wel leuk zijn. Dan kunnen we volgende zomer in Italië ook met de mensen daar praten.

VRAGEN OF IETS ECHT NODIG IS *[asking for dispensation]*	**ZEGGEN DAT IETS NIET NODIG IS** *[giving dispensation]*
Moet ik achteraan zitten ?	Nee, u **hoeft niet** achteraan **te zitten**.
	Nee, u **mag ook** vooraan zitten.
Is dat (echt) nodig ?	Nee, **dat hoeft niet**.
Is het nodig dat ik mijn paspoort laat zien ?	Nee, **dat is niet nodig**.

HOEVEN (+ TE + INF.)

Jennifer **hoeft geen** briefje van 500 euro.
Ze **hoeft niet** achteraan te zitten.
Dat **hoeft niet**.

Ik **hoef** toch geen Italiaans **te leren**.
Voor mij **hoef** je niet **op te houden**.

Bij scheidbare werkwoorden staat de 'te' tussen de twee delen van de infinitief.
(Zie ook: Deel 8, 3C).

[With separable verbs the 'te' is put in between the two parts of the infinitive.
(See also: Part 8, 3C)*]*

 Gebruik 'hoeven' alleen in een negatieve of restrictieve context.
[Use 'hoeven' only in a negative or restrictive context.]

Ik hoef vandaag *niets* te doen.
Hij hoeft zich *nooit* te haasten.
Ik hoef *pas* morgen naar de bank te gaan.
Ik hoef *maar* 2 artikels te lezen.
Hij hoeft *zelden* laat te werken.
Je hoeft *alleen even* te bellen.

WERKBOEK 2A
P. 280

2B

Els bij de kapper

CD 4(4)

1. kapper   Goedemiddag.
   Els   Dag. Kan ik nu mijn haar laten knippen ?
   kapper   U hebt geen afspraak ?

Els	Nee, ik dacht dat een afspraak niet hoefde. Voor het raam zag ik toch een bordje hangen: ook zonder afspraak.
kapper	Ja, maar dan moet u wel even wachten.
Els	Zal dat lang duren, denkt u ?
kapper	Moment. Ik zal even kijken. Mmm ... Over een uur komt mevrouw Jansen en ik moet het haar van deze klant nog knippen en drogen. Als u twintig minuten geduld hebt ...
Els	Oh, prima.
kapper	Gaat u maar zitten. Op dat tafeltje daar liggen tijdschriften met de nieuwste kapsels.
Els	Dank u.

EEN HALFUUR LATER

2. kapper	En ... wat voor een kapsel wilt u ?
Els	Oh, ik wil hetzelfde kapsel houden, alleen een beetje korter.
kapper	Mag er zo ongeveer drie centimeter af ?
Els	Drie ? Nee, niet zoveel, één centimeter is genoeg.
kapper	Oké, komt u maar mee. Wat voor shampoo gebruikt u gewoonlijk ?
Els	Wat bedoelt u ? Gewone shampoo.
kapper	Uw haar ziet er nogal droog uit. Het heeft een verzorgende crème nodig. Die zou u eigenlijk na iedere wasbeurt moeten gebruiken.

NA HET KNIPPEN

3. kapper	Zo. En hoe vindt u het ?
Els	Ik vind het goed. Mijn haar ziet er weer beter uit.
kapper	Ja, met zulk droog haar hebt u speciale shampoo en een verzorgende crème nodig.
Els	Verkoopt u ook zulke shampoo ?
kapper	Natuurlijk. Deze shampoo is voor droog haar en kost 6,20 euro. En zo'n crème kost 8,60 euro. Zulke producten zijn natuurlijk wel een beetje duur, maar ze helpen heel goed. Na enkele wasbeurten zal uw haar weer helemaal gezond zijn.

SOORT ??? *[kind / sort]*

– Wat voor kapsel wilt u ?
– Hetzelfde kapsel, alleen een beetje korter.

– Wat voor shampoo gebruikt u ?
– Gewone shampoo.

– Wat voor tijdschriften liggen daar ?
– Dat zijn de tijdschriften met de nieuwe kapsels.

WAT VOOR (EEN) + SUBSTANTIEF

ENKELVOUD

Wat voor (een) kapsel wilt u?
Wat voor (een) bordje hangt er voor het raam?
Wat voor haar heeft Els?
Wat voor vlees eet u graag?

MEERVOUD

Wat voor producten verkoopt de kapper?
Wat voor tijdschriften liggen er bij de kapper?

'Wat voor' kan altijd. 'Wat voor een' kan alleen voor een telbaar substantief in het enkelvoud.
['Wat voor' can be used in all cases. 'Wat voor een' can only be used before a countable substantive in the singular.]

ZO'N, ZULK, ZULKE *[such (a)]*

telbare substantieven *[countables]*

ENKELVOUD	MEERVOUD
Els heeft een **mooi** kapsel. Ik wil ook **zo'n** kapsel.	De kapper verkoopt **verzorgende** producten voor het haar. Els moet **zulke** producten gebruiken.
Jij hebt een **goede** kapper, zeg. Ik wil ook wel **zo'n** kapper.	

ontelbare substantieven *[uncountables]*

HET-WOORD	DE-WOORD
Paolo drinkt **dit** bier graag. Bert drinkt ook graag **zulk** bier.	Els drinkt graag **deze zoete, witte** wijn. Ik hou ook van **zulke** wijn.
Els heeft **droog** haar. Ik heb ook **zulk** haar.	Dat is **mooie** wol ! Waar heb je **zulke** wol gevonden ?

1. Gebruik 'zo'n' voor een enkelvoudig telbaar substantief, anders: 'zulk' / 'zulke'. *[Use 'zo'n' before a countable noun in the singular, if not: 'zulk' / 'zulke'.]*

2. 'Zulk' staat voor een het-woord, 'zulke' voor een de-woord. *[Use 'zulk' before a 'het'-word and 'zulke' before a 'de'-word.]*

WERKBOEK 2B
P. 283

woordenlijst les 2

de aankomst	het geduld	speciaal	doorlopen°*	ieder
de aankomsthal	het gevaar	verzorgend	drogen	
de achterbank	het kapsel		gebruiken	pas
de bank	het kleingeld		hoeven	
de centimeter	het product		instappen°	tot uw dienst
de chauffeur	het wisselkantoor		knippen	
de crème		wat voor (een)	kon (kunnen)	
de dollar		zo'n	verkopen*	
de euro		zulk(e)	wisselen	
de haast				achteraan
de juffrouw				vooraan
de kapper				
de koers				
de rechterkant				
de shampoo				
de vrachtwagen				
de vrachtwagenchauffeur				
de wasbeurt				

In Parijs ging Elly dansen !

3A

ELS BIJ DE KAPPER (EEN PAAR MINUTEN LATER)

CD 4(5)

1. kapper	Wat scheelt er, mevrouwtje ? Is er iets aan de hand ?
Els	Maar, dit is vreselijk. Mijn fiets is weg. Iemand heeft mijn nieuwe fiets gestolen ! Hij stond buiten voor het raam. En ik had hem nog maar twee weken.
vrouw	Neemt u me niet kwalijk, maar was het misschien een rode fiets ?
Els	Ja ! Hoe weet u dat ?
vrouw	Toen ik binnenkwam, stonden er twee fietsen voor het raam, een lelijke oude en een mooie, nieuwe rode. En terwijl de kapper uw haar aan het knippen was, zag ik een jongen die rode damesfiets nemen en wegrijden. Ik dacht toen nog: wat moet nu zo'n kerel op een damesfiets, maar ik wist natuurlijk niet dat het uw fiets was.
kapper	Maar was hij dan niet op slot ?
Els	Ja, nee ... Ach, ik weet het niet.
vrouw	Gaat u maar vlug naar de politie om aangifte te doen.
kapper	Zo kan het toch niet langer, verdomme. Fietsen stelen is in deze stad een echte sport geworden.

Op het politiebureau

2.	politieagent	Mevrouw ?
	Els	Ze hebben zopas mijn fiets gestolen. Ik zat bij de kapper en ...
	politieagent	Mag ik u even onderbreken ? Eén ogenblik. Ik kom zo bij u terug.
	(...)	
	politieagent	Zo, dus uw fiets is gestolen. En wanneer is dat gebeurd ?

Els	Toen ik bij de kapper zat.
politieagent	Toen u bij de kapper zat. En wanneer was dat ?
Els	Een halfuur geleden, een uur misschien.
politieagent	En waarom denkt u dat uw fiets gestolen is ?
Els	Wel, hij stond voor het raam bij de kapper in de Bondgenotenlaan en ...
politieagent	Moment, bij welke kapper ?
Els	"De nieuwe haarkapper", het kapsalon in de Bondgenotenlaan. En toen ik daar buitenstapte, stond mijn fiets er niet meer.
politieagent	Mmm. Dan zal ik een proces-verbaal opstellen. Als u even dit formulier 'Aangifte van diefstal' zou willen invullen.
Els	Maar zie ik mijn fiets nog ooit terug ?
politieagent	Dat hoop ik voor u, mevrouw, maar dat kan ik u niet beloven. Er lopen in Leuven veel fietsendieven rond. Vorig jaar waren er bijna tweeduizend aangiftes.

 COLLECTIVA ZOALS 'POLITIE' EN 'FAMILIE' ZIJN ALTIJD ENKELVOUD IN HET NEDERLANDS.
[Collective nouns like 'politie' and 'familie' are always singular in Dutch.]

De politie onderzoekt het ongeval.
[The police are investigating the accident.]
Mijn familie is gek.
[My family are crazy.]

IEMAND ONDERBREKEN *[interrupting someone]*

Neem me / neemt u me niet kwalijk, maar ...
(Excuseer,) mag ik (u) even onderbreken ?
Sorry dat ik je onderbreek, maar ...
Moment ! = Een ogenblik !
(Een) momentje ! = (Een) ogenblikje !
Maar ...

HET IMPERFECTUM: ONREGELMATIGE VORMEN
[the simple past: irregular forms]

Veel frequente werkwoorden hebben een onregelmatig imperfectum.
[A lot of frequently used verbs have an irregular past tense.]

infinitief   **imperfectum**

	ENKELVOUD		MEERVOUD	
staan	ik	**stond**	wij	**stonden**
	je / u*	**stond**	jullie	**stonden**
	hij	**stond**	ze	**stonden**
hebben	ik	**had**	wij	**hadden**
	je / u	**had**	jullie	**hadden**
	hij	**had**	ze	**hadden**
blijven	ik	**bleef**	wij	**bleven**
	je / u	**bleef**	jullie	**bleven**
	hij	**bleef**	ze	**bleven**

**Werkwoorden hebben in het imperfectum één <u>onveranderlijke</u> vorm in het
enkelvoud en één in het meervoud. De meervoudsvorm van de onregelmatige
werkwoorden is meestal enkelvoud + 'en'.**
*[Verbs have one <u>invariable</u> form in the singular and one in the plural. In most
cases the plural of irregular verbs is singular + '-en']*

1. zeggen	**zei**	**zeiden**
kunnen	**kon**	**konden**
2. zijn	**w<u>a</u>s**	**w<u>a</u>ren**
zien	**z<u>a</u>g**	**z<u>a</u>gen**
binnenkomen**	**kw<u>a</u>m binnen**	**kw<u>a</u>men binnen**
stelen	**st<u>a</u>l**	**st<u>a</u>len**

Soms wordt de korte [a] van het enkelvoud een lange [aa] in het meervoud.
[Sometimes the short [a] of the singular turns into a long [aa] in the plural.]

* De 'u'-vorm wordt ook gebruikt om meer personen aan te spreken.
(Zie ook: deel 1, 4D)
[The 'u'-form is also used to address more people. (See also: part 1, 4D)]
** Scheidbare werkwoorden worden gescheiden in de hoofdzin maar niet in de bijzin.
(zie: deel 3, 4B en deel 5, 2A)
[Separable verbs are separated in a main clause, but not in a subclause.]

Er **kwam** een vrouw **binnen**. Toen ze **binnenkwam**, stonden er twee fietsen voor het
raam.

ONREGELMATIGE WERKWOORDEN ZIJN GEMARKEERD MET EEN *. IN
APPENDIX 1 VIND JE ALLE WERKWOORDEN MET EEN ONREGELMATIG
IMPERFECTUM (OF EEN ONREGELMATIG PARTICIPIUM; ZIE DEEL 6, 2C).
IN APPENDIX 3 VIND JE DE LIJST VAN ONREGELMATIGE IMPERFECTA MET
HUN INFINITIEF.
*[Irregular verbs are marked with an *. In Appendix 1 you find all verbs with
an irregular past tense (or an irregular past participle; see part 6, 2C). In
appendix 3 you will find the list of irregular past tenses with their infinitive.]*

WERKBOEK 3A
P. 285

3B

CD 4(7)

IN DE WINKEL VAN ELLY

1. klant1   Ik heb een kamer, hier twee huizen verder.
   Elly   En je hebt aan de Sorbonne in Parijs Nederlands geleerd, zeg je ?
   klant1   Ja, twee jaar.
   Elly   Werkelijk ? En nu studeer je in Leuven. Valt Leuven een beetje mee ?
       Dat moet nogal een verschil zijn met Parijs.
   klant1   Ik vind Leuven een beetje klein, maar wel heel gezellig.
   Elly   Ja, misschien, maar Parijs is nog wat anders. Parijs vind ik fantastisch.
       Ik ben daar vaak geweest.
   klant1   Oh ja ?
   Elly   Ik ben namelijk jaren stewardess geweest, weet je. Op de lijn
       Brussel-Bangkok, Brussel-Nairobi en ook in Europa natuurlijk.
       Meestal op de lijn Brussel-Rome, maar ik heb ook op de lijn Brussel-
       Parijs gevlogen. Ik heb zowat de hele wereld gezien. De luchthavens
       ken ik allemaal. Ik heb een hele kast vol met stukjes zeep en
       lucifersdoosjes uit wel honderd verschillende luchthavenhotels. Maar
       eigenlijk was het helemaal niet zo leuk, weet je. Meestal zag ik

	alleen de luchthaven en zat ik 's avonds alleen op mijn kamer in zo'n hotel zonder karakter. Wel met het nodige comfort, natuurlijk. Neenee, geen kapotte kranen of vuile toiletten, dat niet, maar toch ... Nee, zo'n leven zou ik niet langer willen.
klant1	Sorry, maar ik moet nu gaan. Mijn vriend wacht buiten op mij.
Elly	Moment, ik wilde alleen nog zeggen dat ik aan Parijs wel de beste herinneringen heb. Parijs was altijd leuk. Ik ging daar samen met de andere stewardessen weleens dansen in één van die grote discotheken. Oh, en de Parijse kappers ! Die waren het einde. Zulke kappers zal je hier niet vinden.
klant1	Neem me niet kwalijk, maar ...
Elly	Ja, die tijd is voor mij nu voorbij.
klant1	Tot ziens, mevrouw.
Elly	Dank je wel. Tot ziens. En nog veel plezier in Leuven !

2.
Elly	Zo, en wat mag het voor u zijn, mevrouw ?
klant2	Een pakje verse boter, alstublieft.
Elly	Die jongen spreekt goed Nederlands, vindt u niet ? Die zal wel een goede tijd hebben, hier in Leuven. Pas op, ik vind wel dat ze van hun studententijd een beetje mogen genieten.
klant2	Ja. Dat vind ik ook. Ze hebben gelijk. Ze zijn jong.
Elly	Zo is dat. Ik ben nu de dertig voorbij en ik wil ook een beetje van mijn leven genieten. Als stewardess werken, was niet gemakkelijk. De passagiers deden vaak moeilijk en dan moest je toch nog vriendelijk blijven. In mijn eigen winkel ben ik de baas en ik hoef nu voor niemand meer te buigen. En ik verkoop goed. Ik heb alleen nog een goede manager nodig ... en een huisdier. Ja, ik neem binnenkort een hond of een kat in huis. Ik hou zoveel van dieren, maar als stewardess kon ik geen huisdier houden. Een dier kan je toch niet alleen achterlaten. En ik was het grootste deel van de tijd op reis ...

REAGEREN OP EEN ONDERBREKING *[response to an interruption]*

(ZIE OOK: DEEL 9, LES 3A)

ONDERBREKING	REACTIE
Neem me niet kwalijk, maar ...	**Moment !**
Sorry, maar ik moet nu gaan.	**Een ogenblik !**
	(Een) momentje!
	(Een) ogenblikje !
	Wacht eens even ...
	Ja, maar ...
	Ik wilde (alleen) nog zeggen dat ...

HET IMPERFECTUM: GEBRUIK 1 *[simple past: use 1]*

Spreken over gewoonten, herhaalde gebeurtenissen en permanente toestanden uit het verleden.
[Talking about habits, recurrent events and permanent situations from the past.]

Meestal **zag** ik alleen de luchthaven.
Parijs **was** altijd leuk.
Daar **ging** ik weleens dansen.
Als stewardess werken **was** niet altijd even gemakkelijk.
De passagiers **deden** vaak moeilijk.
Ik **was** het grootste deel van de tijd op reis.

WERKBOEK 3B
P. 288

▌ woordenlijst les 3

de aangifte	de kraan	het comfort	allemaal	achterlaten°*
de damesfiets	de lucifer	het formulier		buigen*(r)
de dief	de politie*	het huisdier		buitenstappen°
de diefstal	de politieagent	het kapsalon		dansen
de discotheek	de sport	het karakter		genieten*
de fietsendief	de studententijd	het lucifersdoosje	namelijk	invullen°
de herinnering	de zeep	het politiebureau	ooit	onderbreken*
de hond		het proces-verbaal	weleens	opstellen°
de kat		het slot	werkelijk	stelen*
de kerel		het verschil	zowat	terugkomen°*
				wegrijden°*

Dat is het einde.
Die zijn het einde.
Je weet nooit.

aangifte doen
op slot
een proces-verbaal opstellen

* politie (= enkelvoud)

Een baan voor Bert ?

4 A

 B<small>ERT</small> BELT DIE MIDDAG E<small>LS</small> OP

CD 4(8)

Bert	En je fiets ben je nu dus kwijt.
Els	Ja. Jaren heb ik met een oude, lelijke fiets gereden en nu ik eindelijk een nieuwe had, hebben ze hem gestolen. Ach, ik vind het vreselijk. Maar, ik heb je onderbroken. Jij wou mij iets vragen.
Bert	Ja, wat ik je eigenlijk wilde vertellen ... Vanmorgen ben ik even gaan wandelen. Het was mooi weer en nu ik werkloos ben, heb ik toch te veel tijd. Dus, ik was aan het wandelen en ik kwam voorbij een ... - hoe moet ik dat noemen - een soort supermarkt. En daar zag ik een vacature voor een manager.
Els	Echt waar ? Een supermarkt ? Geweldig ! En ? En wat heb je gedaan ?
Bert	Eerst wilde ik binnengaan om informatie te vragen, maar toen dacht ik euh ...
Els	Wat dacht je ?
Bert	Toen dacht ik dat een supermarkt leiden misschien toch niet zo interessant is. En daarom ben ik maar niet binnengegaan en ik ben weer naar huis gegaan.
Els	Dus je bent niet binnengegaan ?
Bert	Nee.
Els	Maar Bert ! Als een supermarkt een manager zoekt, dan moet je toch solliciteren ! Een grote supermarkt !
Bert	Die supermarkt was wel niet zo groot. Het was eigenlijk een nogal kleine supermarkt.
Els	Je moet het toch proberen, Bert ! Ga eens kijken ! Je weet nooit.
Bert	Denk je ?
Els	Natuurlijk ! Doen !

HET IMPERFECTUM: GEBRUIK 2 *[the past tense: use 2]*

De spreker verplaatst zich in het verleden en vertelt chronologisch over voorbije acties en toestanden.
[The speaker goes back to the past and tells chronologically about actions and situations.]

Vanmorgen ben ik gaan wandelen. Het **was** mooi weer.
Ik **kwam** voorbij een supermarkt. Ik **zag** een vacature voor manager.
Ik **wilde** informatie vragen, maar toen **dacht** ik dat een supermarkt leiden misschien toch niet zo interessant is ...

IMPERFECTUM VERSUS PERFECTUM

IMPERFECTUM	PERFECTUM
Bert **kwam** voorbij een supermarkt en hij **zag** een vacature voor manager. Hij **wilde** eerst informatie vragen, maar hij **dacht** toen dat een supermarkt leiden misschien niet zo interessant is	en hij **is** niet **binnengegaan**.
Ik **zag** gisteren een mooie jas in een klerenwinkel in Brussel, maar hij **was** te duur	en ik **heb** hem niet **gekocht**.
Je spreekt over acties en gebeurtenissen die op een bepaald moment in het verleden gebeurden.	**Het moment waarop de actie gebeurde, is niet zo belangrijk, wel het resultaat in het heden, of de (nieuwe) informatie die je krijgt over een feit uit het verleden.**
[You talk about actions and events that happened at a certain moment in the past.]	*[The time when something happened is not important, but the present result, or the (new) information you get about a fact in the past, is.]*

WERKBOEK 4A
P. 291

4 B

CD 4(9)

Die middag bij Els thuis

1. Els   Met Peter is alles goed, hé Peter ? Zijn hoofd is weer helemaal in orde. En ... hij heeft iets belangrijks besloten.

Peter   Ah ja ?

Els   Ja toch ? Zeg jij het hem Peter ? Of moet ik hem vertellen dat ...

Paolo   Wat vertellen ? Je maakt me nieuwsgierig. Jullie gaan toch niet trouwen ?

Els   Ja, dat wil zeggen nee. Tenminste nog niet meteen. Maar dat is het niet.

Peter   Niets belangrijks dus.

Els   Toch wel. Wij gaan toch samen ...

Peter   Els, moet je dat nu wel aan Paolo vertellen ?

Els   Maar Paolo mag dat toch weten. Nee, Paolo moet dat weten. Natuurlijk moeten we hem dat vertellen. Paolo, Peter heeft besloten dat hij ook Italiaans gaat studeren.

Paolo   Ah ! Heb je besloten dat je met Italiaans gaat beginnen, Peter ?

Peter   Wel, Els heeft mij dat gevraagd en eerst vond ik het een beetje een vreemd idee, maar toen dacht ik ...

Els	Dat het wel leuk kon zijn, hé Peter. Ik vind het heel lief dat je het wil proberen. Dat verdient een kus.
Paolo	Hmm.
Els	En dan kunnen we met Paolo ook eens Italiaans spreken. Om te oefenen ...

EVEN LATER

2. Paolo	Maar eigenlijk kwam ik langs om jullie iets te vragen.
Els	Ja ? Wat dan ? Vraag maar. Als we je kunnen helpen, graag, hé Peter.
Paolo	Wel, er is een kruidenier hier in de buurt die een manager zoekt. En ik dacht aan Bert. Maar ik weet niet of het wel een goed idee is. Ik weet eigenlijk niet wat voor een baan hij nu zoekt en dus wilde ik jullie vragen ...
Els	Een baan voor Bert ? Maar dan moet je hem waarschuwen, Paolo.
Paolo	Denk je ?
Els	Maar ja. Natuurlijk. Als jij een baan voor hem weet, moet je dat toch aan hem zeggen. Hij heeft me vandaag nog gebeld. Hij vroeg zich af of hij bij een supermarkt zou solliciteren. Ik heb hem gezegd dat hij het moest proberen. Je weet maar nooit. En als het niet meevalt, kan hij nog altijd iets anders zoeken. Peter heeft ook al bij drie verschillende firma's gewerkt.
Paolo	Oké, ik zal hem natuurlijk waarschuwen, maar ik wilde het eerst even aan jou, euh, aan jullie vragen. Ik wilde weten of die baan iets voor hem zou zijn. Het is die kleine kruidenierszaak van die ex-stewardess hier vlakbij, zie je.
Els	De supermarkt van die stewardess ?
Paolo	Ja, de supermarkt van Elly Depraeter.
Els	Hoe weet je hoe ze heet ?
Paolo	Ik heb die naam goed onthouden. Ik ben namelijk bij haar binnengeweest en er lagen enkele open enveloppen op de tafel. En op elk van die enveloppen stond de naam Elly Depraeter.
Els	Paolo toch !

VERWIJZEN NAAR EEN ZIN: 'HET' OF 'DAT'*
[referring to a sentence: 'het' or 'dat']

– Wat heeft Els aan Paolo verteld ? – Wat wilde Paolo je vragen ?
– **Dat Peter Italiaans gaat studeren.** – **Of die baan iets voor Bert zou zijn.**
– Oh, heeft ze **het** hem verteld ? – En, weet jij **dat** ?
– Ja, **dat** heeft ze hem verteld. – Nee, ik weet **het** niet.

* 'Dat' wordt gebruikt om te accentueren. De niet-geaccentueerde vorm 'het' staat nooit in het begin van de zin.
   ['Dat' is used for emphasis. The form without emphasis 'het' cannot be put at the beginning of a sentence.]

 Soms heb je in 1 zin de combinatie van 'het' of 'dat' met een ander pronomen object. Let dan op de woordorde.
[Sometimes 1 and the same sentence contains 'het' or 'dat' combined with another pronoun object. Note the order.]

Heeft Els aan Paolo verteld dat Peter Italiaans gaat studeren ?

Ja, ze heeft	**het**	**hem**	verteld.
Ja, ze heeft	**hem**	**dat**	verteld.
Ja, ze heeft	**het**	**aan hem**	verteld.
Ja, ze heeft	**dat**	**aan hem**	verteld.

WERKBOEK 4B
P. 294

▌ woordenlijst les 4

de kus	nieuwsgierig	tenminste	afvragen (zich)°*	je weet nooit
de vacature		vlakbij	besluiten*	
			invullen°	
			langskomen°*	
			oefenen	
			onthouden*	
			trouwen	

Bert heeft een snoepje gekocht.

5A

Dezelfde middag, even later bij Els thuis

CD 4(10)

1. Paolo   Zal de politie hem dan niet zoeken ?
   Els   Wie ? Die fietsendief ?
   Paolo   Ja, die ook, maar ik bedoelde eigenlijk je fiets.
   Els   Dat hoop ik. Maar ik ben bang dat de kans dat ze hem vinden nogal klein is.
   Paolo   Oh ja ?
   Els   Ja, zie je, over mij weet de politie nu wel alles, maar over die dief weet ze natuurlijk niets. Alleen dat het een jonge kerel is.
   Peter   Wat wilde de politie dan wel over jou weten ?
   Els   Wel, terwijl ik daar wel tien formulieren aan het invullen was, heeft die agent mij van alles gevraagd: waar ik woonde, waar ik werkte, of ik al lang aan de universiteit werkte, hoe oud ik was, enz. Op een bepaald moment vroeg hij mij zelfs of ik vaak naar de kapper ging.
   Peter   Vroeg hij dat ? Of je vaak naar de kapper gaat ?
   Els   Ja, dat vroeg hij me. Ik schrok ook wel een beetje van die vraag, moet ik zeggen. En daarna moest ik die formulieren ook nog allemaal ondertekenen. Maar of ik zo mijn fiets terugkrijg ...

DIE AVOND BIJ BERT THUIS

2. **Karel** Ontslagen ? Zo opeens ? Oh god ! Dat is vreselijk.

   Bert Ja. Ik was die maandagochtend rustig aan het werken toen die Rogiers opeens belde dat hij me wilde spreken. En toen ik bij hem was, zei hij dat hij van mijn diensten niet langer gebruik kon maken. En nu sta ik dus op straat.

   Karel Verschrikkelijk. Je moet nogal geschrokken zijn.

   Bert Ja. Dat vergeet ik nooit. Zoiets blijf je onthouden. 's Nachts droom ik nog van die man. Gelukkig had ik Paolo en Els. Die hebben mij goed opgevangen. En sinds vandaag heb ik weer een beetje hoop. Ik kan misschien weer als manager beginnen in een vrij nieuwe zaak hier in de buurt.

EVEN LATER

3. **Bert** Ja, we waren even haar papieren en de rekeningen aan het doorkijken. Maar wat ik daar heb gezien ! Dat hou je niet voor mogelijk. Haar administratie is een echte catastrofe en haar winkel is zelfs niet legaal. En toch was ze de hele tijd aan het praten over het imago van haar firma.

   Karel Je zei toch dat het een supermarkt was ? Noemt ze een supermarkt een bedrijf ?

   Bert Eh, ja.

   Karel En daar wil jij nu gaan werken als manager.

   Bert Ja, ik ken de Belgische markt vrij goed en die zaak is financieel wel gezond. Ik heb besloten dat ik het moet proberen. En die vrouw wil me goed betalen en ze is eigenlijk heel lief en charmant. Na die Rogiers vind ik een vriendelijke baas wel belangrijk.

AAN DE GANG ZIJNDE ACTIE IN HET VERLEDEN*
[action in progress in the past]

WAS / WAREN + AAN + HET + INFINITIEF

(ZIE OOK: DEEL 5, LES 1B)

Bert **was** vanmorgen **aan het wandelen** toen hij voorbij een supermarkt kwam.
Terwijl Els wel 10 formulieren **aan het invullen was**, heeft die agent haar van alles gevraagd.
Bert **was** die maandagochtend rustig **aan het werken** toen die Rogiers hem opeens belde.
Elly en Bert **waren** de rekeningen **aan het doorkijken**.

* *[This construction is equivalent to the English past progressive: 'Bert was walking this morning when he passed by a supermarket.']*

WERKBOEK 5A
P. 296

DIE AVOND IN EEN CAFÉ

CD 4(11)

1. Paolo Mmm, ik had echt dorst. En wat lekker, zo'n Duvel.
   Peter Ja, hè. Kende je dat bier nog niet ?
   Paolo Natuurlijk wel. Ik heb dat al eerder gedronken. In Antwerpen. Samen met Bert.
   Els Ja, die Bert. Toch wel een heel bijzondere kerel ! Maar over hem hoeven we ons niet langer zorgen te maken, denk ik.

Peter Nee, met hem komt alles in orde. Oh, ik zie hem nog die winkel buitenkomen.
Paolo Ja, dat was ook toevallig, zeg.
Peter En grappig vooral. En hoe hij schrok toen hij ons zag ! Ik zie hem daar nog staan ...
Paolo Hij wist niet waar hij moest kijken. Ik hoor het hem nog zeggen: "Ik ben hier net buitengekomen en ... en ... ik heb hier een snoepje gekocht."
Els Ja, dat was pas gek: zo'n grote man met zo'n klein snoepje in zijn grote handen.
Allen Hahaha !

2. Peter Laten we nu maar betalen. Ik wil naar huis, Elsje. Ik wil om acht uur het voetbal zien op televisie. Dit wordt de match van het jaar: A.C.Milan - Anderlecht.
   Paolo Natuurlijk ! Dat is vandaag ! Die match moet ik ook zien. Op welke zender ?
   Peter Op het tweede net, op Canvas.

3. Paolo Zeg, hoeveel Vlaamse zenders hebben jullie eigenlijk? Ik ken één, en Ketnet, en Canvas ...
   Els Dat zijn de zenders van de VRT, de openbare omroep.
   Paolo En dan heb je nog de commerciële zenders: vtm en VT4 en al die andere kleine televisiestations. En ik zag vandaag ROB. Welke zender is dat ?
   Peter Dat is de regionale zender van Oost-Brabant. In elke regio is er een regionale zender. Die geeft vooral nieuws uit de regio. Maar nu moeten we echt weg, Paolo. Anders missen we de match nog.
   Paolo Ja, en dat zou jammer zijn, want Milaan wint vanavond.
   Peter Oh, ja ? Dat weet ik nog niet zo zeker.
   Paolo Ik wel.

ZIEN, HOREN, VOELEN + INFINITIEF

Ik **zie** hem nog die winkel **buitenkomen**.
Ik **zie** hem daar nog **staan**.
Ik **hoor** het hem nog **zeggen**.
Els **zag** een bordje voor het raam **hangen**.
De dief **voelde** zijn hart **kloppen**. Zo bang was hij.

De werkwoorden 'zien', 'horen' en 'voelen' kunnen worden gevolgd door een infinitief.
[The verbs 'zien', 'horen' en 'voelen' may be followed by an infinitive.]

WERKBOEK 5B
P. 297

▋ woordenlijst les 5

de dienst	het formulier	bepaald	zoiets	buitenkomen°*
de dorst	het gebruik	bijzonder		doorkijken°*
de hoop	het imago	buitenlands	van alles	(onder)tekenen
de maandagochtend	het snoepje	commercieel		ontvangen*
de markt	het televisiestation	legaal	namelijk	opvangen°*
de match	het voetbal	openbaar	eerder	schrikken*
de ochtend		regionaal		
de omroep				
de zender				

gebruik maken van
niet voor mogelijk houden
op een bepaald moment
op straat staan

Lees je ook de krant ?

EEN BRIEF VOOR ELS

Brussels Beethoven Ensemble
Koningsstraat 275
1030 Brussel

Brussel, 25 januari 20..

Geachte mevrouw
Geachte heer

De klassieke concerten van het *Brussels Beethoven Ensemble* zijn de voorbije twee jaar een groot succes geweest. Vorig seizoen speelde het orkest voor uitverkochte zalen.

Nu willen wij ook u - als muziekliefhebber - laten kennismaken met het *Brussels Beethoven Ensemble*. Ingesloten vindt u het nieuwe programma van de komende lenteconcerten. Bijzondere aandacht gaat deze keer naar Mendelsohn, Schubert, Strauss en Schönberg.

Wij hebben het genoegen u hierbij een abonnement aan te bieden voor vier concerten. Een abonnement is niet alleen goedkoper, het garandeert u ook een uitstekende plaats in de zaal.

Meer informatie over prijzen en programma vindt u op onze website: www.bbe.be.

Wij hopen dat we u binnenkort tot onze abonnees mogen rekenen en wensen u zeer aangename concertavonden.

Met vriendelijke groeten

Patrick Dejans

Een formele brief

Leuven, 24 februari 20..

Geachte mevrouw
Geachte heer
Geachte mevrouw Devries
Geachte heer Luyten

....

....

....

....

....

Hoogachtend*
Met vriendelijke groeten

* ['Hoogachtend' is very formal.]

Een informele brief

Leuven, 24 februari 20..

Beste Els
Dag Els
Lieve Els*

....

....

....

....

....

Groeten
Groetjes
Tot gauw
Tot binnenkort !
Veel liefs !*

* [This is only used for dear friends or when you love
the addressee.]

WERKBOEK 6A
P. 300

6 B

CD 4(12)

DEZELFDE AVOND BIJ ELS THUIS

1. Els   Peter ! Peter, de telefoon gaat. Neem jij even op ?
   Peter   Laat maar bellen. Ik wil voetbal zien.
   Els   Oké, dan neem ik wel op.

2. Peter   Nee maar, hoe kan dat nu ? Er is een documentaire op Canvas in
            plaats van voetbal. Hoe laat is het nu, Paolo ? Is het nog geen acht
            uur ?
   Paolo   Het is al over acht. Ben je wel zeker dat de match om acht uur begon ?
   Peter   Dat dacht ik toch. Els, waar ligt de krant van vandaag ?
   Els   Dat weet ik niet. Waar je ze gelegd hebt, denk ik. Neem de Humo.
            Die ligt in de krantenmand.
   Paolo   Is dat een goed tijdschrift, Humo ?
   Els   Eigenlijk is dat een radio- en televisieblad. Maar er staan vaak ook
            interessante populair-culturele artikelen in. En de tekeningen zijn
            altijd heel grappig.
   Peter   Ah ! Gelukkig heb ik me vergist. De match begint pas om halfnegen.
            Zullen we iets drinken ? Een biertje of een glas wijn, Paolo ?

We lezen veel in het Nederlandse taalgebied

Als we de jongste statistieken mogen geloven, zijn mensen die nooit lezen heel zeldzaam. Zes op de tien mensen leest dagelijks een krant, twee op de tien lezen dagelijks in een boek, en minstens één op de tien in een tijdschrift. In Suriname vind je de meeste krantenlezers (71% elke dag). Vlamingen zijn de grootste tijdschriftenlezers (67% elke week) en Nederlanders de grootste boekenlezers (47% elke week). Het aantal boekenlezers in Nederland is bijna dubbel zo hoog als in Suriname.

Lezen goed voor taalvaardigheid en intelligentie

Veel mensen denken dat lezen goed is voor de taalvaardigheid en de intelligentie. En dat klopt. De wetenschappers Ann Cunningham en Keith Stanovich kwamen na onderzoek tot deze belangrijke conclusies:
– Door lezen krijg je een grotere woordenschat en een bredere algemene ontwikkeling.
– Wie veel leest denkt goed na over nieuwe informatie en gelooft niet meteen alles.
– Oudere mensen die altijd veel hebben gelezen, kunnen veel beter dingen onthouden dan oudere mensen die weinig of nooit hebben gelezen.

Hoe vaak leest men in Nederland, Vlaanderen en Suriname kranten, tijdschriften en boeken?

	PERCENTAGE (%)			
	Allen	**Nederland**	**Vlaanderen**	**Suriname**
boeken (wekelijks)	43	47	33	26
kranten (dagelijks)	59	63	46	71
tijdschriften (wekelijks)	61	65	67	19

Bron trendbox BV

Krantenprijs weer omhoog ?

Vanaf volgende maand worden de dagbladen weer duurder. Dat wordt dan de derde prijsstijging in twee jaar tijd. De hogere papierkosten zijn de belangrijkste reden om de prijs weer omhoog te laten gaan. Hoeveel er volgende maand precies bij komt, is op dit moment nog niet duidelijk.

krant	uitgever [publisher]	aantal lezers ≠ aantal kopers°
Het Laatste Nieuws	De Persgroep	1.100.000
Het Nieuwsblad / De Gentenaar	Vlaamse Uitgeversmaatschappij (VUM)	1.100.000
Gazet van Antwerpen	Concentra	485.000
Het Belang van Limburg	Concentra	415.000
De Standaard	Vlaamse Uitgeversmaatschappij (VUM)	315.000
De Morgen	De Persgroep	230.000
De Tijd	Mediafin	100.000

De meeste kranten in Vlaanderen komen uit een katholieke traditie. De Morgen heeft een socialistisch verleden, Het Laatste Nieuws is liberaal, en De Tijd is politiek neutraal.
[Most newspapers in Flanders have a Catholic backgound. De Morgen has a socialist past, Het Laatste Nieuws is liberal, and De Tijd is neutral.]

WERKBOEK 6B
P. 301

woordenlijst les 6

de abonnee	het abonnement	aangenaam	hierbij
de concertavond	het artikel	dagelijks	omhoog
de documentaire	het biertje	dubbel	slechts
de krantenlezer	het blad	geacht	
de krantenmand	het dagblad	geïnteresseerd (in)	
de krantenprijs	het genoegen	ingesloten	in plaats van
de lezer	het lenteconcert	klassiek	
de liefhebber	het orkest	komend	
de match	het programma	populair	aanbieden°*
de muziekliefhebber	het succes	uitverkocht	garanderen
de statistiek			kennismaken°
de tekening		hoogachtend	rekenen
de website			

Vrije tijd.

7

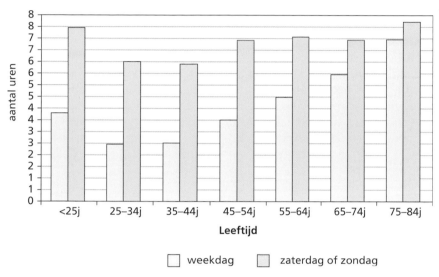

□ weekdag   ▨ zaterdag of zondag

Aantal uren vrije tijd naar leeftijd in Vlaanderen anno 2003, gemiddelde waarden

DE VLAMINGEN EN HUN VRIJE TIJD

Vlaanderen is een van de regio's met de hoogste productiviteit in Europa. Toch werken Vlamingen nu gemiddeld minder dan vroeger. Ze hebben nu meer vakantiedagen per jaar en ze werken minder uren per week. Een gemiddelde Vlaming werkt ongeveer 37,5 uur per week, en heeft dus veel vrije tijd.

Maar natuurlijk is niet elke Vlaming een gemiddelde Vlaming. Nergens in Europa werken mannen en vrouwen tussen 25 en 50 jaar harder dan in Vlaanderen. Dertigers[1] en veertigers[2] met kinderen hebben in de week maar zo'n twee uur vrije tijd per dag. Ze hebben het druk, druk, druk: met hun baan, met hun kinderen en met hun huishouden[3]. Ze hebben nooit genoeg tijd.

WAT DOEN VLAMINGEN IN HUN VRIJE TIJD ?

De televisie vult ongeveer de helft van de vrije uren van een Vlaming. Ook de radio en cd- of mp3-speler staan tamelijk vaak aan, zo'n elf uur per week. Lezen doet de Vlaming minstens vier uur per week. Hij houdt vooral van tijdschriften, maar 33% van de Vlamingen leest ook wekelijks een boek. Bijna iedereen heeft een eigen hobby. Nogal wat Vlamingen verzamelen bijvoorbeeld postzegels, oude munten, oude platen of prentbriefkaarten. En vooral jongeren zitten in hun vrije tijd graag achter de

---

1 people in their thirties
2 people in their forties

3 housekeeping

computer: ze surfen op het internet, spelen computerspelletjes of chatten met vrienden.

Natuurlijk zijn ook veel Vlamingen actiever als ze niet hoeven te werken. Sommigen werken graag zelf in de tuin, aan hun huis of aan hun auto. Anderen worden na hun dagtaak amateur-kunstenaars: ze tekenen, schilderen of fotograferen. Ze houden ook van competitie[4]: ze doen graag mee aan een quiz, en ze gaan schaken of kaarten. Kaarten is in Vlaanderen altijd enorm populair geweest en dat is het nu ook nog wel, maar veel minder dan vroeger. Het aantal mensen dat vrij dikwijls kaartspeelt gaat achteruit. Het zijn nu nog vooral studenten en 55-plussers[5] die je in hun stamcafé ziet kaarten.

of handbalclubs komen nu na de sport samen in de kantine van de gemeentelijke sportzaal. Ook de vele gemeentelijke culturele centra in Vlaanderen zijn nu belangrijke ontmoetingsplaatsen geworden. In veel gemeenten is er een afdeling van een jeugdbeweging: meer dan 200.000 jongeren ontmoeten elkaar daar wekelijks.

Op de wegen is het tijdens het weekend nogal vaak bijna even druk als in de week. Als er zon is, willen velen met de auto naar de kust of naar de Ardennen. Koppels gaan graag en vaak uit eten en jongeren gaan samen iets drinken of ergens dansen. En natuurlijk zijn ook pretparken, bioscopen en voetbalwedstrijden in het weekend erg populair.

Eén op de twee Vlamingen is lid van een vereniging. Het dorpscafé was vroeger de ontmoetingsplaats voor sportclubs en verenigingen. Nu zijn veel dorpscafés verdwenen, want het aantal cafés in Vlaanderen is in de jongste decennia[6] met 25 procent gedaald. De plaatselijke voetbal-, tennis-, volleybal-

En dan is er nog muziek en theater. Die zorgen ervoor dat mensen niet thuis voor de televisie blijven zitten. Theatervoorstellingen, popconcerten en klassieke concerten blijken[7] in Vlaanderen populairder dan overal elders[8] in Europa. En in de zomer zijn er veel grote muziekfestivals. Zo heb je Rock Werchter, Marktrock in Leuven, Jazz Middelheim

---

4   competition
5   people older than 55
6   decades

7   to appear, to turn out to be
8   elsewhere

in Antwerpen, het wereldmuziekfestival Couleur Café in Brussel, Pukkelpop en Rimpelrock in Hasselt. Maar door die grote festivals aan de ene kant en de attracties van de pretparken aan de andere kant zijn de jaarlijkse volkse 'kermissen' nu veel minder belangrijk geworden.

Veel Vlamingen kennen tegenwoordig hun eigen buren niet meer. Ze gaan wel op bezoek bij familie en vrienden, maar niet meer zo vaak bij hun buren.

WAT DOEN DE VLAMINGEN IN HUN VAKANTIE ?

Voor de meeste Vlamingen betekent vakantie op reis gaan. Een groot deel van de Vlamingen reist inderdaad graag veel en ver. Twee derde[9] van de Vlamingen gaat in de vakantie op reis en 70 % van hen reist naar het buitenland. Ze bezoeken andere werelddelen: Amerika, Azië, Afrika en Australië zijn hen niet langer onbekend. Wie in Europa blijft, gaat naar de zonnige landen rond de Middellandse Zee, maar in de winter zijn ook skivakanties enorm populair.

heel / zeer / erg groot   nogal / vrij / tamelijk groot   niet groot

WERKBOEK 7
P. 303

---

9   two thirds

woordenlijst les 7

de amateur
de cd-speler
de club
de dagtaak
de handbalclub
de hobby
de jeugdbeweging
de jongere(n)
de kantine
de kermis
de kunstenaar
de Middellandse Zee
de mp3-speler
de munt
de ontmoetingsplaats
de plaat
de prentbriefkaart
de quiz
de skivakantie
de sportclub
de sportzaal
de tennisclub
de vakantiedag
de vereniging
de voetbalclub
de volleybalclub
de wedstrijd

het buitenland
het computerspel
het dorpscafé
het festival
het internet
het koppel
het muziekfestival
het popconcert
het pretpark
het stamcafé
het werelddeel

Afrika
Amerika
Australië
Azië

enorm
gemeentelijk
jaarlijks
onbekend
plaatselijk
volks
wekelijks

tamelijk
vooral

aan de ene kant
aan de andere kant

achteruitgaan°*
chatten
fotograferen
kaarten = kaartspelen
schaken
schilderen
surfen
tekenen
verzamelen

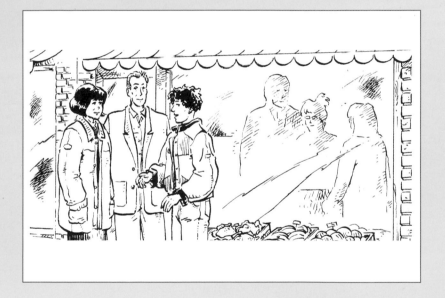

Bert ziet het wel zitten.

1A

CD 4(13)

PAOLO IN DE WINKEL VAN ELLY

1. Bert   Paolo !!!
   Paolo   Dag Bert. Ik zie dat het goed met je gaat.
   Bert   Goed ? Met mij ? Ja ... nee ... het gaat wel. Euh, ik bedoel, het gaat uitstekend. En met jou ?
   Paolo   Prima.
   Bert   Kom even binnen. Ik ben de boekhouding in orde aan het brengen, maar ik heb wel een beetje tijd. Kom even mee.

IN DE WOONKAMER VAN ELLY

2. Bert   Neem maar een stoel en ga zitten.
   Paolo   Dank je.
   Bert   Zeg Paolo, wat stonden jij en Elly daar te doen ?
   Paolo   Wij stonden daar te babbelen. Mag dat niet ?
          Heeft de nieuwe manager besloten dat dat niet mag ?
   Bert   Nee nee ... Ik bedoel, hadden jullie het over ... euh, waarover stonden jullie te praten ?
   Paolo   Ja ... We hadden het over jou. Ze zegt dat je je werk uitstekend doet. En hoe vind jij je nieuwe baan ? Heb je het hier naar je zin ?
   Bert   Mmm, ja. Ik zie het wel zitten. Maar wat een chaos hier. Deze administratie is een catastrofe ! Niet alleen de rekeningen, maar ook de contracten ... Kortom, alles. Alles behalve ...
   Paolo   Alles behalve wat ? Elly ? Is zij geen catastrofe ?
   Bert   Nee nee ... Och, ik weet het niet ... En jij ? Hoe vind jij haar ?

ELLY KOMT BINNEN

3. Elly   Hé, wat zitten jullie hier te doen ?
   Bert   Wij zitten hier ... euh ...
   Paolo   Een oplossing te zoeken ... voor de chaos in jouw boekhouding.
   Elly   Ja, wat een toestand hé, die boekhouding. Vorige week nog lag ik me nachtenlang zorgen te maken hoe ik die in orde kon brengen. En ik had het al zo druk. Maar nu kan ik weer rustig op beide oren slapen. Bert regelt alles schitterend. Maar, wil je geen kopje koffie, Paolo ?
   Paolo   Nee, dank je. Ik moet weg. Ik moet eens aan het werk.

het hebben over (1)
We hadden **het** over jou.

het naar zijn zin hebben (4)
Heb je **het** hier naar je zin ?

het hebben tegen (2)
Ik heb **het** tegen jou.

het zien zitten (5)
Ik zie **het** wel zitten.

het druk, warm, moeilijk ... hebben (3)
Ik had **het** zo druk.

(1) [to be talking about]
(2) [to be talking to]
(3) [to be busy, hot, to find it hard ...]

(4) [to be pleased, comfortable]
(5) [to think favourably of]

WERKBOEK 1A
P. 314

1 B

Paolo is vertrokken en Bert zit nu rustig voort te werken om een beetje orde in de chaos van Elly's rekeningen te brengen. Elly staat in de winkel tegen een klant te praten. Of toch niet. Deze keer staat er een klant tegen Elly te praten. Bert zit met een half oor mee te luisteren. Die stem klinkt hem bekend in de oren. Het lijkt wel alsof hij zijn moeders stem hoort. Nee, dat kan niet. Complete onzin. Wat zit hij zich toch zorgen te maken over zijn moeder ? Berts aandacht gaat weer naar de cijfers voor hem. Hé, nu heeft hij zelf een fout gemaakt. Dan maar opnieuw beginnen. Bert trekt een streep door de cijfers, scheurt het blad en gooit het in de papiermand. Hij denkt aan Elly. Ze vindt hem zo intelligent. Eigenlijk is ze wel aardig, die vrouw. Een gelukkige vrouw die de hele dag door loopt te zingen. En ze heeft zulke grote plannen voor hem en haar winkel. Ja, hij heeft het hier eigenlijk best naar zijn zin. Zelfs met een administratie zonder enige logica.

DE GENITIEF *[the genitive]*

genitief = substantief + s

Berts moeder   moeders stem
Annies vrienden   grootvaders postzegels

MAAR: Substantieven die eindigen op -a, -i, -o, -u of -y krijgen in de genitief 's.
(ZIE OOK: MEERVOUD, DEEL 4, 2B)

[Nouns ending in -a, -i, -o, -u or -y get 's in the genitive.]
(SEE ALSO: PLURAL, PART 4, 2B)

Anna's boeken   Elly's winkel
Paolo's bezoek   papa's auto

Substantieven die eindigen op -s krijgen in de genitief ' (apostrof).
[Nouns ending in -s get ' (apostrophe) in the genitive.]

Hans' boeken   Frans' kamer

EEN BEZIT AANDUIDEN *[expressing a possession]*

1. mijn / jouw / haar / onze ... moeder
(ZIE OOK: DEEL 1, 5A; DEEL 2, 3A)

2. Berts moeder   **Elly's winkel**

3. de moeder van Bert   **de winkel van Elly**

4. Bert zijn moeder*   **Elly haar winkel***

Gebruik enkel de genitief bij eigennamen en bij namen van familieleden.
[Use the genitive only with proper names and with names of family members.]

* 'Zijn' en 'haar' zijn niet geaccentueerd en worden uitgesproken [z'n] en [d'r].
  ['Zijn' and 'haar' don't get emphasis and are pronounced [z'n] and [d'r].]

AAN DE GANG ZIJNDE ACTIE *[action in progress]*

(ZIE OOK: DEEL 5, 1B; DEEL 9, 5A)

staan / liggen / zitten / hangen / lopen   **+ te + infinitief**

IN DE HOOFDZIN

subject	pv.		rest	eindgroep
Hij	**lag**		een beetje	**te rusten.**
De natte jas	**hing**		op een stoel	**te drogen.**
Bert	**zit**		rustig	**voort te werken.**
Elly	**heeft**		met een klant	**staan (te) praten.**

(...)	pv.	subject	rest	eindgroep
Wat	**stonden**	jij en Elly	daar	**te doen ?**
Wat	**hebben**	jullie	hier	**zitten (te) doen ?**

IN DE BIJZIN

	link	subject	rest	eindgroep
Een vrouw	die		de hele dag	**loopt te zingen.**
Hij zag Paolo	toen	die	in de winkel	**stond te praten.**

De 'tc' staat tussen de twee delen van een scheidbaar werkwoord.
[The 'te' is put between the two parts of a separable verb.]

In de eindgroep in de bijzin heeft de 'te + inf.' altijd de laatste plaats.
[In the subclause the 'te + inf.' always comes last.]

In het perfectum valt na 'liggen', 'zitten' en 'staan' de 'te' meestal weg.
[In the present perfect the 'te' is usually dropped after 'liggen', 'zitten' and 'staan'.]

(ZIE OOK: DEEL 6, 5A)

WERKBOEK 1B
P. 315

---

woordenlijst les 1

de boekhouding	compleet	meeluisteren°	het hebben over ...
de chaos		regelen	het naar zijn zin hebben
de logica		scheuren	het druk hebben
de onzin	kortom		het zien zitten
de papiermand			met een half oor meeluisteren
de streep	beide		bekend in de oren klinken
	enige		
	behalve		

Rare mensen, die Vlamingen !

2A

CD 4(15)

SUMANT, EEN INDISCHE STUDENT, EN JOHN, EEN AMERIKAANSE STUDENT, ZITTEN 'S MIDDAGS BIJ PAOLO AAN TAFEL IN HET STUDENTENRESTAURANT

Sumant	Rare mensen vind ik het, die Vlamingen.
Paolo	Hoezo ? Ik heb heel goede contacten met Vlamingen.
John	Misschien houden ze van je omdat je een Italiaan bent.
Paolo	Maar nee. Als je ze een beetje beter kent, vallen ze heel goed mee.
Sumant	Ik zou het niet weten. Veel contact heb ik niet met hen.
John	Ze zijn vriendelijk, dat wel. Ze helpen je bijvoorbeeld om een straat te vinden en zo, maar ze beter leren kennen, vind ik niet gemakkelijk. Ze zijn heel gesloten. Dat valt echt op bij Vlamingen.
Sumant	Kijk, ik ben hier nu drie maanden. Ik leer Nederlands omdat ik vind dat ik met hen moet kunnen praten in hun eigen taal. Maar de enige tegen wie ik verdorie tot nog toe Nederlands gesproken heb, is een Zweed of een Chinees of een Spanjaard die bij mij op de cursus Nederlands zit.
Paolo	En nu met een Italiaan.
John	Ja, precies. Maar wat ik wilde zeggen: in een winkel doe ik mijn best om wat ik nodig heb in het Nederlands te vragen, maar dan horen ze mijn accent en ze beginnen meteen zelf Engels te spreken. Je zou denken dat ze niet van hun eigen taal houden in dit land.
Paolo	Och komaan, dat is niet waar. Ik heb een paar Vlaamse vrienden en ik spreek altijd Nederlands met hen. Nu ja, bijna altijd.
Sumant	Vrienden ? Heb jij Vlaamse vrienden ?
Paolo	Ja, echte vrienden bij wie ik aan huis kom. En daarbij, de Vlamingen spreken misschien alleen maar Engels omdat ze het jullie gemakkelijk willen maken. En het heeft ook iets met hun geschiedenis te maken. Els heeft me ooit zoiets verteld.
John	Jij komt dus aan huis bij Vlamingen ? Dan moet je het verhaal van Margaret horen ! Die was ook eens uitgenodigd bij een Vlaamse familie. Bijzonder grappig ...

EEN UITSPRAAK RELATIVEREN *[take a relative view of things]*

Nu ja, ...
Och komaan, ...

ZINSSTRUCTUUR: ALTERNATIEVEN
[sentence structure: alternatives]

Vergelijk A met B:

HOOFDZIN

	subject	pv.	rest		eindgroep	
A	Dat	**valt**	<u>bij</u> Vlamingen echt		**op.**	
	Die	**was**	ook eens <u>bij</u> een Vlaamse familie		**uitgenodigd.**	
B	Dat	**valt**	echt		**op**	<u>**bij**</u> Vlamingen.
	Die	**was**	ook eens		**uitgenodigd**	<u>**bij**</u> een Vlaamse familie.

	(...)	pv.	subject	rest	eindgroep	
A	Misschien	**heeft**	het	iets <u>met</u> hun geschiedenis	**te maken.**	
B	Misschien	**heeft**	het	iets	**te maken**	<u>**met**</u> hun ge- schiedenis.

IN DE BIJZIN

	link	subject	rest	eindgroep	
A	... dat	**ik**	met hen <u>in</u> hun eigen taal	**moet kunnen praten.**	
	... dat	**ze**	<u>in</u> dit land niet <u>van</u> hun eigen taal	**houden.**	
B	... dat	**ik**	met hen	**moet kunnen praten**	<u>**in**</u> hun eigen taal.
	... dat	**ze**	niet <u>van</u> hun eigen taal	**houden**	<u>**in**</u> dit land.
	... dat	**ze**	<u>in</u> dit land niet	**houden**	<u>**van**</u> hun eigen taal.

Achter de eindgroep kan 1 (maar niet meer dan 1) woordgroep staan als die begint met een prepositie.
[After the ending you can put 1 (but only 1) group of words if the latter starts with a preposition.]

'MEN' IS OOK EEN ONPERSOONLIJK PRONOMEN, ZOALS 'ZE' EN 'JE'. HET IS FORMELER DAN 'ZE' EN 'JE'.
['Men' is another impersonal pronoun. It is more formal than 'ze' and 'je'.]

WERKBOEK 2A
P. 319

2 B

De Vlamingen en het Nederlands

Het verhaal is bekend. Als buitenlander kom je in Vlaanderen aan en je wilt snel en goed Nederlands leren. Dus je praat zoveel mogelijk met iedereen Nederlands. Maar ... dat gaat zomaar niet. Je spreekt in een café een Vlaming aan in het Nederlands en meteen antwoordt hij in het Engels. Of in het Frans als hij hoort dat je een Frans accent hebt. Waarom doet hij dat toch ? Fransen zouden nooit in het Engels antwoorden als je ze in het Frans - zelfs slecht Frans - aanspreekt. En Engelsen zeker niet in het Frans.

Daar zijn verschillende verklaringen voor. De eerste is historisch. Vlaanderen heeft vanaf de vijftiende eeuw bijna altijd onder een vreemde regering geleefd. De Bourgondiërs[1] spraken Frans, de Spanjaarden Spaans, de Oostenrijkers Frans, de Fransen Frans en ten slotte de Belgen ... Frans ! Thuis spraken de Vlamingen altijd wel een of ander Vlaams dialect, maar de taal van de rechtspraak[2], de middelbare scholen en de universiteiten bleef het Frans. Pas in 1898 werd ook het Nederlands een officiële taal. Daarom passen de Vlamingen zich traditioneel gemakkelijk aan. En ze hebben de reflex de taal van de ander over te nemen. Dat lukt ze bovendien nog aardig ook, want Vlamingen hebben al een lange traditie van vreemde-talen-onderwijs.

---

1   the Burgundians
2   jurisdiction, justice

Ten tweede is het Nederlands één van de kleinere talen van Europa. Vlamingen zijn daar nogal praktisch in. Ze vinden het gemakkelijker om dan maar meteen de voorrang te geven aan de grotere taal.

En ten slotte, Vlaanderen ligt op het kruispunt van grote talen en culturen. Op zo'n kruispunt moet je wel een beetje soepel zijn. Je moet af en toe voorrang geven, anders krijg je ongelukken. Maar, die voorrang aan de taal van de ander maakt het moeilijker voor een buitenlander om Nederlands te leren. En dát vergeten de Vlamingen te gemakkelijk.

ARGUMENTEN ORDENEN: CONNECTOREN
[ordering arguments: connectors]

ten eerste ...	**(in de eerste plaats)**
ten tweede ...	**(in de tweede plaats)**
ten derde ...	**(in de derde plaats)**
ten slotte	

Ten eerste heeft Vlaanderen altijd onder een vreemde regering geleefd.
Ten tweede is het Nederlands één van de kleinere talen van Europa en **ten slotte** ligt Vlaanderen op het kruispunt van grote talen en culturen.

Niet alleen ... maar ook ... en verder ...

Het Nederlands is **niet alleen** één van de kleinere talen van Europa, **maar** Vlaanderen ligt **ook** op het kruispunt van grote talen en culturen. **Verder** is ook het feit belangrijk dat Vlaanderen altijd onder een vreemde regering heeft geleefd.

bovendien / (en) daarbij

Het Nederlands is één van de kleinere talen van Europa en Vlaanderen ligt **bovendien** op het kruispunt van grote talen en culturen. Het Nederlands is een kleine taal. **En daarbij**: we mogen ook niet vergeten dat Vlaanderen op het kruispunt van grote talen en culturen ligt.

WERKBOEK 2B
P. 322

▮ woordenlijst les 2

de buitenlander	gesloten	bovendien	aanpassen° (r)	tot nog toe
de Chinees	Indisch	zomaar	aanspreken°*	aan huis komen
de cursus	raar		antwoorden	te maken hebben met
de reflex	soepel		lukken	ik zou het niet weten
de verklaring			overnemen°*	ten eerste, ten tweede ...
de voorrang				
het accent				
het verhaal				

 HET SUBJECT VAN 'LUKKEN' IS 'HET', 'DAT' OF EEN ZAAK.
[The subject of 'lukken' is 'het', 'dat' or a thing.]

De foto's zijn niet goed gelukt.
Het lukt (me) niet.
Dat is (hem) aardig gelukt.

Het is moeilijk om een goede moeder te zijn !

3A

CD 4(16)

IN DE WINKEL VAN ELLY

1.	Elly	Ai, dat is erg ! Werkloos worden, in deze tijd.
	Jennifer	Ja ja, verschrikkelijk. Hij had een uitstekende baan, hij was carrière aan het maken en plotseling ontslaan ze hem en hij staat op straat, zoals zovelen hier.
	Elly	Niet te geloven.
	Jennifer	Ja, ik begrijp het ook niet. Ik weet niet wat er gebeurd is. Maar goed, ik begon me dus grote zorgen te maken toen ik dat hoorde. Hij is namelijk een beetje speciaal, mijn zoon. Hij is soms niet helemaal normaal, vind ik.
	Elly	Nee toch ! Dat is erg. Voor een moeder moet dat verschrikkelijk zijn.
	Jennifer	Ja, ziet u, mijn zoon is veel te zacht van karakter. Veel te zacht om te vechten. Een stille jongen ook, die niet zo gemakkelijk praat over wat hij voelt. Dus als moeder moet ik toch proberen hem te helpen, niet ? Nee, gelooft u mij maar: het leven van een moeder is niet altijd gemakkelijk.

EVEN LATER

| 2. | Elly | Zeg Bert, er lijken toch zoveel werklozen te zijn de jongste tijd. Hoe komt dat toch ? |

Bert	Dat weet ik niet.
Elly	Ik weet ook niet echt waarom. Maar het zijn heel moeilijke tijden. En ze zijn met velen, de werklozen. Met duizenden, nee met tienduizenden ! Sommigen blijven jaren zoeken en vinden dan nog geen goede baan. Maar toch: als je goed genoeg zoekt, is het mogelijk iets te vinden. En dat heb ik die vrouw ook gezegd.
Bert	Welke vrouw ?
Elly	Die vrouw met wie ik daarnet in de winkel stond te babbelen. Haar zoon is werkloos geworden.
Bert	Mmm ...
Elly	En dat is niet het enige probleem. Hij is ook ... speciaal.
Bert	Speciaal ?
Elly	Ja, het is een speciale jongen, zei ze. Nogal gesloten en zacht van karakter, begrijp ik. Veel meer weet ik ook niet. Waarom die jongen niet echt normaal is, heeft ze mij niet verteld. Maar ze vertelde me wel dat ze aan zichzelf beloofd heeft haar kind te helpen, zoveel en zolang ze dat kon en dus is ze meteen naar hier gekomen. Nee, het is niet altijd gemakkelijk een moeder te zijn, denk ik.
Bert	Mmm ...
Elly	Maar, ik ben weer aan het praten zonder aan jou en jouw werk te denken. Wil je niet even stoppen met tellen ? Wil je misschien iets om te drinken ? Nog een koffie ?
Bert	Ja, dank je.
Elly	En ? Doe je het graag ?
Bert	Wat ? Dit werk ?
Elly	Ja.
Bert	Ja, ik doe het graag.
Elly	Dat doet me plezier.
Bert	Maar ik zal pas echt als manager kunnen beginnen als deze administratie hier in orde zal zijn. En dat zal nog even duren.
Elly	Werk dan maar snel voort. En vergeet niet je koffie te drinken. Ik moet weer naar de winkel. Ik heb de bel gehoord.

VERWONDERING UITDRUKKEN *[expressing surprise]*

(ZIE OOK: DEEL 4, 1B)

Niet te geloven !

ONBEPAALDE TELWOORDEN *[indefinite numerals]*

Onbepaalde telwoorden - zoals 'sommige, enkele, andere, veel, weinig ...' duiden een niet exact getal aan. *[Indefinite numerals like 'sommige, enkele, andere, veel, weinig ...' indicate a non-defined number.]*

DINGEN

Sommige boeken kan ik in de bibliotheek vinden, **andere** moet ik kopen.
Op **verschillende vragen** kon hij niet antwoorden, **enkele** begreep hij zelfs niet.

PERSONEN

onbep. telw. + subst.	onbep. telw. = subst.
[indef. numeral + noun]	*[indef. numeral = noun]*
Enkele studenten hebben de les niet begrepen.	**Enkelen** hebben de les niet begrepen.
De **weinige vreemdelingen** die ik ken, komen allemaal uit Europa.	De **weinigen** die ik ken, komen allemaal uit Europa.
Sommige vreemde **studenten** leren heel snel Nederlands, **andere** (vreemde studenten) blijven Engels spreken.	**Sommigen** leren heel snel Nederlands, **anderen** blijven Engels spreken.

Voeg '-(e)n' toe aan onbepaalde telwoorden als ze niet gevolgd worden door een substantief en naar personen verwijzen.
[Add '-(e)n' to indefinite numerals if they are not followed by a noun and refer to persons.]

1. **Honderden, duizenden en miljoenen: altijd + en**

   Er zijn **duizenden** werklozen.   **Duizenden** zijn werkloos.
   Hij heeft **honderden** boeken over dieren.   Hij heeft **miljoenen** op de bank.

2. **'Veel' en 'weinig' + een onbepaald substantief.**
   'vele' en 'weinige' + een bepaald substantief.

   Hij heeft **weinig vrienden**, maar voor de **weinige vrienden** die hij heeft, zou hij alles doen.

WERKBOEK 3A
P. 324

WERKWOORDEN GEVOLGD DOOR 'TE + INFINITIEF'
[verbs followed by 'te + infinitive']

1. 'zitten', 'liggen', 'hangen', 'staan', 'lopen'
(ZIE OOK: DEEL 10, 1B)

2. 'hoeven'
(ZIE OOK: DEEL 9, 2A)

3. Veel andere werkwoorden zoals: – denken, vragen, zeggen
– lijken, schijnen
– beslissen, besluiten
– beginnen, proberen
– beloven, vergeten

Jennifer **begon** zich grote zorgen **te maken**.
Jennifer heeft zichzelf **beloofd** Bert zo lang mogelijk **te zullen helpen**.
Jennifer heeft **besloten** meteen naar België **te komen**.
Zij **denkt te weten** dat Bert haar hulp nodig heeft.
Zij wil **proberen** Bert **te helpen**.
Bert heeft zijn moeder niet **gevraagd te komen**.
Er **lijken** op dit moment heel veel werklozen **te zijn**.
Bert **schijnt** niet gemakkelijk **te praten** over wat hij voelt.
Vergeet niet je koffie **te drinken**.
Bert **zegt** tegen Elly zijn werk heel graag **te doen**.

1. – kunnen, willen, mogen, moeten, zullen
– gaan, komen, blijven, laten   **+ INFINITIEF**
– zien, horen, voelen

Velen **blijven** heel lang **zoeken** en **kunnen** toch geen werk **vinden**.
(ZIE OOK: DEEL 2, 5B; DEEL 9, 5B)

2. Stoppen + MET + INFINITIEF

Wil je niet even **stoppen met** tellen ?

ADJECTIEF + (OM) + TE + INFINITIEF

(ZIE OOK: OM + TE + INFINITIEF, DEEL 8, 3C)

	adjectief	**om**		**te + infinitief**
Het is niet	**gemakkelijk**	**(om)**	een goede moeder	**te zijn.**
Het is toch	**mogelijk**	**(om)**	iets	**te vinden.**
Hij is veel	**te <u>zacht</u>**	**om**		**te vechten.**
Bert is	**<u>oud</u> genoeg**	**om**	zijn eigen leven	**te organiseren.**

Laat de 'om' niet weg als het adjectief wordt voorafgegaan door 'te' of gevolgd door 'genoeg'.

[Don't omit 'om' when the adjective is preceded by 'te' or followed by 'genoeg'.]

WERKBOEK 3B
P. 325

▋ woordenlijst les 3

de bel	plotseling	daarnet	opdrinken°*	zichzelf
de carrière		zolang		

ai 🕔

Gewoonten.

4A

JENNIFER IS TERUG IN DE WINKEL VAN ELLY EN ZIET BERT

Jennifer	Neemt u mij niet kwalijk, mevrouw. Daarnet heb ik hier een fles sherry gekocht, maar mijn zoon houdt helemaal niet van sherry. Hoe kon ik dat toch vergeten !
Elly	Dat is geen probleem, mevrouw. Neemt u maar iets anders.
Jennifer	Ik kan hem nu geen fles sherry cadeau geven. Dat zou heel dom zijn. Hij haat sherry. U moet dat begrijpen. Ik wil iets kopen dat hij graag heeft. Zoals ik al zei, is mijn zoon werkloos geworden en ik ben bang dat ... dat hij nu heel ongelukkig is. Ik weet wel dat onze relatie niet altijd perfect geweest is, maar hij heeft niemand anders dan ik.
Elly	Heeft hij niemand anders dan u ? Dan is het goed dat u gekomen bent. Op zulke momenten heeft een man een vrouw nodig.
Bert	Dag ... mama.
Jennifer	Bert ? Jij hier ?
Bert	Ja, mama ik ...
Jennifer	En die vrouw heb je al gevonden, zie ik.
Bert	Wacht, mama. Word nu maar niet boos. Ik zal alles uitleggen ...

CD 4(17)

ZINSSTRUCTUUR: ALTERNATIEVEN *[sentence structure: alternatives]*

(ZIE OOK: DEEL 6, 6B)

HOOFDZIN   BIJZIN

	link	subject	rest	eindgroep
Ik weet	dat	onze relatie	niet altijd perfect	**is geweest.**
Ik weet	dat	onze relatie	niet altijd perfect	**geweest is.**
Het is goed	dat	u		**bent gekomen.**
Het is goed	dat	u		**gekomen bent.**
Ik zie	dat	je	al een vrouw	**hebt gevonden.**
Ik zie	dat	je	al een vrouw	**gevonden hebt.**

In de eindgroep met een participium staat dat participium eerst of laatst.
[In the ending the auxiliary may precede or follow the past participle.]

⚠ Bert heeft zijn moeder in de winkel **horen praten**.

In de eindgroep moet een hulpwerkwoord altijd voor een infinitief staan.
[In the ending an auxiliary must precede an infinitive.]

(ZIE OOK: DEEL 6, 5A)

WERKBOEK 4A
P. 327

Paolo, Sumant en John in het studentenrestaurant

Paolo	Wie is die Margaret ?
John	Een vriendin van mij. Ze komt ook uit New York. Ze studeert hier nu kunstgeschiedenis.
Paolo	En wat wil je over haar vertellen ?
John	Wel, in Brussel wonen er een oom en een tante van haar. Eigenlijk geen echte oom, maar een neef van haar moeder. En omdat ze nu toch in België was, wilde Margaret met die verre Vlaamse familie van haar weleens kennismaken en ze schreef hen dus een e-mail. Ze reageerden meteen. Dezelfde dag kreeg ze al een e-mail terug.
Paolo	En ?
John	Wel, er stond in dat ze heel blij waren te kunnen kennismaken met hun Amerikaanse nicht en dat ze haar de volgende donderdagavond wilden uitnodigen voor een etentje.
Paolo	Dat is toch heel vriendelijk van hen.
John	Ja, natuurlijk, maar nu komt het. Zij dacht: "Ik ga voor die verre Vlaamse familie van mij eens een lekkere Amerikaanse pudding klaarmaken." Dus die donderdagavond nam ze - met haar pudding - de trein naar Brussel; ze zocht het huis van die mensen, belde aan, en toen die mevrouw de deur opendeed, zei ze: "Ik heb het dessert klaargemaakt voor vanavond." En ze duwde de pudding in de handen van die brave mevrouw.
Sumant	En die brave mevrouw vond dat een beetje raar?
Paolo	Dat is toch normaal. Als je ergens uitgenodigd bent, geef je toch geen pudding cadeau !
John	Nee ? Waarom niet. Dat ze dat dessert meebracht, vind ik heel normaal.
Paolo	Ja, jij wel. Maar jullie Amerikanen hebben ook zoveel van die gekke gewoonten.

woordenlijst les 4

de gewoonte
de kunstgeschiedenis
de neef
de nicht
de oom
de pudding
de relatie
de tante

(n)iemand anders

aanbellen°
duwen
reageren

iemand iets cadeau doen / geven

Leven in Vlaanderen.

5 A

CD 4(19)

DE VOLGENDE AVOND BIJ ELS EN PETER THUIS

1.	Peter	Ik moet nog lachen als ik aan gisteren terugdenk. Die kleine vrouw die zich daar boos stond te maken.
	Els	Ja en die grote Bert die daar stond als een klein stout jongetje dat iets verkeerds heeft gedaan.
	Peter	En Paolo vooral die opeens tussen die twee sprong en zei: "Ik denk niet dat u dat zal kunnen veranderen, mevrouw. Of vergis ik me ?"
	Paolo	Maar ik had toch gelijk ! Of niet ?
	Peter	Ja, natuurlijk. Je hoeft je niet te verontschuldigen. Ik heb het je gisteren al gezegd: je hebt dat heel goed gedaan. Je bent een prima diplomaat ! Hahaha.
	Els	En daarbij: Bert heeft toch recht op een zelfstandig leven.
2.	Paolo	Ik vind de studenten hier ook niet zo zelfstandig.
	Peter	Ja, volwassen zijn ze op achttien, maar zelfstandig zijn ze op achttien nog lang niet.
	Els	Ze hebben ook geen eigen inkomen. Wat wil je dan ?
	Paolo	Ja, dat is misschien wel waar, maar het lijkt wel of ze ook niet zonder hun moeder kunnen. Ze zijn student en toch gaan ze elk weekend nog naar huis. Na al de drukte in de week lijkt Leuven leeg op zondag.
	Els	Oh, arme Paolo. Voel je je alleen in het weekend ? Je mag altijd bij ons komen. Maar nu ga ik afwassen. Ja, als je niet meer bij je ouders woont, moet je ook voor alles zelf zorgen ! En ... wie van jullie

	neemt er een handdoek ?
Peter	Moet ik nu echt helpen afwassen ?
Els	Ah … Durf maar niet te weigeren, Peter, anders …
Peter	Oké, oké …
Els	Zie je, Paolo ? Onze Vlaamse studenten zijn nog niet zo dom. Als ze in het weekend naar huis gaan, hoeven ze niet zelf hun kleren te wassen en ze krijgen lekker eten op zondag. En ze vertrekken na het weekend dan weer voor een weekje met een koffer vol schone kleren. Nee nee, dat is helemaal niet zo dom,

3.	Paolo	Geef mij ook maar een handdoek, Els. Ik help je ook wel even.
	Els	Aha, dat is lief.
	Paolo	En daarna ga ik naar huis, want morgen wil ik Brussel bezoeken. Dat heb ik nog niet gezien.
	Peter	Begin dan al maar je Frans te oefenen.
	Paolo	Maar ik ken helemaal geen Frans !
	Els	Nee, Paolo, Peter maakt een grapje. Spreek jij in Brussel maar rustig Nederlands. Ze moeten dat daar begrijpen. Brussel is tweetalig.
	Peter	Haha, maar of hij daar ook Nederlands zal horen …
	Els	Ga je met de trein, Paolo ?
	Paolo	Ja, ik wil morgen om negen uur de trein nemen. Tenminste als ik vroeg genoeg wakker ben.

WOORDVOLGORDE VAN DE 'REST': ENKELE RICHTLIJNEN
[word order in the 'rest': some guidelines]

1.

	REST	EINDGROEP
Jennifer was	**zich** boos	aan het maken.
Ze moeten	**dat** daar	begrijpen.
Ik heb	**het je** gisteren	gezegd.

Pronomina staan zo dicht mogelijk bij de pv.
[Pronouns are put as closely as possible to the finite verb.]

(ZIE OOK: DEEL 9, 4B)

2. Ze vertrekken | **op maandag** weer voor een weekje naar Leuven. |

Ik wil	**morgen om negen uur** de trein	nemen.
Paolo heeft	haar **gisteren na de middag** in de winkel van Elly	ontmoet.

Tijdsbepalingen staan gewoonlijk voor andere bepalingen en objecten. Meer algemene tijdsbepalingen staan voor meer specifieke.
[Time adjuncts are usually put before other adjuncts and objects. More general time adjuncts are put before more specific ones.]

WERKBOEK 5A
P. 331

BRUSSEL

In het midden van België loopt van west naar oost de Nederlands-Franse taalgrens. Die taalgrens bestaat al vijftien eeuwen en vormt nu in het federale België de grens tussen het Vlaamse en het Waalse gewest.

Brussel is tien eeuwen oud. Het ligt ten noorden van de taalgrens - in het Nederlandse taalgebied dus - en heeft een Vlaams verleden.

Brussel is nu officieel tweetalig. Elke straat in Brussel heeft twee namen, een Franse en een Nederlandse. Ook de administratie, het onderwijs en de rechtspraak in Brussel zijn officieel tweetalig. Toch geeft Brussel aan de honderdduizenden toeristen de indruk dat het ééntalig Frans is. In bijna alle winkels en restaurants spreken ze klanten in het Frans aan.

De meerderheid van de Brusselaars noemt zich inderdaad Franstalig. Volgens de officiële cijfers heeft slechts een kleine 10% van de Brusselaars het Nederlands als moedertaal. En ook zij kunnen vrijwel[1] allemaal Frans spreken.

Geen enkele andere Europese stad is zo internationaal als Brussel. Brussel telt ongeveer één miljoen inwoners en één op de vier Brusselaars is geen Belg. Eén kind op de twee dat in Brussel wordt geboren, heeft buitenlandse ouders. Natuurlijk wonen er veel Europese ambtenaren in Brussel, maar je vindt er ook grote groepen Italiaanse, Marokkaanse, Turkse, Spaanse en Griekse immigranten. En al die buitenlanders spreken naast hun moedertaal ook Frans.

Omdat je in Brussel zo vaak Frans hoort, voelen niet alle Vlamingen er zich thuis. Ze komen wel met zeer velen naar Brussel om er te werken, maar ze reizen nog liever elke dag tweehonderd kilometer dan er te wonen.

De Vlaamse regering doet hard haar best om van de hoofdstad van Vlaanderen, die ook de grootste stad van het Nederlandse taalgebied is, weer een

---

1   virtually

stad te maken waar de Vlaming zich thuis kan voelen. En de Vlaming in Brussel is zich nu meer dan vroeger bewust van zijn eigen identiteit. Het Nederlandstalig onderwijs in Brussel is weer duidelijker aanwezig dan enkele decennia geleden. De Vlaamse regering en het parlement, en de belangrijkste gebouwen van de administratie van de Vlaamse Gemeenschap vind je allemaal in Brussel. En ook cultureel laat Vlaanderen Brussel niet los. Brussel heeft Vlaamse theaters en het aantal Vlaamse culturele initiatieven in Brussel hoofdstad stijgt elk jaar.

WERKBOEK 5B
P. 334

woordenlijst les 5

de ambtenaar	het decennium	aanwezig	afdrogen° (r)
de Brusselaar	het gebied	bewust	lachen*
de diplomaat	het gewest	eentalig	loslaten°*
de drukte	het initiatief	Franstalig	springen*
de handdoek	het jongetje	Marokkaans	verontschuldigen (r)
de identiteit	het midden	Nederlandstalig	weigeren
de indruk	het recht	officieel (officiële)	
de meerderheid	het taalgebied	stout	zich bewust zijn van
de moedertaal	het theater	Turks	zich boos maken op
de rechtspraak		tweetalig	zijn best doen
de taalgrens		vernieuwd	gelijk hebben
		volwassen	recht hebben op
			nog lang niet

Feesten in Vlaanderen.

6 A

FEESTDAGEN IN VLAANDEREN

Voor Vlamingen staan werk, een eigen gezin en een eigen huis bovenaan hun lijstje van verlangens. Maar af en toe willen ze weleens alle dagelijkse zorgen vergeten en dan feesten ze. En bij elk feest hoort natuurlijk lekker eten en drinken.

Bijna alle Vlaamse feesten hangen samen met oude christelijke en kerkelijke tradities. Van de veertien officiële feestdagen zijn er negen ook kerkelijke feestdagen: Pasen en paasmaandag, Hemelvaartsdag[1], Pinksteren[2] en pinkstermaandag, Maria-Hemelvaart[3], Allerheiligen[4], Kerstmis en tweede kerstdag.

Niet-kerkelijke officiële feestdagen zijn: Nieuwjaar op 1 januari; het internationale Feest van de Arbeid op 1 mei; de Dag van de Vlaamse Gemeenschap[5] op 11 juli en de Belgische nationale feestdag op 21 juli. Maar Vlamingen vinden officiële feestdagen niet zo heel belangrijk. Op hun 'nationale' feestdagen zijn velen van hen met vakantie en ze vinden het helemaal niet erg als ze op 11 juli de officiële toespraak[6] van de minister-president van de Vlaamse Gemeenschap of op 21 juli die van de koning missen.

De laatste niet-kerkelijke feestdag is 11 november, de dag waarop de Eerste Wereldoorlog voorbij was. Op die dag herdenkt men nu de doden van de Eerste en van de Tweede Wereldoorlog.

Op officiële feestdagen heeft iedereen een dagje vrij, maar er zijn natuurlijk nog meer speciale dagen in het jaar. Het sinterklaasfeest op 6 december - of, in sommige streken in Vlaanderen, het sint-maartensfeest op 11 november - is een echt kinderfeest. Op de tweede zondag van mei - in sommige streken op 15 augustus - is het moederdag: dan worden[7] alle Vlaamse moeders gevierd. Vaderdag valt traditoneel op de tweede zondag van juni. Ook verjaardagen worden niet vergeten. Zo heeft iedereen in het gezin zijn eigen feest.

---

1 Ascension Day
2 Whitsun, Pentecost
3 Ascension of Our Lady
4 All Saints Day
5 Day of the Flemish Community
6 address, speech
7 are (passive)

ALLE = AL DE, AL DEZE, AL DIE, AL MIJN ...

Ken jij **al de** Vlaamse officiële feestdagen ?
Ken jij **alle** Vlaamse officiële feestdagen ?

Bijna **al de** Vlaamse feesten hangen samen met de christelijke tradities.
Bijna **alle** Vlaamse feesten hangen samen met de christelijke tradities.

ALLE + GETAL

Pasen en Pinksteren zijn **alle twee** kerkelijke feestdagen.
De kinderen kopen **alle vier** iets voor vaderdag.

SUBSTANTIEF + ALLEMAAL

Hij kent **al de** Vlaamse feesten.
Hij kent de Vlaamse feesten **allemaal**.

Al de leden van het gezin hebben hun eigen feest.
De leden van het gezin hebben **allemaal** hun eigen feest.

 ~~Allemaal~~ hebben hun eigen feest.
Ze hebben allemaal hun eigen feest.

Gebruik nooit 'allemaal' zonder het substantief of pronomen waar het naar verwijst.
[Never use 'allemaal' without mentioning in the same sentence the noun or pronoun it refers to.]

WERKBOEK 6A
P. 336

 'Alles' = alle dingen
Alles is in orde.

6B

HET GROTE KINDERFEEST

6 december: **Sinterklaas**

Sinterklaas, kapoentje[1]
Leg wat in mijn schoentje
Leg wat in mijn laarsje
dank u, sinterklaasje

CD 4(20)

In de nacht van 5 op 6 december zetten de kinderen hun schoentje klaar. Dan komt de Sint uit het verre Spanje. Hij rijdt op zijn paard rond op de daken van de huizen en gooit leuke dingen om mee te spelen naar binnen: ballen, poppen of treintjes ... En natuurlijk ook lekkers. De kinderen krijgen verse mandarijntjes en snoep: chocolade, marsepein, speculaas.

---

1   little rascal

HET DIMINUTIEF *[the diminutive]*

diminutief = substantief + -je (of soms + -pje, -tje, -etje, -kje)

een kat**je**	= een <u>kleine</u> kat	een schat**je**	= een <u>lieve</u> schat
een laars**je**	= een <u>kleine</u> laars	sinterklaas**je**	= <u>lieve</u> sinterklaas
een boom**pje**	= een <u>kleine</u> boom	mijn moeder**tje**	= mijn <u>lieve</u> moeder
een jonge**tje**	= een <u>kleine</u> jongen		
een ball**etje**	= een <u>kleine</u> bal		
een konin**kje**	= een <u>kleine</u> koning		

ALLE DIMINUTIEVEN ZIJN HET-WOORDEN.
[All diminutives are 'het'-words.]

WERKBOEK 6B
P. 339

6 C

CD 4(21)

FEESTEN IN VLAANDEREN

24 december: **kerstavond**

25 december: **Kerstmis**

Op Kerstmis vieren de christenen de geboorte van Jezus, de zoon van God. Dat gebeurde meer dan 2000 jaar geleden in een stal in het verre Bethlehem. Op kerstavond zit het hele gezin samen rond de feesttafel. In de huiskamer staat er een kerstboom met kleurige kerstballen en lampjes.

31 december: **oudejaar**

1 januari: **nieuwjaar**

Ook oudejaar, de laatste avond en nacht van het jaar, vieren veel Vlamingen in het gezin. Anderen eten een feestmenu in een restaurant. Jongeren dansen graag het nieuwe jaar in. Om 12 uur 's nachts kussen de mensen elkaar en ze wensen elkaar het beste voor het komende jaar.

Nieuwjaartje zoete[1]
Het varken[2] heeft vier voeten
Vier voeten en een staart[3]
Is dat dan geen centje waard ?

6 januari: **Driekoningen**

Driekoningen, driekoningen
Geef mij een nieuwe hoed

---

1   New Year sweet
2   pig
3   tail

De oude is versleten[4]
Mijn moeder mag het niet weten
Mijn vader heeft het geld
Op de rooster[5] geteld

Driekoningen sluit de kerst- en nieuwjaarsperiode af.

De drie koningen kwamen volgens de christelijke traditie uit hun verre land naar de stal in Bethlehem. Ze brachten geschenken naar de nieuwe goddelijke koning. Een ster wees hen de weg.

Op Driekoningen gaan veel kinderen met lange kleren aan, met een kroon op het hoofd en met een ster in de hand aan elke deur driekoningenliedjes zingen. Zo krijgen ze heel wat zakgeld en snoep bij elkaar.

Op die dag haalt men ook alle kerstbomen uit de huizen en in sommige dorpen maakt men met deze bomen een groot vuur op het dorpsplein.

Tussen kerst en nieuw schrijven de mensen elkaar wenskaarten met daarop[6] een traditionele wens, zoals "Zalig[7] kerstfeest" of "Gelukkig nieuwjaar". De laatste jaren sturen velen ook gewoon een e-mail met wensen naar iedereen die ze kennen.

CARNAVAL

Carnaval is het eerste lentefeest. Het is ook het begin van de christelijke veertigdaagse vasten[8] voor het paasfeest. Op carnaval mag iedereen gekke kleren dragen, gekke dingen doen en veel, heel veel drinken. In Vlaanderen vind je veel

---

4   worn-out
5   grate, grid
6   on it
7   merry
8   Lent

carnavalsverenigingen en elke stad heeft ook zijn Prins Carnaval en zijn eigen carnavalsstoet. De bekendste carnavalsstad is Aalst.

Voor de kinderen bakte elke Vlaamse moeder vroeger op de avond van carnaval heerlijke pannenkoeken of wafels.

PASEN

Bim bam beieren[9]
De koster[10] lust[11] geen eieren
Wat lust hij dan?
Spek[12] in de pan!

Op Pasen vieren de christenen de verrijzenis[13] van Christus uit de dood. Op die dag komen volgens de traditie de klokken uit Rome terug met paaseieren. Daarom gaan alle kinderen op paaszondag in de tuin op zoek naar chocoladen paaseieren.

WERKBOEK 6C
P. 340

woordenlijst les 6

de arbeid	Pasen	het carnaval	christelijk
de cent	de prins	het dak (daken)	goddelijk
de dode	de sigaar	het dorpsplein	kerkelijk
de dood	Sinterklaas	het feestmenu	kleurig
de drank	de snoep	het geschenk	veertigdaags
de feestdag	(ook: het snoep)	het kinderfeest	waard
de feesttafel	de speculaas	nieuwjaar	zalig
de geboorte	de stal	oudejaar	
de herdenking	de ster	het paard	
de kerstavond	de stoet	het paasei	bovenaan
de kerstperiode	de streek	het paasfeest	
de kroon	de vaderdag	het sinterklaasfeest	volgens
de laars	de verjaardag	het verlangen	
de lijst	de wafel	het vuur	afsluiten°*
de marsepein	de wagen	het zakgeld	bloeien
de moederdag	de wens		feesten
de nieuwjaarsperiode	de wenskaart		groeien
de pannenkoek	de wereldoorlog		herdenken*
			rondgaan°*
			rondrijden°*
			samenhangen°*
			wijzen*

---

9 to chime, to ring
10 verger
11 likes
12 bacon
13 resurrection

Religie

7

RELIGIE IN HET LEVEN VAN DE VLAMING

In België kies je vrij je eigen godsdienst. Van de grote godsdiensten vind je in België vooral het katholicisme, het protestantisme, het jodendom en de islam. En van al deze religies is het katholicisme het belangrijkst.

Vlaanderen was traditioneel zeer katholiek, meer dan Wallonië. Nu noemen de meeste Vlamingen zich nog altijd katholiek, maar minder dan 10% gaat nog regelmatig naar de kerk. De pastoor is al lang niet meer de belangrijkste man van het dorp en de meeste Vlamingen leven precies zoals ze dat zelf graag willen, ook al is dat misschien niet zoals de katholieke kerk het wil.

Daarom zijn veel oude christelijke tradities in Vlaanderen nu bijna helemaal verdwenen. Bidden voor een maaltijd gebeurt in de Vlaamse gezinnen nu nog zelden of nooit. Op vrijdag eten ze niet langer alleen vis. In de traditionele jaarlijkse vastentijd[1] vóór Pasen eten ze nu even goed en even veel als op andere momenten van het jaar. En zondagse kleren voor het zondagse kerkbezoek ? Ook die hebben ze niet meer.

Toch is er in het Vlaanderen van vandaag nog invloed van de katholieke kerk. Een van de grootste Vlaamse politieke partijen is nog altijd die van de christendemocraten, en sommigen van hen hebben een sterke band met de kerk. Ook van de scholen in Vlaanderen is het grootste deel katholiek.

Op de grote momenten in hun leven vinden de Vlamingen nog wel de weg naar de kerk. Veel Vlamingen vinden het nog belangrijk niet alleen op het stadhuis maar ook in de kerk te trouwen. Een trouwfeest zonder kerk is geen echt trouwfeest, zeggen ze. En als ze sterven, worden[2] de meesten nog kerkelijk begraven.

WERKBOEK 7
P. 342

---

1   time of fasting, Lent   2   are (passive)

de band	het jodendom	christelijk	begraven*
de democraat	het katholicisme	kerkelijk	bidden*
de godsdienst	het kerkbezoek	regelmatig	sterven*
de islam	het protestantisme	zondags	
Pasen			
de pastoor		ook al	

APPENDIX I

INFINITIEF	IMPERFECTUM		PARTICIPIUM (hulpwerkwoord)
	ENKELVOUD	MEERVOUD	
aanbieden	bood aan	boden aan	aangeboden (heeft)
aandoen	deed aan	deden aan	aangedaan (heeft)
aangeven	gaf aan	gaven aan	aangegeven (heeft)
aanhebben	had aan	hadden aan	aangehad (heeft)
aankomen	kwam aan	kwamen aan	aangekomen (is)
aannemen	nam aan	namen aan	aangenomen (heeft)
aanspreken	sprak aan	spraken aan	aangesproken (heeft)
aanstaan	stond aan	stonden aan	aangestaan (heeft)
aantrekken	trok aan	trokken aan	aangetrokken (heeft)
achterlaten	liet achter	lieten achter	achtergelaten (heeft)
achteruitgaan	ging achteruit	gingen achteruit	achteruitgegaan (is)
aflopen	liep af	liepen af	afgelopen (is)
afsluiten	sloot af	sloten af	afgesloten (heeft)
afspreken	sprak af	spraken af	afgesproken (heeft)
afstaan	stond af	stonden af	afgestaan (heeft)
afvragen (zich)	vroeg zich af	vroegen zich af	afgevraagd (heeft)
afwassen	waste af	wasten af	afgewassen (heeft)
bakken	bakte	bakten	gebakken (heeft)
beginnen	begon	begonnen	begonnen (is)
begraven	begroef	begroeven	begraven (heeft)
begrijpen	begreep	begrepen	begrepen (heeft)
bekijken	bekeek	bekeken	bekeken (heeft)
beschrijven	beschreef	beschreven	beschreven (heeft)
besluiten	besloot	besloten	besloten (heeft)
bespreken	besprak	bespraken	besproken (heeft)
bestaan	bestond	bestonden	bestaan (heeft)
bewegen	bewoog	bewogen	bewogen (heeft)
bezoeken	bezocht	bezochten	bezocht (heeft)
bidden	bad	baden	gebeden (heeft)
bieden	bood	boden	geboden (heeft)
binnengaan	ging binnen	gingen binnen	binnengegaan (is) / binnengeweest (is)
binnenkomen	kwam binnen	kwamen binnen	binnengekomen (is)
binnenlaten	liet binnen	lieten binnen	binnengelaten (heeft)
binnenlopen	liep binnen	liepen binnen	binnengelopen (is)
binnenrijden	reed binnen	reden binnen	binnengereden (heeft / is)
binnenroepen	riep binnen	riepen binnen	binnengeroepen (heeft)
blijken	bleek	bleken	gebleken (is)
blijven	bleef	bleven	gebleven (is)
breken	brak	braken	gebroken (heeft)
brengen	bracht	brachten	gebracht (heeft)
buigen	boog	bogen	gebogen (heeft)
buitengaan	ging buiten	gingen buiten	buitengegaan (is) / buitengeweest (is)
buitenkomen	kwam buiten	kwamen buiten	buitengekomen (is)
buitenrijden	reed buiten	reden buiten	buitengereden (heeft / is)
denken	dacht	dachten	gedacht (heeft)
dichtdoen	deed dicht	deden dicht	dichtgedaan (heeft)
doen	deed	deden	gedaan (heeft)

| INFINITIEF | IMPERFECTUM | | PARTICIPIUM (hulpwerkwoord) |
	ENKELVOUD	MEERVOUD	
doorkijken	keek door	keken door	doorgekeken (heeft)
doorlopen	liep door	liepen door	doorgelopen (is / heeft)
dragen	droeg	droegen	gedragen (heeft)
drinken	dronk	dronken	gedronken (heeft)
eruitzien	zag eruit	zagen eruit	eruitgezien (heeft)
eten	at	aten	gegeten (heeft)
gaan	ging	gingen	gegaan / geweest (is)
genezen	genas	genazen	genezen (heeft / is)
genieten	genoot	genoten	genoten (heeft)
geven	gaf	gaven	gegeven (heeft)
gieten	goot	goten	gegoten (heeft)
hangen	hing	hingen	gehangen (heeft)
hebben	had	hadden	gehad (heeft)
helpen	hielp	hielpen	geholpen (heeft)
herdenken	herdacht	herdachten	herdacht (heeft)
heten	heette	heetten	geheten (heeft)
houden	hield	hielden	gehouden (heeft)
innemen	nam in	namen in	ingenomen (heeft)
inrijden	reed in	reden in	ingereden (is / heeft)
insluiten	sloot in	sloten in	ingesloten (heeft)
kiezen	koos	kozen	gekozen (heeft)
kijken	keek	keken	gekeken (heeft)
klaarliggen	lag klaar	lagen klaar	klaargelegen (heeft)
klaarstaan	stond klaar	stonden klaar	klaargestaan (heeft)
klimmen	klom	klommen	geklommen (heeft / is)
klinken	klonk	klonken	geklonken (heeft)
komen	kwam	kwamen	gekomen (is)
kopen	kocht	kochten	gekocht (heeft)
krijgen	kreeg	kregen	gekregen (heeft)
kunnen	kon	konden	gekund (heeft)
lachen	lachte	lachten	gelachen (heeft)
langsgaan	ging langs	gingen langs	langsgegaan / langsgeweest (is)
langskomen	kwam langs	kwamen langs	langsgekomen (is)
langslopen	liep langs	liepen langs	langsgelopen (is)
laten	liet	lieten	gelaten (heeft)
leegdrinken	dronk leeg	dronken leeg	leeggedronken (heeft)
lesgeven	gaf les	gaven les	lesgegeven (heeft)
lezen	las	lazen	gelezen (heeft)
liegen	loog	logen	gelogen (heeft)
liggen	lag	lagen	gelegen (heeft)
lijken	leek	leken	geleken (heeft)
lopen	liep	liepen	gelopen (heeft / is)
loslaten	liet los	lieten los	losgelaten (heeft)
meebrengen	bracht mee	brachten mee	meegebracht (heeft)
meegaan	ging mee	gingen mee	meegegaan (is) / meegeweest (is)
meekomen	kwam mee	kwamen mee	meegekomen (is)
meenemen	nam mee	namen mee	meegenomen (heeft)
meerijden	reed mee	reden mee	meegereden (is / heeft)
meevallen	viel mee	vielen mee	meegevallen (is)
moeten	moest	moesten	gemoeten (heeft)
mogen	mocht	mochten	gemogen (heeft)
nadenken	dacht na	dachten na	nagedacht (heeft)
nemen	nam	namen	genomen (heeft)

INFINITIEF	IMPERFECTUM		PARTICIPIUM (hulpwerkwoord)
	ENKELVOUD	MEERVOUD	
onderbreken	onderbrak	onderbraken	onderbroken (heeft)
onderzoeken	onderzocht	onderzochten	onderzocht (heeft)
ontbijten	ontbeet	ontbeten	ontbeten (heeft)
onthouden	onthield	onthielden	onthouden (heeft)
ontslaan	ontsloeg	ontsloegen	ontslagen (heeft)
ontstaan	ontstond	ontstonden	ontstaan (is)
ontvangen	ontving	ontvingen	ontvangen (heeft)
opdrinken	dronk op	dronken op	opgedronken (heeft)
openblijven	bleef open	bleven open	opengebleven (is)
opendoen	deed open	deden open	opengedaan (heeft)
openhouden	hield open	hielden open	opengehouden (heeft)
opeten	at op	aten op	opgegeten (heeft)
opgeven	gaf op	gaven op	opgegeven (heeft)
ophebben	had op	hadden op	opgehad (heeft)
ophouden	hield op	hielden op	opgehouden (is)
opnemen	nam op	namen op	opgenomen (heeft)
opschieten	schoot op	schoten op	opgeschoten (is)
opstaan	stond op	stonden op	opgestaan (is)
opvallen	viel op	vielen op	opgevallen (is)
opvangen	ving op	vingen op	opgevangen (heeft)
opzoeken	zocht op	zochten op	opgezocht (heeft)
overnemen	nam over	namen over	overgenomen (heeft)
oversteken	stak over	staken over	overgestoken (is)
overvliegen	vloog over	vlogen over	overgevlogen (is)
rechtstaan	stond recht	stonden recht	rechtgestaan (is)
rijden	reed	reden	gereden (heeft / is)
roepen	riep	riepen	geroepen (heeft)
rondgaan	ging rond	gingen rond	rondgegaan (is)
rondkijken	keek rond	keken rond	rondgekeken (heeft)
rondlopen	liep rond	liepen rond	rondgelopen (heeft / is)
rondrijden	reed rond	reden rond	rondgereden (heeft / is)
ruiken	rook	roken	geroken (heeft)
samenhangen	hing samen	hingen samen	samengehangen (heeft)
samenkomen	kwam samen	kwamen samen	samengekomen (is)
scheiden	scheidde	scheidden	gescheiden (is)
scheren	schoor	schoren	geschoren (heeft)
schijnen	scheen	schenen	geschenen (heeft)
schoonhouden	hield schoon	hielden schoon	schoongehouden (heeft)
schrijven	schreef	schreven	geschreven (heeft)
schrikken	schrok	schrokken	geschrokken (is)
slapen	sliep	sliepen	geslapen (heeft)
sluiten	sloot	sloten	gesloten (heeft)
snijden	sneed	sneden	gesneden (heeft)
spreken	sprak	spraken	gesproken (heeft)
springen	sprong	sprongen	gesprongen (heeft / is)
staan	stond	stonden	gestaan (heeft)
steken	stak	staken	gestoken (heeft)
stelen	stal	stalen	gestolen (heeft)
sterven	stierf	stierven	gestorven (is)
stijgen	steeg	stegen	gestegen (is)
tegenvallen	viel tegen	vielen tegen	tegengevallen (is)
terugdenken	dacht terug	dachten terug	teruggedacht (heeft)
teruggaan	ging terug	gingen terug	teruggegaan (is) / teruggeweest (is)

INFINITIEF	IMPERFECTUM		PARTICIPIUM (hulpwerkwoord)
	ENKELVOUD	MEERVOUD	
terugkomen	kwam terug	kwamen terug	teruggekomen (is)
terugkrijgen	kreeg terug	kregen terug	teruggekregen (heeft)
terugrijden	reed terug	reden terug	teruggereden (is)
terugvinden	vond terug	vonden terug	teruggevonden (heeft)
terugzien	zag terug	zagen terug	teruggezien (heeft)
thuisblijven	bleef thuis	bleven thuis	thuisgebleven (is)
thuiskomen	kwam thuis	kwamen thuis	thuisgekomen (is)
trekken	trok	trokken	getrokken (heeft)
uitdoen	deed uit	deden uit	uitgedaan (heeft)
uitgaan	ging uit	gingen uit	uitgeweest / uitgegaan (is)
uitrijden	reed uit	reden uit	uitgereden (is / heeft)
uitspreken	sprak uit	spraken uit	uitgesproken (heeft)
uittrekken	trok uit	trokken uit	uitgetrokken (heeft)
vallen	viel	vielen	gevallen (is)
vechten	vocht	vochten	gevochten (heeft)
verbieden	verbood	verboden	verboden (heeft)
verdwijnen	verdween	verdwenen	verdwenen (is)
vergelijken	vergeleek	vergeleken	vergeleken (heeft)
vergeten	vergat	vergaten	vergeten (heeft / is)
verkopen	verkocht	verkochten	verkocht (heeft)
verliezen	verloor	verloren	verloren (heeft)
verschijnen	verscheen	verschenen	verschenen (is)
verstaan	verstond	verstonden	verstaan (heeft)
vertrekken	vertrok	vertrokken	vertrokken (is)
vinden	vond	vonden	gevonden (heeft)
vliegen	vloog	vlogen	gevlogen (heeft / is)
voorbijgaan	ging voorbij	gingen voorbij	voorbijgegaan (is)
voorbijkomen	kwam voorbij	kwamen voorbij	voorbijgekomen (is)
voorschrijven	schreef voor	schreven voor	voorgeschreven (heeft)
vragen	vroeg	vroegen	gevraagd (heeft)
wassen	waste	wasten	gewassen (heeft)
wegdenken	dacht weg	dachten weg	weggedacht (heeft)
wegen	woog	wogen	gewogen (heeft)
weggaan	ging weg	gingen weg	weggegaan (is)
weglopen	liep weg	liepen weg	weggelopen (is)
wegrijden	reed weg	reden weg	weggereden (is)
weten	wist	wisten	geweten (heeft)
wijzen	wees	wezen	gewezen (heeft)
willen	wilde / wou	wilden	gewild (heeft)
winnen	won	wonnen	gewonnen (heeft)
worden	werd	werden	geworden (is)
zeggen	zei	zeiden	gezegd (heeft)
zien	zag	zagen	gezien (heeft)
zijn	was	waren	geweest (is)
zingen	zong	zongen	gezongen (heeft)
zitten	zat	zaten	gezeten (heeft)
zoeken	zocht	zochten	gezocht (heeft)
zullen	zou	zouden	⸺
zwemmen	zwom	zwommen	gezwommen (heeft / is)
zwijgen	zweeg	zwegen	gezwegen (heeft)

APPENDIX II

PARTICIPIUM	INFINITIEF	PARTICIPIUM	INFINITIEF
aangeboden	aanbieden	geklonken	klinken
aangedaan	aandoen	gekocht	kopen
aangegeven	aangeven	gekomen	komen
aangehad	aanhebben	gekozen	kiezen
aangekomen	aankomen	gekregen	krijgen
aangenomen	aannemen	gekund	kunnen
aangesproken	aanspreken	gelachen	lachen
aangestaan	aanstaan	gelaten	laten
aangetrokken	aantrekken	gelegen	liggen
achtergelaten	achterlaten	geleken	lijken
achteruitgegaan	acheruitgaan	gelezen	lezen
afgelopen	aflopen	gelogen	liegen
afgesloten	afsluiten	gelopen	lopen
afgesproken	afspreken	gemoeten	moeten
afgestaan	afstaan	gemogen	mogen
afgewassen	afwassen	genezen	genezen
begonnen	beginnen	genomen	nemen
begrepen	begrijpen	gebakken	bakken
bekeken	bekijken	gebeden	bidden
beschreven	beschrijven	gebleken	blijken
besloten	besluiten	geboden	bieden
besproken	bespreken	gebogen	buigen
bestaan	bestaan	gebracht	brengen
bewogen	bewegen	gebroken	breken
bezocht	bezoeken	gedaan	doen
binnengegaan	binnengaan	gedragen	dragen
binnengekomen	binnenkomen	gedronken	drinken
binnengelaten	binnenlaten	gegaan	gaan
binnengelopen	binnenlopen	gegeven	geven
binnengereden	binnenrijden	genoten	genieten
binnengeroepen	binnenroepen	gereden	rijden
binnengeweest	binnengaan	geroepen	roepen
buitengegaan	buitengaan	geroken	ruiken
buitengekomen	buitenkomen	gescheiden	scheiden
buitengereden	buitenrijden	geschenen	schijnen
buitengeweest	buitengaan	geschoren	scheren
dichtgedaan	dichtdoen	geschreven	schrijven
doorgekeken	doorkijken	geschrokken	schrikken
doorgelopen	doorlopen	geslapen	slapen
eruitgezien	eruitzien	gesloten	sluiten
gegoten	gieten	gesneden	snijden
gehad	hebben	gesproken	spreken
gehangen	hangen	gesprongen	springen
geheten	heten	gestaan	staan
geholpen	helpen	gestegen	stijgen
gekeken	kijken	gestoken	steken
geklommen	klimmen	gestolen	stelen

PARTICIPIUM	INFINITIEF	PARTICIPIUM	INFINITIEF
gestorven	sterven	opgegeven	opgeven
getrokken	trekken	opgehad	ophebben
gevallen	vallen	opgehouden	ophouden
gevlogen	vliegen	opgenomen	opnemen
gevochten	vechten	opgeschoten	opschieten
gevonden	vinden	opgestaan	opstaan
gevraagd	vragen	opgevallen	opvallen
gewassen	wassen	opgevangen	opvangen
geweest	zijn / gaan	opgezocht	opzoeken
geweten	weten	overgenomen	overnemen
gewezen	wijzen	overgestoken	oversteken
gewogen	wegen	overgevlogen	overvliegen
gewonnen	winnen	rondgegaan	rondgaan
geworden	worden	rechtgestaan	rechtstaan
gezeten	zitten	rondgekeken	rondkijken
gezien	zien	rondgelopen	rondlopen
gezocht	zoeken	rondgereden	rondrijden
gezongen	zingen	samengehangen	samenhangen
gezwegen	zwijgen	samengekomen	samenkomen
gezwommen	zwemmen	schoongehouden	schoonhouden
herdacht	herdenken	tegengevallen	tegenvallen
ingenomen	innemen	teruggedacht	terugdenken
ingereden	inrijden	teruggegaan	teruggaan
ingesloten	insluiten	teruggekomen	terugkomen
klaargelegen	klaarliggen	teruggekregen	terugkrijgen
klaargestaan	klaarstaan	teruggereden	terugrijden
langsgekomen	langskomen	teruggevonden	terugvinden
langsgelopen	langslopen	teruggeweest	teruggaan
langsgeweest	langsgaan	teruggezien	terugzien
leeggedronken	leegdrinken	thuisgebleven	thuisblijven
lesgegeven	lesgeven	thuisgekomen	thuiskomen
losgelaten	loslaten	uitgedaan	uitdoen
meegebracht	meebrengen	uitgereden	uitrijden
meegegaan	meegaan	uitgeweest	uitgaan
meegekomen	meekomen	verboden	verbieden
meegenomen	meenemen	verdwenen	verdwijnen
meegereden	meerijden	vergeleken	vergelijken
meegevallen	meevallen	verkocht	verkopen
meegeweest	meegaan	verloren	verliezen
nagedacht	nadenken	verschenen	verschijnen
onderbroken	onderbreken	vertrokken	vertrekken
onderzocht	onderzoeken	voorbijgegaan	voorbijgaan
ontbeten	ontbijten	voorbijgekomen	voorbijkomen
ontslagen	ontslaan	voorgeschreven	voorschrijven
opengebleven	openblijven	weggedacht	wegdenken
opengedaan	opendoen	weggegaan	weggaan
opengehouden	openhouden	weggelopen	weglopen
opgedronken	opdrinken	weggereden	wegrijden
opgegeten	opeten		

APPENDIX III

IMPERFECTUM	INFINITIEF	IMPERFECTUM	INFINITIEF
at (aten)	eten	ging rond (gingen rond)	rondgaan
at op (aten op)	opeten	ging terug (gingen terug)	teruggaan
bad (baden)	bidden	ging uit (gingen uit)	uitgaan
begon (begonnen)	beginnen	ging voorbij (gingen voorbij)	voorbijgaan
begreep (begrepen)	begrijpen	ging weg (gingen weg)	weggaan
begroef (begroeven)	begraven	goot (goten)	gieten
bekeek (bekeken)	bekijken	had (hadden)	hebben
besloot (besloten)	besluiten	had aan (hadden aan)	aanhebben
beschreef (beschreven)	beschrijven	had op (hadden op)	ophebben
besprak (bespraken)	bespreken	herdacht (herdachten)	herdenken
bestond (bestonden)	bestaan	hield (hielden)	houden
bewoog (bewogen)	bewegen	hield op (hielden op)	ophouden
bezocht (bezochten)	bezoeken	hield open (hielden open)	openhouden
bleef (bleven)	blijven	hield schoon (hielden schoon)	schoonhouden
bleef open (bleven open)	openblijven	hielp (hielpen)	helpen
bleef thuis (bleven thuis)	thuisblijven	hing (hingen)	hangen
bleek (bleken)	blijken	hing samen (hingen samen)	samenhangen
bood (boden)	bieden	keek (keken)	kijken
bood aan (boden aan)	aanbieden	keek door (keken door)	doorkijken
boog (bogen)	buigen	keek rond (keken rond)	rondkijken
bracht (brachten)	brengen	klom (klommen)	klimmen
bracht mee (brachten mee)	meebrengen	klonk (klonken)	klinken
brak (braken)	breken	kocht (kochten)	kopen
dacht (dachten)	denken	kon (konden)	kunnen
dacht na (dachten na)	nadenken	koos (kozen)	kiezen
dacht terug (dachten terug)	terugdenken	kreeg (kregen)	krijgen
dacht weg (dachten weg)	wegdenken	kreeg terug (kregen terug)	terugkrijgen
deed (deden)	doen	kwam (kwamen)	komen
deed aan (deden aan)	aandoen	kwam aan (kwamen aan)	aankomen
deed dicht (deden dicht)	dichtdoen	kwam binnen (kwamen binnen)	binnenkomen
deed open (deden open)	opendoen	kwam buiten (kwamen buiten)	buitenkomen
deed uit (deden uit)	uitdoen	kwam langs (kwamen langs)	langskomen
dronk (dronken)	drinken	kwam mee (kwamen mee)	meekomen
dronk leeg (dronken leeg)	leegdrinken	kwam samen (kwamen samen)	samenkomen
dronk op (dronken op)	opdrinken	kwam terug (kwamen terug)	terugkomen
gaf (gaven)	geven	kwam thuis (kwamen thuis)	thuiskomen
gaf aan (gaven aan)	aangeven	kwam voorbij (kwamen voorbij)	voorbijkomen
gaf les (gaven les)	lesgeven	lag (lagen)	liggen
gaf op (gaven op)	opgeven	lag klaar (lagen klaar)	klaarliggen
genas (genazen)	genezen	las (lazen)	lezen
genoot (genoten)	genieten	leek (leken)	lijken
ging (gingen)	gaan	liep (liepen)	lopen
ging achteruit (gingen achteruit)	achteruitgaan	liep af (liepen af)	aflopen
ging binnen (gingen binnen)	binnengaan	liep binnen (liepen binnen)	binnenlopen
ging buiten (gingen buiten)	buitengaan	liep door (liepen door)	doorlopen
ging langs (gingen langs)	langsgaan	liep langs (liepen langs)	langslopen
ging mee (gingen mee)	meegaan	liep rond (liepen rond)	rondlopen

IMPERFECTUM	INFINITIEF	IMPERFECTUM	INFINITIEF
liep weg (liepen weg)	weglopen	stal (stalen)	stelen
liet (lieten)	laten	steeg (stegen)	stijgen
liet achter (lieten achter)	achterlaten	stierf (stierven)	sterven
liet binnen (lieten binnen)	binnenlaten	stond (stonden)	staan
liet los (lieten los)	loslaten	stond aan (stonden aan)	aanstaan
loog (logen)	liegen	stond af (stonden af)	afstaan
mocht (mochten)	mogen	stond klaar (stonden klaar)	klaarstaan
moest (moesten)	moeten	stond op (stonden op)	opstaan
nam (namen)	nemen	stond recht (stonden recht)	rechtstaan
nam aan (namen aan)	aannemen	trok (trokken)	trekken
nam mee (namen mee)	meenemen	trok aan (trokken aan)	aantrekken
nam op (namen op)	opnemen	trok uit (trokken uit)	uittrekken
nam over (namen over)	overnemen	verbood (verboden)	verbieden
onderbrak (onderbraken)	onderbreken	verdween (verdwenen)	verdwijnen
onderzocht (onderzochten)	onderzoeken	vergat (vergaten)	vergeten
ontbeet (ontbeten)	ontbijten	vergeleek (vergeleken)	vergelijken
onthield (onthielden)	onthouden	verloor (verloren)	verliezen
ontsloeg (ontsloegen)	ontslaan	verscheen (verschenen)	verschijnen
ontstond (ontstonden)	ontstaan	verstond (verstonden)	verstaan
ontving (ontvingen)	ontvangen	vertrok (vertrokken)	vertrekken
reed (reden)	rijden	viel (vielen)	vallen
reed binnen (reden binnen)	binnenrijden	viel mee (vielen mee)	meevallen
reed buiten (reden buiten)	buitenrijden	viel op (vielen op)	opvallen
reed in (reden in)	inrijden	viel tegen (vielen tegen)	tegenvallen
reed mee (reden mee)	meerijden	ving op (vingen op)	opvangen
reed rond (reden rond)	rondrijden	vloog (vlogen)	vliegen
reed terug (reden terug)	terugrijden	vloog over (vlogen over)	overvliegen
reed uit (reden uit)	uitrijden	vocht (vochten)	vechten
reed weg (reden weg)	wegrijden	vond (vonden)	vinden
riep (riepen)	roepen	vond terug (vonden terug)	terugvinden
riep binnen (riepen binnen)	binnenroepen	vroeg (vroegen)	vragen
rook (roken)	ruiken	vroeg zich af (vroegen zich af)	zich afvragen
scheen (schenen)	schijnen	was (waren)	zijn
schoor (schoren)	scheren	wees (wezen)	wijzen
schoot op (schoten op)	opschieten	werd (werden)	worden
schreef (schreven)	schrijven	wilde / wou (wilden)	willen
schreef voor (schreven voor)	voorschrijven	wist (wisten)	weten
schrok (schrokken)	schrikken	won (wonnen)	winnen
sliep (sliepen)	slapen	woog (wogen)	wegen
sloot (sloten)	sluiten	zag (zagen)	zien
sloot af (sloten af)	afsluiten	zag eruit (zagen eruit)	eruitzien
sloot in (sloten in)	insluiten	zag terug (zagen terug)	terugzien
sneed (sneden)	snijden	zat (zaten)	zitten
sprak (spraken)	spreken	zei (zeiden)	zeggen
sprak aan (spraken aan)	aanspreken	zocht (zochten)	zoeken
sprak af (spraken af)	afspreken	zocht op (zochten op)	opzoeken
sprak uit (spraken uit)	uitspreken	zong (zongen)	zingen
sprong (sprongen)	springen	zou (zouden)	zullen
stak (staken)	steken	zweeg (zwegen)	zwijgen
stak over (staken over)	oversteken	zwom (zwommen)	zwemmen

APPENDIX IV

LIJST VAN GRAMMATICALE TERMEN
[list of grammatical terms]

bepaald artikel   *[definite article]*
 <u>de</u> tafel, <u>het</u> huis

bijzin   *[subclause]*
 Ik eet <u>omdat ik honger heb</u>.
 <u>Als ik moe ben</u>, ga ik slapen.

comparatief   *[comparative]*
 <u>mooier</u>, <u>harder</u>, <u>beter</u>

consonant   *[consonant]*
 <u>b</u>, <u>d</u>, <u>f</u>, <u>k</u>, <u>r</u>, ...

demonstratief pronomen   *[demonstrative pronoun]*
 <u>dit</u> boek, <u>deze</u> tafel, <u>dat</u> huis, <u>die</u> school

eindgroep   *[only contains verbs: all the infinite verbs in the*
                main clause, the finite and the infinite verbs in the
                subclause]

Tom kan de 100 meter in 11 seconden <u>lopen</u>.
Tom zal de 100 meter in 11 seconden <u>proberen te lopen</u>.
Tom heeft de 100 meter in 11 seconden <u>gelopen</u>.
Tom hoopt dat hij de 100 meter in 11 seconden <u>zal kunnen lopen</u>.

enkelvoud   *[singular]*
 <u>een boek</u>, <u>ik werk</u>

enkelvoudige zin   *[simple sentence]*
 <u>Ik heb honger</u>.

hoofdzin   *[main clause]*
 <u>Ik eet</u> omdat ik honger heb.
 <u>Ik ga naar mijn kamer</u>, maar <u>ik ga nog niet meteen slapen</u>.

hulpwerkwoord   *[auxiliary]*
 Ik <u>heb</u> vandaag gewerkt.
 Ik <u>moet</u> morgen ook werken.

imperatief   *[imperative]*
 <u>Ga</u> meteen naar huis!
 <u>Werk</u> niet te hard!

imperfectum   *[past tense]*
 ik <u>werkte</u>, wij <u>gingen</u>

indirecte vraag   *[indirect question]*
 <u>Hij vraagt of je honger hebt</u>.

infinitief   *[infinitive]*
    <u>werken</u>, <u>doen</u>
    Ik wil vanavond naar de bioscoop <u>gaan</u>.

link   *[conjunction]*
    Ik eet <u>omdat</u> ik honger heb.
    Ik ga naar mijn kamer, <u>maar</u> ik ga nog niet meteen slapen.

meervoud   *[plural]*
    <u>de boeken</u>, <u>wij werken</u>

negatie   *[negation]*
    Het regent niet.
    Ik heb vandaag <u>geen</u> tijd.
    <u>Nee</u>.

object   *[object]*
    Ik zal <u>dat verhaal</u> straks vertellen.
    Ik koop <u>bloemen</u> <u>voor Inge</u> en ik geef <u>ze</u> <u>haar</u> vanavond.

onbepaald artikel   *[indefinite article]*
    <u>een</u> tafel

onbepaald hoofdtelwoord   *[indefinite cardinal numeral]*
    <u>enkele</u> studenten, <u>weinig</u> boeken, niet <u>veel</u> mensen

onbepaald pronomen   *[indefinite pronoun]*
    <u>iemand</u>, <u>iets</u>, <u>niemand</u>

ontelbaar substantief   *[uncountable noun]*
    <u>melk</u> (~~2 melken~~), <u>katoen</u>

participium perfectum   *[past participle]*
    ik heb <u>gewerkt</u>, ik ben <u>gegaan</u>

perfectum   *[perfect tense]*
    ik <u>heb gewerkt</u>, ik <u>ben gegaan</u>

persoonsvorm   *[finite verb]*
    Tom <u>zal</u> de 100 meter in 11 seconden proberen te lopen.
    Ik <u>kom</u> uit Italië.
    Er <u>staat</u> melk op de tafel.

possessief pronomen   *[possessive pronoun]*
    <u>mijn</u> boek

presens   *[present tense]*
    ik <u>werk</u>, ik <u>ga</u>

reflexief werkwoord   *[reflexive verb]*
    Hij <u>kamt zich</u> nooit.

reflexief pronomen   *[reflexive pronoun]*
    Hij kamt <u>zich</u> nooit.

relatief pronomen   *[relative pronoun]*
    Het boek <u>dat</u> op de kast ligt, gaat over architectuur.
    Ik hou van de antieke tafel <u>die</u> daar staat.

relatieve bijzin   *[relative clause]*
    Het boek <u>dat op de kast ligt</u>, gaat over architectuur.
    Ik hou van de antieke tafel <u>die daar staat</u>.

rest   *[contains everything that is not a subject, verb, question word or link]*
  Tom zal <u>de 100 meter in 11 seconden</u> proberen te lopen.
  Ik kom <u>uit Italië</u>.
  Er staat melk <u>op de tafel</u>.

samengestelde zin   *[complex sentence]*
  <u>Ik eet omdat ik honger heb</u>.
  <u>Ik ga naar mijn kamer maar ik ga nog niet meteen slapen</u>.

stam   *[root]*
  werken   <u>werk</u>
  doen   <u>doe</u>

subject   *[subject]*
  <u>Tom</u> zal de 100 meter in 11 seconden proberen te lopen.
  <u>Ik</u> kom uit Italië.
  <u>Er</u> staat <u>melk</u> op de tafel.

superlatief   *[superlative]*
  <u>mooist</u>, <u>hardst</u>, <u>best</u>

telbaar substantief   *[countable noun]*
  <u>boek</u> (2 boeken)

vocaal   *[vowel]*
  <u>a</u>, <u>e</u>, <u>i</u>, <u>o</u>, <u>u</u>

ALFABETISCH REGISTER VAN GRAMMATICALE TERMEN
[alphabetical register of grammatical terms]

REGISTER VAN DE TAALHANDELINGEN
[register of the speech acts]